CRIMES CAPITAUX

Lawrence Sanders

CRIMES CAPITAUX

Presses de la Cité

Titre original:
Capital Crimes

Traduit par Philippe Rouard

Données de catalogage avant publication (Canada)

Sanders, Lawrence, 1920-
Crimes Capitaux
Traduction de: Capital crimes.
ISBN 2-89111-415-9
I. Titre.
PS3569.A52C3714 1991 813'.54 C91-096068-2

2016, rue Saint-Hubert,
Montréal, H2L 3Z5

Dépôt légal:
1er trimestre 1991

ISBN 2-89111-415-9

PREMIERE PARTIE

1

De Washington à Manassas, de Manassas à Culpeper les routes s'étrécissent. Au sud de Goochland, un chemin étroit criblé d'ornières s'enfonce tout droit à travers des champs pouilleux luisant de gelée blanche. Dans le ciel flotte une lune glauque. Les étoiles scintillent. Le vent sort les dents.

Jadis, c'était un séchoir à tabac. Il en reste encore une odeur. Le bois des râteliers est fendu. Le vent s'engouffre par les bardeaux du toit. Une douzaine d'automobiles stationnent alentour. Il y a aussi une camionnette et deux motos. A l'intérieur, les fidèles, emmitouflés dans des manteaux, des anoraks ou des fourrures, se serrent sur des bancs de bois.

Une grande caisse calée sur des briques sert d'autel. Une caisse plus petite, recouverte d'une pièce de velours râpé, fait office de pupitre. Des lampes à pétrole projettent leurs lueurs vacillantes, fument et font danser les ombres. Un braque au poil blanc, l'échine frissonnante, est couché aux pieds de l'homme sur l'autel.

Frère Kristos dit :

— Nous sommes tous créés à l'image de Dieu. C'est écrit. Et comme Dieu est sans péché, vous aussi. Hommes et femmes sont divins. Le seul péché est de résister à ses désirs.

L'homme est fort, solidement planté sur ses jambes, vêtu d'une robe de bure ceinturée par une cordelette. La barbe broussaille, masquant les joues et la gorge. Les cheveux tombent jusqu'aux épaules en épaisses mèches noires et grasses. Les ongles sont sales, les pieds nus maculés de boue.

— Si vous ne pouvez supporter la douleur de votre existence, dit-il, alors ayez foi en moi, car je vous apporterai la grâce et la pureté. Je prendrai sur moi vos crimes et vos vices, vos péchés et vos désirs secrets. Je ne fais qu'un avec Dieu. Ayez foi en moi, et je laverai votre âme de sa culpabilité.

La voix est plate, sans timbre ; ce sont les yeux qui frappent. Tout en parlant il tourne lentement la tête pour regarder chacun de ses fidèles. Plus intenses que les flammes des lampes, ces yeux-là. Leur éclat fait fondre et ployer.

— Puissiez-vous être guéris, dit Frère Kristos, et aller avec joie, libres de tout sentiment de péché. Déchargez-vous de votre tristesse et réjouissez-vous. Car je ne fais qu'un avec Dieu, et à travers moi vous entrerez dans le Royaume des Cieux.

Il bénit la communauté d'un bref signe de croix et descend de l'autel. Le chien se lève et le suit. Tous deux disparaissent par une porte masquée d'un rideau de toile à sac.

Deux jeunes femmes, vêtues de grossiers surplus taillés dans des draps, font la quête dans les rangs, récoltant billets et pièces de monnaie dans des boîtes à cigares. Puis les fidèles s'en vont à pas lents, remontant leurs cols, renfilant leurs gants.

Une femme d'âge mûr vêtue d'un long manteau de vison est restée. Elle échange quelques mots avec l'une des acolytes. Celle-ci acquiesce d'un signe de tête puis se retire par la portière derrière laquelle a disparu Frère Kristos. Elle pénètre dans un espace sans fenêtre, un ancien fourgon à bestiaux. Un poêle à charbon rougeoie. L'air est enfumé.

— Il y a une femme qui veut te parler. Cinquante-cinq, soixante balais. Manteau de vison. Sac à main en croco. Je l'ai encore jamais vue.

Frère Kristos se lève de la couche froissée où il est vautré et va se planter à côté d'une table de cuisine dont le lino pèle par plaques. La portière en toile de sac s'écarte. La femme entre d'un pas hésitant, grimace un sourire.

— Frère Kristos, dit-elle d'une voix tremblante, je vous remercie de me recevoir. J'espère que vous pourrez m'aider.

Elle ne peut détourner les yeux de l'ardeur de ce regard.

— C'est Mme Lenore Mattingly qui m'a suggéré de venir vous voir. Vous l'avez guérie de ses migraines, et elle ne jure plus que par vous.

— Oui ? dit-il de sa voix sans timbre. Alors elle avait la

foi. Je ne peux rien pour ceux qui ne croient pas. Avez-vous la foi ?

— Oui, j'ai la foi, Frère Kristos. Je n'ai jamais rien entendu d'aussi inspiré que votre sermon. Je reviendrai souvent vous écouter.

C'est une matrone à la poitrine opulente, au teint florissant. Trois bagues serties de gros diamants ornent ses doigts.

— Il fait si chaud, ici, dit-elle avec un gloussement nerveux. Puis-je enlever mon manteau ?

Il ne répond ni ne l'aide à ôter son vison qu'elle plie et pose sur son bras. Elle porte une robe en crêpe de soie noire. Un rang de perles pend entre ses gros seins. Elle est chaussée de souliers de cuir fin.

— Comment vous appelez-vous ? demande-t-il.

— Kate Downley. Mme Katherine Downley. Je vis à Washington. Mon mari est procureur du gouvernement.

— Et vous êtes venue me voir parce que vous souffrez. Dans votre corps.

— Oui. Parfois la douleur est telle que je ne peux...

— Aux genoux, l'interrompt Frère Kristos. Vous avez mal aux genoux. Les médecins n'y peuvent rien. Pour eux, ce sont des rhumatismes, et ils vous font une ordonnance. Mais quand les médicaments cessent d'agir, la douleur revient.

— Comment le savez-vous ? demande-t-elle, stupéfaite.

Il secoue la tête.

— Je ne peux pas l'expliquer.

Il la débarrasse de son manteau et de son sac en crocodile, les pose sur la table puis tire deux chaises en bois qu'il place en vis-à-vis. Ils s'assoient, si près que leurs genoux se touchent presque. A travers les pans écartés de la robe de bure, elle voit ses jambes nues, noueuses, velues. Elle est consciente de l'odeur musquée qu'il dégage.

Il se penche en avant, prend les mains de Kate Downley dans les siennes.

— Regardez-moi dans les yeux, commande-t-il.

Elle obéit, cille sous le regard intense avec lequel il la fixe.

— Avez-vous foi en moi ?

Elle acquiesce d'un hochement de tête.

— Dites-le, ordonne-t-il. Dites : « J'ai foi en vous, Frère Kristos. »

— J'ai foi en vous, Frère Kristos, répète-t-elle, le front plissé.

Il lui lâche les mains, relève sa robe soyeuse, révélant des dessous noirs, opaques.

— Enlevez vos bas.

— Euh... ce sont des collants.

— Enlevez-les.

Elle se lève, abaisse ses collants jusqu'aux chevilles et se rassoit. De nouveau, il lui dénude les jambes. Elle a les genoux enflés.

Il relève la tête et reprend possession d'elle de son regard fiévreux. Il lui saisit les genoux à pleines mains. La poigne est puissante. Il a les paumes calleuses, les doigts et le dos des mains couverts de poils drus.

— Croyez, lui dit-il. Laissez monter votre foi en moi. J'arracherai de vous la douleur. Je la ferai passer en moi. A mesure que votre croyance augmentera, votre punition diminuera. Croyez cela. Ayez confiance en moi.

Comme il lui parle, elle éprouve l'ardeur de ce regard aussi brûlant que le poêle qui rougeoie.

Il malaxe, triture la chair des genoux. Les doigts, durs et râpeux, remontent vers la douceur des cuisses.

— Il n'y a pas de péché, pas de culpabilité, entonne-t-il. Vous avez été créée à l'image de Dieu. Vous pouvez accomplir sans peur tout ce qu'il vous plaît. Vos douleurs ne disparaîtront pas d'un seul coup mais, en même temps que votre foi grandira, vous les sentirez disparaître petit à petit. Donnez-vous à moi, corps et âme, et vous cesserez de souffrir.

Ses yeux se ferment malgré elle. Il lui semble que la voix s'éloigne. Des mains frôlent et caressent ses cuisses qu'elle tient écartées sans en avoir conscience. Elles vont et viennent, palpent, pétrissent, puis l'abandonnent abruptement.

Quand elle rouvre les yeux, elle rencontre ce regard qui la cloue.

— Je suis la Lumière, dit-il. Je suis là pour vous montrer la Voie. Avez-vous foi en moi ?

Elle hoche la tête.

— Dites-le.

— J'ai foi en vous, Frère Kristos.

Il se lève, s'écarte de sa chaise. Elle se redresse, tremblante, remonte ses collants. Quand elle a enfilé son manteau, elle plonge la main dans son sac, en sort cent dollars en petites coupures qu'elle pose sur la table.

— Est-ce assez ? demande-t-elle, timide.

— C'est sans importance, dit-il. Ce qui compte, c'est de croire.

— Est-ce que je pourrai revenir, Frère Kristos ?

Il hausse les épaules.

— Si vous le voulez.

Après qu'elle est partie, que la tenture est retombée, il sort une bouteille de vodka d'un petit buffet et avale deux lampées. Puis il en verse un peu dans une écuelle de fer-blanc posée sur le plancher, et le vieux braque se lève aussitôt pour venir laper voracement l'alcool.

Sur ce, ses deux aides arrivent avec le produit de leur quête.

— Presque quarante-six, rapporte l'une d'elles, montrant à Kristos une poignée de billets et de pièces. Et toi, combien ?

Il désigne d'un geste vague l'argent sur la table.

— Cent, dit-il. Pearl, descends en ville demain matin, fais le plein d'essence et achète de la vodka.

— Et de quoi bouffer, dit Agnes Brittlewaite.

— Et du charbon pour le poêle, ajoute Pearl Gibbs. Du pétrole pour les lampes. On a besoin de tout.

— Dieu y pourvoira, dit Frère Kristos.

Trois bonnes livres de travers de porc rissolent dans un plat sur le poêle, avec des pommes de terre préalablement bouillies. Sur la table, un pain de seigle rassis.

Ils ôtent leurs vêtements. Frère Kristos porte un caleçon grisâtre tout froissé et taché. Les femmes ont des collants de coton. Elles vont les seins nus.

Le plat posé sur la table, chacun pioche dedans, mord à pleines dents dans les travers, enfourne de gros morceaux de pomme de terre, se torche les lèvres d'un bout de pain, qu'on avale ou qu'on jette au chien. Tous trois boivent de la vodka ; la bouteille passe de main en main. Kristos, le buste penché en avant, mastique, tête baissée, crache par terre des bouts d'os et de cartilage. Son appétit est féroce.

Les femmes attaquent leur nourriture avec la même ardeur mais elles s'arrêtent de temps à autre pour échanger des commentaires sur les fidèles venus ce soir. La bouteille va de bouche en bouche, il ne reste rien des patates, les travers sont réduits à un tas d'os rongés qu'on donne au chien.

Frère Kristos se renverse sur sa chaise et fait signe à Pearl d'approcher. Elle vient s'asseoir sur ses genoux. Il lui pétrit les seins, demande à l'autre femme de venir. Elle fait le tour de la table et se plante à côté de lui.

Elle est forte, avec des seins qui pendent, pas de taille, des cuisses épaisses. Elle se presse contre Kristos, et il fourre sa main libre sous son collant. Il la caresse pendant un instant puis la repousse et se lève brusquement, faisant choir Pearl de ses genoux. Il boit longuement à la bouteille puis, se débarrassant de son caleçon, il s'en va rouler nu sur la couche, exhibe son érection. Les femmes gloussent.

Pearl le rejoint sur le lit. Agnes ajoute une pelletée de charbon dans le poêle avant d'aller avec eux. L'air chaud et enfumé sent le porc grillé, la sueur et le sexe. Les lampes à pétrole clignotent.

Kristos grogne comme une bête, agrippe les chairs, roule sur les deux corps offerts, s'enfonce, mord et griffe, la bouche ouverte dans un rictus de plaisir.

Les ébats se poursuivent jusqu'à minuit, jusqu'à ce que la bouteille soit vide, la passion assouvie. Leurs chairs repues macèrent dans une chaleur de hammam. Finalement, Kristos repousse les deux femmes, se lève, vacille un peu puis, toujours nu, sort dans la nuit par la porte de derrière.

Peu après, les femmes l'imitent ; elles renfilent leurs robes blanches.

Pearl : « Où est-il allé ? »

Agnes : « Dehors. »

Pearl : « Aux chiottes ? »

Agnes : « Je n'en sais rien. »

Pearl : « Il s'est peut-être évanoui. »

Agnes : « Jamais de la vie ! »

Pearl : « On ferait peut-être mieux d'aller voir. »

Elles se risquent dehors. Le froid cogne dur. Une lune gelée fait un ciel de lait clouté d'étoiles. Le vent mord.

— Là-bas, dit Agnes. Sur la pente.

Il est à genoux au pied d'un vieux chêne aux branches noires et nues, dont il embrasse à pleins bras le tronc noueux. Il a l'air tout petit, sans défense, ce corps blanchi sous la lueur lunaire.

— Qu'est-ce qu'il fait ? demande Pearl.

— Il prie, répond Agnes.

Pearl rit.

— Il est dingue, dit-elle.

Agnes se retourne vers elle.

— Dis jamais ça, connasse !

Puis elle se radoucit.
— Mais qu'est-ce qu'on rigole, hein ?

2

Ils sont à l'intérieur, au chaud, mais le directeur du cabinet présidentiel se tient tout voûté, les mains enfoncées dans les poches, comme s'il était dehors sous le porche, là où le Marine de garde bat la semelle.
— Ce petit salopard, dit, amer, Henry Aaron Folsom. Il se pointe tous les trois mois, réglé comme du papier à musique. Et vous savez pourquoi ? Pour se faire tirer le portrait en compagnie du patron. Il envoie la photo dans son pays de merde, pour qu'elle paraisse dans les journaux et qu'on voie combien il est poteau avec le président des Etats-Unis d'Amérique. A ce propos, vous avez pensé au photographe ?
— Oui, il est ici, répond John Tollinger.
— Parfait. Faut se dépêcher d'expédier ce merdeux. On a une journée chargée. Le conseil d'Etat se réunit dans dix minutes.
— Oui, dit son assistant, on doit débattre de la situation aux Mariannes.
— J'aimerais avoir votre mémoire.
— Je prends des pilules pour ça, dit Tollinger.
— Sans blague ? C'est quoi ?
— Je ne me souviens pas du nom, répond l'assistant, sérieux comme un pape, et Folsom pouffe de rire.
Une limousine s'arrête au bas du perron.
— Voilà notre sauterelle, dit le directeur de cabinet. Avec le prix de sa bagnole, il y a de quoi nourrir la moitié de son pays pendant une semaine.
Les deux hommes sortent, tandis que le chauffeur de la voiture s'empresse d'ouvrir la portière arrière. Un petit homme au teint cireux s'en extirpe et grimpe d'un pas alerte les marches du perron.
— Monsieur l'ambassadeur ! s'exclame Folsom, la main tendue. Quel plaisir de vous revoir !
L'ambassadeur glousse.

— Tout va bien, j'espère ?

— Tout va on ne peut mieux, répond le directeur avec chaleur. Le président se réjouit de votre visite. Par ici, s'il vous plaît.

Ils l'entraînent à travers les couloirs jusqu'au Bureau Ovale. Le président Abner Randolph Hawkins se lève à leur entrée. Il serre la petite patte que lui offre l'ambassadeur. Les deux hommes restent debout pendant un moment, échangent quelques banalités sur le froid qui sévit puis s'entretiennent du délabrement de l'économie dans le pays de l'ambassadeur.

— Les gens ont faim, dit tristement le diplomate.

Parce que, brûle d'envie de lui rétorquer le président, toute notre aide file droit dans les poches de la bande de truands que vous représentez. Mais il se contente d'opiner d'un air compréhensif et promet de se pencher sur la question.

On mande le photographe, qui prend les clichés attendus. L'ambassadeur recevra une douzaine de tirages à sa résidence : une suite luxueuse à l'hôtel *Washington Plaza*. Le directeur du cabinet demeure avec le président, et John Tollinger raccompagne l'envoyé jusqu'à sa voiture.

Juste avant de sortir, l'ambassadeur jette un regard furtif autour de lui et, se rapprochant de Tollinger, pose sur son bras une main parcheminée.

— Le président va bien ? demande-t-il à voix basse.

— Le président est en excellente santé, répond froidement l'assistant.

— Mais il a l'air tellement fatigué, insiste l'ambassadeur. Fatigué et... soucieux. Il m'a paru distant. Pas une seule fois il n'a ri ni même souri.

— Il travaille beaucoup, dit Tollinger. Cette affaire au Pérou...

— Ah oui, dit le diplomate qui sait tout juste où se trouve le Pérou et ignore tout de l'« affaire » en question. Et son fils... comment va-t-il ?

— Il réagit très bien au traitement, répond Tollinger, se bornant à la réponse formelle prévue dans ce cas-là.

Plus tard, dans la soirée, Tollinger rapporte à son supérieur sa conversation avec l'ambassadeur.

— Alors ça ne lui a pas échappé à ce trou du cul ? dit Folsom. Ma foi, c'est la vérité, le patron tire une gueule d'enterrement. John, arrêtons les photos diplomatiques pendant quelque temps. Pas question que le *Times* publie des portraits de lui aussi sinistres. Et nous ajournerons les conférences de presse en prétextant qu'il est trop occupé par cette histoire d'otages au Pérou.

— Ça ne marchera pas, dit Tollinger.

— A la longue, non, concède le directeur, mais temporairement ça limitera les dégâts. On commence à me poser des questions, là-bas, au Capitole. Moi, je trouve que ça sent le roussi. Il se déplaçait comme un zombie, aujourd'hui. Il était ailleurs. Il y a une bonne douzaine de dossiers importants qui attendent sa décision. Il lui suffit de dire oui ou non, et il en est incapable. Ça ne lui ressemble pas.

— Son fils ?

— Oui, dit le directeur. Et sa femme. Elle ne l'aide pas. Ça vous ennuierait de rester un peu plus tard, ce soir ?

— Pas du tout.

— Pas de projets ? Pas de rendez-vous galant ?

— Ça fait belle lurette que je n'en ai plus, des rendez-vous galants.

— Allons, c'est rien qu'un coup de BDD. Vous savez ce que ça veut dire ?

— Le Blues Du Divorcé ?

— C'est ça. Mais quand on tombe de cheval, il faut se relever et se remettre en selle sans tarder. Je le sais, je suis passé par là deux fois. Bon, trêve de sermon. Si je vous demande de faire des heures sup, c'est parce que Doc Stemple vient à sept heures. J'ai d'abord pensé avoir un entretien en privé avec lui. Puis je me suis dit qu'il serait peut-être plus avisé d'avoir un témoin. Vous voulez bien être ce témoin ?

— C'est au sujet du... patron ?

— Oui, et j'aimerais avoir l'opinion du docteur. C'est qu'on a là un sérieux problème sur les bras, John.

— Je sais.

— Alors je compte sur vous ?

— Vous pouvez. Voulez-vous que je prenne des notes ?

— Jésus, Marie, non ! Pas de notes, pas de magnéto. Comme ça, pas de traces, pas de preuves.

— Je comprends, dit Tollinger.

Cela la ficherait mal si les médias apprenaient que le cabinet présidentiel s'est attaché les services d'un psychiatre, aussi le Dr R. Judd Stemple émarge-t-il officiellement au Conseil de la Sécurité Nationale, où il est censé avoir pour tâche, avec ses cinq assistants, de dresser les profils psychologiques de chefs d'Etat étrangers, de diplomates, de terroristes et d'activistes et, éventuellement, de membres du Congrès.

En vérité, Stemple sert avant tout de psychologue consultant du personnel de la Maison-Blanche. Il est là quand ces messieurs dépriment, quand l'alcool ou la drogue, ou les deux à la fois, occasionnent trop de problèmes ou quand certaines de ces têtes pensantes se mettent à broyer du noir à la perspective que, tôt ou tard, fatalement, ils perdront le rare privilège d'avoir un laissez-passer et un numéro de téléphone à la Maison-Blanche.

Petit, chauve, vif, Stemple passe pour le meilleur joueur de billard français de la capitale. On dit qu'il s'entraîne chaque soir, ce qui explique peut-être pourquoi il perd rarement son temps à tourner autour du pot.

— Ecoutez, dit-il à Folsom et Tollinger, c'est comme si on avait plongé notre bonhomme dans une cocotte-minute. Président ! Probablement le job le plus difficile au monde. D'accord, il a fait ses classes ; il a servi dans la législature, il a tenu deux mandats comme gouverneur. Et après ? Rien, absolument rien ne peut préparer un homme à ce qui l'attend dès l'instant où il pose son cul sur le siège présidentiel dans le Bureau Ovale.

— Il a parfaitement tenu le coup jusqu'ici, fait remarquer Folsom. Et ça fait tout de même presque plus d'un an.

— Oui, il a fonctionné, et bien fonctionné, réplique le docteur. Mais il a dû pour cela refouler tous ses problèmes personnels.

— Il fait passer le pays avant toute chose, plaide Folsom. Le patron est un patriote. Le mot n'a plus guère de sens de nos jours, mais c'est ce qu'il est... un patriote.

— Je vous l'accorde, dit Stemple, mais il le paie psychiquement, et il le paie cher. Quel âge avait-il à la naissance de son fils ?

Le directeur du cabinet présidentiel jette un regard à son assistant.

— John ?

— Quarante-deux, répond Tollinger. Et sa femme en avait trente-six.

— C'est vieux pour un premier enfant, dit le docteur. Vous ne pouvez pas savoir quel bonheur ç'a été pour eux après toutes ces années d'attente. Et puis l'enfant se révèle hémophile. Un sale coup, vraiment, mais ils font face, assument l'adversité et s'efforcent de mener une vie normale... Pas facile quand on a un beau garçon qui risque de se mettre à saigner à mort à la moindre chute de vélo. Enfin, cela n'empêche pas Abner Randolph Hawkins de décrocher la timbale. Il est élu président des Etats-Unis. Et, dès lors, il doit affronter mille problèmes, mais ces mille-là pèsent peu comparés à celui que lui cause son fils unique, George Powell Hawkins, dont la vie est en permanence menacée.

— Allons, dit Folsom, ce n'est pas si dramatique. Le gosse est malade, d'accord, mais il y a toujours quelqu'un qui veille sur lui. Il n'est jamais loin d'un centre de transfusion en cas d'urgence, et ils essaient maintenant un nouveau coagulant.

— Et ça marche ? s'enquiert Stemple.

— Il réagit bien au traitement, répond Folsom.

— Epargnez-moi ce genre de foutaises, dit le docteur. C'est aussi nul que : « L'opération a été un succès mais le patient est mort. » Le gamin est un malade à vie, et vous le savez bien. Vous me demandez pourquoi son père est désespéré ? Parce qu'il aime son fils. Et il se fait un sang d'encre pour lui. C'est un miracle qu'il tienne le coup comme il le fait. Je ne suis pas souvent d'accord avec ses orientations politiques, mais je reconnais que c'est un homme sincère et honnête, et un père affectueux.

— Et sa femme ? demande Folsom.

— Elle souffre dix fois plus que son mari. Elle est persuadée d'être la cause de la maladie du petit, ce qui, dans un sens, est exact. L'hémophilie est une maladie héréditaire transmise par les femmes et affectant uniquement les hommes. Vous vous imaginez sa culpabilité ? D'après ce que j'ai pu apprendre, elle ne se savait pas porteuse de la maladie. Sa mère a eu deux filles. Sa grand-mère, trois. Il faut remonter à l'arrière-grand-mère pour trouver un garçon. Un hémophile, mort à l'âge de quatre ans. Alors vous pouvez vous figurer quelle torture est la sienne.

— D'accord, dit Folsom, merci pour le diagnostic médical. Maintenant, dites-moi franchement, que pourrait-il se passer dans le pire des cas ? Si le gosse mourait, par exemple ?

Le Dr Stemple se radosse à son siège, passe une main sur son crâne chauve.

— C'est vraiment chiant qu'il soit interdit de fumer ici,

dit-il. Je ne cracherais pas sur un cigare. Pour répondre à votre question, je ne pense pas que le décès du gamin serait une catastrophe. Il y a eu des présidents qui ont perdu un enfant pendant leur mandat, et ils ont survécu. Bien entendu, ils ont connu des moments douloureux mais le chagrin peut être thérapeutique.

— Thérapeutique ? demande Folsom.

— Oui, la disparition de l'enfant causerait au président une immense douleur mais elle le libérerait de son angoisse.

— Alors, c'est quoi, le scénario-catastrophe ? insiste le directeur du cabinet.

Le docteur pose sur lui un regard froid.

— Que ses nerfs lâchent, dit-il.

— Non, ne me dites pas ça.

— Je vous dis ce que je pense. Une dépression nerveuse est très possible.

— Je ne vous crois pas, dit Folsom. J'ai servi à ses côtés dans les Marines. On a connu l'enfer, et jamais je ne l'ai vu flancher. Il ne craquera pas.

— Folsom, dit Stemple d'une voix suave, au combat il faut tuer pour ne pas être tué. Mais comment se défendre contre l'infortune ? Vous ne comprenez donc pas que son problème, c'est justement son impuissance ? Il ne peut rien faire, seulement souffrir.

Le directeur du cabinet présidentiel secoue la tête.

— Bon Dieu, que faire s'il craque ? marmonne-t-il.

Ils se taisent pendant un moment, écoutant les bruits de la grande maison : le pas hâtif d'un courrier passant dans le couloir, un brusque éclat de rire, une porte qui claque. Ils savent qu'à l'étage au-dessus se trouvent le président et sa femme. Que font-ils ? Pleurent-ils ensemble en se tenant la main ?

Tollinger se tourne vers le docteur.

— Docteur Stemple, il y a un facteur que vous n'avez pas mentionné : leur foi religieuse. Vous devez le savoir, le président et la Première dame sont très croyants. Ne pourraient-ils pas trouver un réconfort dans la religion ?

— Je n'ai jamais abordé ce sujet avec eux, répond Stemple, mais peut-être pensent-ils qu'ils ont dû pécher pour que Dieu les punisse ainsi, ce qui dans ce cas doit accroître leur sentiment de culpabilité. Mais je ne peux vous répondre sur ce point. Qui le pourrait ? Pas même Helen et Abner Hawkins.

— Ils vont au temple tous les dimanches, insiste Tollinger. Ils disent parfois la prière ici, à la Maison-Blanche. Leur pasteur est le Révérend Jonathan Smiley. Vous le connaissez ?

— Je l'ai rencontré deux ou trois fois. Un faux-cul de sermonneur.

— Peu importe, s'ils ont confiance en lui, ne serait-il pas opportun de le faire intervenir ? Il pourrait peut-être les convaincre que leur culpabilité n'a pas de sens.

— J'en doute, dit le docteur. Avez-vous jamais entendu prêcher Smiley ? C'est le genre « Que la volonté de Dieu soit faite ! ». Pas question pour lui de se demander pourquoi certains meurent de faim quand d'autres crèvent de trop bouffer, pourquoi des bébés naissent avec le SIDA, pourquoi un peu partout des bombes pètent, tuant des innocents. Non, tout ça, pour la race des Smiley, c'est la volonté de Dieu. Mais ne croyez pas que le président et la Première dame avalent ce genre de boniments. Ils ne sont peut-être pas très futés mais ils ont gardé les pieds sur terre et l'esprit pratique des pionniers. Pour eux, quand on a un problème, on essaie de le résoudre, et sans rechigner à l'effort. On ne se dit pas, fataliste, que « Dieu l'a voulu ». Non, je ne pense pas que le pasteur Smiley puisse apporter l'ombre d'une réponse.

— Alors, c'est quoi, la réponse ? grogne Folsom.

Le docteur le considère d'un air vaguement amusé.

— Pourquoi penser que tout problème a sa solution ? dit-il. C'est rarement le cas. Mais parfois, si on attend assez longtemps, les difficultés se résolvent d'elles-mêmes.

— Foutaises ! rétorque Folsom.

3

Nombreux sont ceux qui trouvent John Tollinger froid. L'homme est seulement réservé. Sur la route, rentrant chez lui à Spring Valley, il songe à cet entretien avec le docteur et son supérieur au cabinet. Il est amusé mais ne rit ni même ne sourit au souvenir du trio qu'ils composaient, à supputer la santé mentale du président des Etats-Unis d'Amérique.

Avant de devenir son ex, Jennifer lui dit un jour :

« On dit qu'il y a deux sortes de gens au monde : ceux qui prennent la vie pour une tragédie et ceux qui la prennent pour une comédie. Toi, tu la prends pour une catastrophe.

— Ce n'est pas vrai, lui rétorqua-t-il. Et injuste. J'ai seulement une perception aiguë de l'absurdité de l'existence.

— Et tu emploies des mots trop savants », ajouta-t-elle.

Au rappel de cet échange verbal, il se demande une fois de plus pourquoi ils se sont séparés. Pas à cause de l'argent. Pas non plus à cause du sexe (entente parfaite de ce côté-là) ni d'une infidélité quelconque (ils se furent l'un l'autre fidèles pendant les trois ans que dura leur union).

Ce fut, pense-t-il, une incompatibilité de caractères qui sonna le glas de leur couple. Ils auraient pu s'en douter. Mais au début, ils se dirent que les « extrêmes s'attiraient » et ils ne doutèrent pas de rester inséparables. Ils se trompaient.

« Tu es un type froid, l'accusa-t-elle à la fin. De l'eau glacée court dans tes veines. Si jamais ton pantalon prenait feu, tu dirais peut-être : “ Mince ! ”, et encore ! Tu traverses la vie avec l'air de penser : “ Bon Dieu, ce qu'ils sont cons, ces humains ! ”

— C'est somme toute ce que disait Sénèque, répliqua-t-il avec détachement. Toi, tes sautes d'humeur tournent à la maniaco-dépression. Je t'ai vue pleurer parce que tu ne te rappelais plus où tu avais posé les clés de la voiture. Tu as l'émotion versatile et, quand tu ne trouves pas une occasion quelconque de piquer une crise, tu l'inventes.

— Enfin, dit-elle avec un soupir, je dois reconnaître que tu fais les meilleurs martini-gin que j'aie jamais bus.

— Et j'en pense autant de tes lasagnes », repartit-il.

Ils divorcèrent donc mais entretinrent une amitié prudente, se retrouvant de temps à autre pour savourer martini-gin et lasagnes. Par ailleurs, Jennifer, qui a repris son nom de jeune fille, Jennifer Raye, est l'attachée de presse de la Première dame, et elle et Tollinger se rencontrent fréquemment à la Maison-Blanche sans que cela leur cause la moindre gêne.

Elle s'est montrée, il l'avoue, passablement généreuse lors des arrangements du divorce. Il gardait la maison à Spring Valley, et elle emportait la plus grande partie des meubles. De quoi garnir un duplex à Georgetown, qu'elle commença à partager avec une grande bringue, statisticienne au ministère du Travail.

Mais leur accord le laissa dans une maison presque vide. Hormis le lit, une unique commode dans la chambre à coucher. Rien dans la chambre d'ami. Les deux fauteuils et la table basse se sentent un peu seuls dans le salon. Quant à la salle à manger : vide. Mais il y a un large comptoir dans la cuisine et un tabouret.

La seule pièce épargnée par Jennifer, qui savait combien il y tenait, c'est le bureau. Il ressemble à la bibliothèque d'un club anglais. Il y a un canapé et deux fauteuils en cuir, une cheminée, une mappemonde ancienne, une desserte au plateau en marbre, et des étagères chargées de livres s'élèvent jusqu'au plafond.

« Il ne te manque plus dans cette pièce, lui dit un jour Jennifer, qu'une visionneuse victorienne avec des photos de femmes nues aux grosses cuisses gainées de résille noire. »

C'est vraiment sa pièce préférée, pas de doute là-dessus. Et pas seulement parce qu'il y a son alcool, ses bouquins et sa collection de pipes James Upshall mais parce que c'est un sanctuaire où il peut faire la paix avec le monde et, à l'occasion, avec lui-même.

Il se dit qu'il n'aurait jamais dû se marier. Il aurait dû comprendre plus tôt qu'il était destiné au célibat et qu'au fond de lui-même il préférait vivre seul qu'avec quelqu'un. Il en veut à ses parents pour ça. Leur mauvais ménage lui a appris à apprécier les plaisirs tranquilles de la solitude.

Le voici donc confortablement installé dans son fauteuil, un verre de Glenfiddich à la main. Il pense de nouveau à cette entrevue avec Stemple et Folsom. Où doit-il se situer lui-même ? Avant tout, du côté du directeur du cabinet présidentiel, de ce rude et grossier bonhomme qui a été son mentor. Folsom a pris son parti en maintes circonstances, l'a toujours poussé plus haut dans la hiérarchie des titres comme des salaires. Tollinger lui doit tout cela.

Mais le président ? Que lui doit-il ? De même que Doc Stemple, il n'est pas souvent d'accord avec l'idéologie du patron mais doit reconnaître qu'Abner Hawkins est un homme honnête et vertueux, pétri de toutes les qualités d'un boy-scout. L'esprit simpliste, cependant. Pas de grande subtilité en lui. Pas de profondeur intellectuelle. Mais, somme toute, ce n'est pas sans avantage pour un chef de l'Exécutif. Tollinger pense que la majorité des Américains se méfient d'instinct des intellectuels... et qu'ils n'ont peut-être pas tort. Et quelle est sa position personnelle, se demande encore John, à l'égard de cette énorme et amorphe entité qu'on appelle le « pays » ? Est-ce à cette gigantesque famille fréquemment fautive et violente que John Tollinger est fidèle pour finir ? Il l'a cru une fois. Mais au terme de dix ans passés dans les coulisses du pouvoir, sa foi dans la grandeur du service public est passablement ébranlée.

Le téléphone sonne sur la table basse à côté du fauteuil. Il est tenté de ne pas répondre mais finit par décrocher.

— John Tollinger, dit-il.

— Bonsoir, John Tollinger, dit une Jennifer enjouée. Tu n'aurais pas un verre à offrir à une nana assoiffée ?

— Bien sûr, deux même, dit-il. Où et à quelle heure ?

— Là où tu es. Dans une heure ?

— Parfait.

Il remplit un shaker d'un mélange de martini et de gin, ajoute de la glace et va le mettre à glacer dans le compartiment congélateur de son réfrigérateur. Les cocktails préparés à l'avance, même de deux ou trois jours, acquièrent un velouté incomparable. C'est une des rares choses à laquelle il croit profondément.

Comme de coutume, Jennifer est en retard. Il a l'habitude ; ça ne le dérange plus. Quand enfin elle arrive et qu'il lui ouvre la porte, elle entre d'un pas chaloupé dans son manteau de castor 1920 (acheté aux puces) ouvert sur une salopette moulante en velours noir.

— Tu nous as concocté des martini-gin ? demande-t-elle. Donne-m'en, donne-m'en !

Elle lui dépose un baiser furtif sur le menton.

Il la fait asseoir dans l'un des fauteuils du bureau et lui verse un verre, sans olive ni oignon ni rondelle de citron. Elle sirote une gorgée et ferme les yeux de plaisir.

— Du nectar, dit-elle. Tu n'as pas perdu la main.

Les deux gorgées qui suivent témoignent d'une grande soif.

— Hé ! vas-y mollo ! s'écrie-t-il. Tu sais dans quel état ça te met.

— Non, le défie-t-elle. Dans quel état ?

Il lève les mains en signe d'apaisement.

— On se calme, dit-il. Tu n'as pas fait tout ce chemin pour me chercher dispute, non ?

— Alors ne m'asticote pas, dit-elle avec colère. Ce n'est pas le moment.

— Je vois. Dure journée ?

— Elles le sont toutes, dures. Est-ce que je peux rester ici cette nuit ?

Il boit un peu de son whisky avant de répondre :

— Est-ce bien raisonnable ?

— Bon sang, faut-il donc toujours raisonner avant d'agir ? Tu ne fais donc jamais rien sans réfléchir ?

— Ça m'arrive, dit-il. Mais je le regrette toujours après coup. Alors, Jen, quel est ton problème ? Quelque chose que j'ai fait, que je n'ai pas fait ?

— Non, répond-elle, vidant son verre. Tu n'y es pour rien. Excuse-moi de te houspiller comme ça mais la journée a été dure. Offre-m'en un autre, veux-tu, et laisse le shaker sur la table. Je crois que je vais en avoir besoin.

— Voilà autre chose, grommelle-t-il.

Le deuxième verre est déjà bien entamé quand enfin elle cesse de s'agiter dans son fauteuil.

— Tu as dîné ? demande-t-il.

— D'un sandwich au thon. C'est tout ce que je voulais.

— Je peux te faire des œufs brouillés, si tu as faim.

— Je n'ai pas faim, merci. Qu'est-ce qu'il se passe au Pérou ?

— Rien, j'espère. On pense maintenant qu'ils relâcheront les otages. Ils ont obtenu le tam-tam médiatique qu'ils réclamaient, télé, radio et tout le bazar. Bref, les Affaires étrangères s'en occupent ; c'est leur problème. Quel est le tien ?

— Tu ne vas pas le croire, dit-elle. Maude est allée à New York discuter avec les responsables de la Fondation pour les Hémophiles. L'idée est bonne, je crois, et pas seulement parce que j'en suis l'auteur. La Première dame lancera elle-même une collecte nationale pour la recherche et le traitement de l'hémophilie. Cela va de soi. Tout le pays sait que son enfant est atteint de la maladie. Elle reçoit chaque jour des centaines de témoignages de compassion. Ce genre de truc : « On prie pour vous et votre petit garçon. » Maude est donc partie à New York organiser l'opération, les apparitions au petit écran, les interviews, les émissions de radio, les autocollants, bref, tout le cirque. Ce sera sa croisade personnelle, comme la campagne antidrogue de Nancy Reagan.

— C'est pas bête, dit Tollinger. Gros impact médiatique, bonnes répercussions politiques.

— Oui, tout à fait, approuve Jennifer. Mais pendant que Maude est à New York, moi je tiens la main d'Helen Hawkins, et, crois-moi, ce n'est pas une sinécure. Elle passe ses journées à l'hôpital de Walter Reed. Elle ne mange presque pas. Elle a maigri et souffre d'insomnie. Enfin, elle pique des crises de larmes qui durent des heures.

— Pas bon, ça, pas bon du tout, marmonne Tollinger.

— Attends, il y a pire, dit Jennifer. Hier, je l'ai accompagnée à l'hôpital. Le nouveau traitement ne répond pas à ce qu'on en attendait, et l'état de George ne s'est pas amélioré. Puis, vers trois heures, Audrey Robertson se pointe. C'est la secrétaire du service social.

— Je sais.

— Elle est venue pour rappeler à Helen son rendez-vous de quatre heures, un thé de charité à l'hôtel *Four Seasons*. Helen n'a plus envie de s'y rendre, et Audrey et moi on arrive quand même à la persuader de faire au moins une apparition. Je ne t'ennuie pas ?

— Non, je suis tout ouïe.

— Bon, le thé se passe bien, Audrey et moi on ne la lâche pas d'une semelle de peur qu'elle nous fasse une crise de larmes, et tout baigne jusqu'au moment du départ où on se fait coincer par deux pipelettes, Katherine Downley et Lenore Mattingly. Tu les connais ?

— Non.

— Tu as de la chance. Les poches bourrées mais la tête vide. Bien entendu, elles demandent à Helen comment va le petit George, et elle leur répond qu'il n'y a pas d'amélioration. Elles se mettent alors à lui parler de cet homme merveilleux, en Virginie. Une espèce de prêcheur qui officie dans un ancien séchoir à tabac. Ces deux folles en causent avec une grande animation, le bonhomme est guérisseur, il aurait accompli des miracles, a guéri Mattingly de ses migraines et Downley de son arthrite.

— Oh, non, gémit Tollinger en tendant la main vers la bouteille pour se resservir un verre, je devine la suite.

— Attends, tu ne vas pas le croire. Audrey et moi on essaie d'arracher Helen à ces deux dindes, mais non, il faut qu'elle entende toute l'histoire, qu'elle apprenne où vit ce charlatan, quel âge il a, si ses fidèles sont nombreux, et si elles pensent qu'il pourrait aider George. Enfin, pour être brève, si ce n'est pas trop tard pour ça, la Première dame des Etats-Unis d'Amérique a décidé de consulter cet escroc. Avec Audrey, on a bien essayé de l'en dissuader, mais va te faire voir ! Elle nous a dit qu'elle ne se pardonnerait jamais de ne pas y aller, même s'il n'y a qu'une chance sur un million qu'il puisse guérir son fils.

Tollinger aspire une grande bouffée d'air.

— Tu as raison, Jen, dit-il. C'est encore pire que ce que j'avais supposé. Elle va vraiment rendre visite à ce charlatan ?

— Laisse-moi terminer mon histoire. Le thé se passait hier. J'ai finalement réussi à persuader Helen de me laisser reconnaître le terrain avec quelqu'un des services de sécurité, avant qu'elle aille voir ce type. On jetterait un coup d'œil dans cette prétendue église, on verrait les précautions à prendre et, surtout, à quoi ressemble le faiseur de miracles.

— Bonne idée.

— Je suis donc allée là-bas ce matin avec un agent de la sécurité. Ça nous a pris quatre heures de route. Je pensais qu'on aurait du mal à trouver l'endroit, mais les gens du coin connaissent bien le bonhomme. Ils disent qu'il n'y en a pas deux comme lui pour soigner les animaux et qu'il peut guérir une poule comme une vache.

— Jennifer, qui est cet homme ? Un fondamentaliste ? Un évangéliste ? A quelle religion appartient-il ?

— Est-ce que je sais ? Je ne l'ai jamais entendu prêcher, et ces deux idiotes de Downley et Mattingly disent qu'il enseigne une doctrine de son cru, et une des plus enivrantes, je cite. On a donc trouvé le fameux séchoir à tabac. Ça tombe en ruines. Aucun signe particulier sur la porte ou les murs.

— Pas même une croix ?

— Je n'en ai pas vu. A l'intérieur, il y a quelques bancs, un autel de fortune avec une caisse en bois pour pupitre. Il y a une pièce à l'arrière, où vit le prédicateur... avec deux femmes.

— Oh, oh ! Des femmes jeunes ?

— Ce ne sont plus des ados. L'une doit avoir entre vingt-cinq et trente, et l'autre trente-cinq environ. Elles sont affublées d'espèces de longues robes taillées dans des draps sales. Un look Ku Klux Klan, mais sans les capuches.

— Et lui, tu l'as vu ?

— Oh, oui ! Une vraie bête. John, il est plus petit que

toi mais très massif. Du torse et des épaules. De longs cheveux gras, une barbe en broussaille, des mains comme des battoirs et de grands pieds. Malgré ça, plutôt bel homme. Mais ce sont les yeux qui frappent. Je te jure qu'ils luisent comme des braises. Quand il m'a regardée, je suis restée comme paralysée. Impossible de m'arracher à ce regard. Tu sais la première chose qu'il m'a dite ?

— Non.

— « Pourquoi avez-vous quitté votre mari ? »

— Sans blague ?

— Je te jure, c'est ce qu'il m'a dit. Maintenant, comment il savait ça... ?

— Oh, peut-être, dit John Tollinger, qu'il a remarqué cette marque pâle à ton annulaire, là où tu as porté ton alliance. Ou peut-être a-t-il balancé ça au hasard et fait mouche. De toute façon, il se trompe. Tu ne m'as pas quitté, nous nous sommes séparés d'un commun accord.

— Arrête, tu veux ? dit-elle sèchement.

Elle avale une gorgée de son cocktail.

— J'étais une étrangère, il ne m'avait jamais vue auparavant. Mais il savait que j'avais quitté mon mari. Je l'avoue, ça m'a secouée. Pour finir, je lui ai dit qu'une dame très connue voulait le consulter en privé, et je lui ai demandé si je pouvais compter sur sa discrétion.

— Et qu'a-t-il répondu ?

— Rien. Il a continué de me déshabiller du regard. Je lui ai demandé ensuite combien il prenait pour ses consultations. Il m'a dit : « Rien ou tout. » Comment tu interprètes ça ?

— Aucune idée.

— Finalement, on est repartis. Le regard de ce type m'a donné des sueurs. Helen a un emploi du temps très chargé. Il y a un dîner officiel vendredi soir, et elle va passer le week-end avec le président à Camp David. Si les médecins sont d'accord, ils emmèneront George là-bas en ambulance, histoire de le changer de l'hôpital. Tu sais, John, ce gamin est tellement courageux ! Je ne peux m'empêcher de pleurer à chaque fois que je pense à lui. Enfin, Helen tient absolument à voir ce guérisseur lundi. Les services de sécurité nous ont dit qu'ils pouvaient assurer sans peine le déplacement. Ils fouilleront les lieux de fond en comble avant que la Première dame n'y pénètre. Ah, oui, il y a une chose que j'ai oublié de te dire... ce mec empeste !

— Il pue ? De crasse ?

— Je le vois mal dans une pub pour savon de toilette, dit-elle. Il porte pour tout vêtement une espèce de tunique en grosse laine, va pieds nus dans la boue et doit utiliser sa barbe comme serviette de table. Aussi, avant de partir, j'ai filé cent dollars aux deux pépées pour qu'elles nous lui fassent une toilette, le frottent au papier de verre s'il le faut, enfin l'astiquent et même le parfument d'ici lundi.

Tollinger lui verse ce qui reste dans le shaker et rajoute un peu de whisky dans son propre verre.

— Je comprends maintenant pourquoi tu as les nerfs, dit-il. Tu sais ce qui t'attend, n'est-ce pas ?

— Si je sais ce qui... Tu me prends pour une conne ? s'écrie-t-elle. Si je le sais ! Que les médias l'apprennent, et le *Washington Post* sera le premier à titrer à la une : « La Première dame consulte un guérisseur ! » Quand on sait ce que son astrologue a coûté à Nancy Reagan !

— Exactement, dit Tollinger. Tu as intérêt à étouffer rapidement cette affaire. Si la Fondation pour les Hémophiles apprend ça, tu peux dire adieu à ta collecte nationale. Penses-y.

— Je n'ai pas la moindre idée de ce que je peux faire. J'ai l'impression d'avoir le cerveau englué. Quand je repense au regard de ce type...

— Tu ne m'as toujours pas dit son nom.

— Il se fait appeler Frère Kristos. Est-ce qu'on peut aller au lit, maintenant ?

— Bien sûr, répond John Tollinger.

4

C'est une journée de janvier froide et lugubre. Le soleil brille mais le sol reste gelé. Trois automobiles quittent la Maison-Blanche à neuf heures. Le programme de la Première dame, remis au service de presse, établit qu'elle passera la journée avec son fils à l'hôpital Walter Reed. C'est d'un intérêt tellement nul qu'aucun journaliste n'a l'idée de suivre les voitures.

Un van noir ouvre la route avec à bord quatre hommes

des services de sécurité, du matériel de détection électronique et un berger allemand dressé à flairer les explosifs. Derrière, une limousine noire à la carrosserie et aux vitres blindées. La Première dame, rencognée sur la banquette à côté de Jennifer Raye, a l'air de dormir. Fermant la marche, un coupé noir, où ont pris place un autre agent de la sécurité et le médecin personnel d'Helen Hawkins.

Le cortège file à travers la triste campagne virginienne, les véhicules se suivant de très près pour empêcher toute autre voiture de s'intercaler entre eux. Ils passent Manassas, Culpeper et arrivent à Goochland.

Les quatre agents et le chien disparaissent dans le séchoir à tabac. Quand ils réapparaissent, une demi-heure plus tard, le plus gradé ouvre la portière de la limousine à la Première dame.

— La voie est libre, rapporte-t-il, mais ce n'est pas très propre à l'intérieur. Vous êtes sûre de vouloir entrer, madame ?

— Tout à fait sûre, répond-elle.

Elle descend de voiture, et Jennifer Raye la suit. Trois des agents se postent à l'extérieur du séchoir, les deux autres à l'intérieur. Helen Hawkins, qui porte un manteau de cuir noir, franchit le seuil d'un pas décidé.

Agnes, qui a revêtu pour l'occasion une robe propre, se porte à son devant.

— Frère Kristos va vous recevoir tout de suite, annonce-t-elle comme la secrétaire d'un médecin.

— Puis-je aller avec vous, madame ? demande Jennifer à la Première dame.

La réponse jaillit, catégorique.

— Non. Je veux lui parler en privé.

— Je vous le déconseille, madame, se hasarde le responsable de la sécurité.

Elle lui jette un regard furieux.

— Je ne suis pas une petite fille, dit-elle sèchement. Si j'ai besoin d'aide, je crierai. Je sais comment on crie.

Elle entre dans la pièce du fond. L'agent coule un regard vers Jennifer Raye et hausse les épaules.

Frère Kristos voit arriver une femme marquée par l'affliction. Elle ne voit que la flamme de ses yeux.

— Savez-vous qui je suis ? demande-t-elle.

— Oui, mère, dit-il de sa voix plate. Votre enfant est malade. Une maladie du sang.

— Pourriez-vous l'aider ?

Il ne répond pas mais tire une chaise et lui fait signe. Le poêle n'est pas allumé. Il fait frais dans la pièce. Il se tient devant elle, les yeux baissés.

Il porte une chemise bleue en coutil, propre mais froissée, des jeans kaki sans ceinturon dont le bas des jambes est enfoncé dans des bottes de moto en cuir noir. Les cheveux et la barbe ont été lavés mais laissés dépeignés. Du fond de cette broussaille pileuse, les yeux jettent leur feu. Il s'assoit en face d'elle, prend ses mains glacées dans les siennes.

— Que voulez-vous ? demande-t-il.

— Que mon enfant guérisse.

— Croyez-vous en Dieu ?

— Oui. Oh, oui !

— Pourquoi Dieu a-t-il permis qu'un tel malheur vous frappe ?

— Parce que j'ai péché ? avance-t-elle, craintive.

— Vous avez été créée à l'image de Dieu. Comme Lui, vous êtes sans péché. Croyez-vous à la rédemption ?

— Bien sûr.

— Alors comment pouvez-vous vous racheter si vous n'avez pas péché ?

C'est une femme pieuse, que le mysticisme attire, mais les paroles de cet homme la confondent.

— Je ne comprends pas, dit-elle.

Il lui presse les mains.

— Je parle au nom de Dieu, dit-il. Je suis le frère du Christ, et je suis descendu sur terre pour enseigner la volonté du Très-Haut. Vous êtes troublée. Vous avez une vie sans tache, et pourtant le malheur vous afflige. Dieu vous aurait-il abandonnée ? vous demandez-vous.

— Oui, dit-elle dans un souffle. Oh, oui, c'est exactement ce que je me dis. Qu'ai-je donc fait pour mériter cela ?

— Dieu met notre foi à l'épreuve chaque jour et de mille manières. Vous vous dites croyante mais êtes-vous sincère ?

— Oui, je crois de toutes mes forces.

— Alors, si vous désirez que vos épreuves prennent fin, vous devez prouver votre foi. Croyez-vous en moi ?

Elle ne répond pas.

— Je suis l'apôtre de Dieu sur terre. En doutant de moi, vous doutez de Lui.

— J'ai la foi, dit-elle à voix basse.

— En Dieu ?

— Oui.

— En moi ?

Son « oui » est encore faible.

— Mère, dites : « Je crois en vous, Frère Kristos. »

— Je crois en vous, Frère Kristos, répète-t-elle d'une petite voix.

— Si votre foi n'est pas forte et sincère, je ne pourrai rien pour votre fils. Plus grande sera votre foi, plus grand sera le pouvoir de Dieu. Vous comprenez ça ?

Elle hoche doucement la tête. Pas un instant elle n'a pu détacher son regard du sien.

— Donnez-moi une preuve, dit-elle, presque plaintive. Dites-moi quelque chose qui me prouve que vous êtes ce que vous prétendez.

— Vous avez tenté de mettre fin à vos jours, lui dit-il. Il y a plusieurs années de cela. Votre mari est arrivé juste à temps pour vous sauver.

Elle se met à pleurer sans bruit.

— Comment le savez-vous ? demande-t-elle. L'histoire n'a jamais été ébruitée.

— Cache-t-on quoi que ce soit à Dieu ?

Un silence tombe. Soudain :

— Madame Hawkins ? appelle Jennifer Raye depuis la salle. Tout va bien ?

— Oui, oui ! Je vous en prie, allez-vous-en !

Frère Kristos se lève, vient se placer derrière elle. Il la défait de son manteau, pose ses grandes mains sur ses épaules et se met à la masser, lui pétrissant la nuque de ses doigts épais. La tête d'Helen roule en tous sens comme si elle n'était plus soutenue.

— Est-ce que vous aiderez mon enfant ? demande-t-elle d'une voix alanguie.

— Je dois le voir pour cela. Lui parler. Le toucher comme je vous touche.

— Nous pouvons nous arranger, dit-elle dans un murmure.

— Comme vous voudrez. Mais il ne se produira rien si vous ne croyez pas en moi.

— Mais je crois en vous ! se récrie-t-elle.

— Et votre mari ?

— Je lui expliquerai. S'il y a une chance, quelle qu'elle soit, il acceptera. Je sais qu'il le fera.

— Il a beaucoup de responsabilités, de devoirs. Mais consacre-t-il encore un peu de temps à la foi ?

— Oui, chaque soir nous prions ensemble.

— Toutes les prières ne sont pas exaucées.

Les doigts caressent la nuque, les oreilles, suivent le contour aigu de la mâchoire, palpent la chair des épaules et des bras.

— Croyez, entonne-t-il, et je prendrai en moi-même les souffrances de votre enfant. Ce sera comme s'il renaissait.

— Je trouverai un moyen, dit-elle. Je veux que vous voyiez mon garçon, que vous posiez les mains sur lui.

— Comme vous voudrez, dit Frère Kristos.

Il s'écarte d'elle. Elle se lève. Ses mains tremblent comme elle reboutonne son manteau.

— Je vous ai apporté..., dit-elle en sortant d'une de ses poches une poignée de billets froissés. Pour votre église...

Elle pose l'argent sur la table, et il la remercie en inclinant gravement la tête.

Il reste debout sans bouger quand elle part. Il y a un bruit de voix dans le séchoir puis, l'instant d'après, des vrombissements de moteurs. Les voitures démarrent. Il ouvre alors la porte de derrière, et le vieux braque entre, l'échine frissonnante.

Kristos sort une bouteille de vodka du buffet, en verse un peu dans l'écuelle du chien. L'animal lape bruyamment l'alcool tandis que son maître s'en envoie une lampée avant de prendre une assiette de concombres découpés en épaisses rondelles salées au gros sel. Il s'installe à table, alternant gorgées de vodka et bouchées de concombre.

Agnes entre.

— Ils sont partis, annonce-t-elle. Comment ça s'est passé ?

Il fait un signe de tête en direction de l'argent sur la table. Elle s'en empare, compte rapidement les billets.

— Deux cents, dit-elle. Pas mal. Quel genre de femme est-ce ?

— Osseuse. Mais elle a la fièvre au corps.

— Pearl ne devrait pas tarder. Elle est partie faire des courses. Il y aura une matelote de poisson à dîner. Bien poivrée. Comme tu aimes.

— Bien, dit-il, la bouche pleine de concombre.

— Ernie McAllister est passé, rapporte-t-elle. Une de ses génisses est malade. Il aimerait que tu viennes le plus tôt possible.

Frère Kristos lève les yeux vers elle. L'éclat de son regard s'éteint étrangement.

— Trop tard, dit-il d'une voix sourde. La bête est morte.

Elle a appris à ne jamais mettre en doute ses prédictions. Elle s'approche, presse son ventre tendre contre son épaule.

— Comme tu es beau avec tes nouveaux habits, dit-elle. Dommage que tu ne nous aies pas laissées te peigner les cheveux et la barbe.

Il a un sourire empreint de cynisme.

— Et décevoir ces dames de la haute ? La vue d'un sauvage les excite. Un prêcheur bien propre sur lui leur donnerait l'impression qu'elles n'en ont pas pour leur argent.

Agnes lui caresse la tête, démêle les cheveux de ses doigts fins.

— Elle est vraiment osseuse ?

Il a le bras qui pend contre la jambe d'Agnes. Il commence par lui caresser le mollet puis remonte le long de la cuisse. Elle frissonne de plaisir et écarte les jambes. Elle est nue sous sa robe de drap. Il lui caresse le sexe, sent la vulve se mouiller sous ses doigts, enfonce profondément son médium.

— Plus fort, gémit-elle.

Mais il retire sa main et, avec un sourire lubrique, déboutonne sa chemise. Agnes enlève sa robe.

— Tu n'en as jamais assez, hein ? dit-elle.

— Non, répond Frère Kristos. Jamais.

— Cet homme est animé d'une foi extraordinaire, dit la Première dame dans la limousine qui les ramène à la Maison-Blanche. Vous ne pouvez savoir quelle forte impression il m'a faite.

— Madame Hawkins, dit Jennifer d'une voix qu'elle s'efforce de garder calme, êtes-vous sûre de vouloir donner suite ?

— Oh, oui, et je sais qu'Abner sera de mon avis quand je lui en aurai parlé. Jennifer, nous ne pouvons laisser passer la moindre chance.

— Je le comprends bien, mais je pense aux retombées politiques.

— J'apprécie votre inquiétude, chère Jennifer, mais nous n'allons pas permettre à la politique de nous dicter notre conduite. Ce qui m'importe avant tout, c'est la santé de mon fils, et à ce sujet je ne souffrirai jamais qu'il y ait d'obstacle.

— Comment allez-vous faire ? demande Jennifer, qui

regrette de ne pas avoir un shaker de martini-gin à la mode Tollinger sous la main.

— Oh, je ne désespère pas de trouver le moyen de présenter George à Frère Kristos. Ce ne serait pas très raisonnable, n'est-ce pas, que je demande au prêcheur de venir à l'hôpital ?

— Non, s'empresse de déclarer Jennifer. Ce ne serait pas raisonnable du tout. Les médecins prendraient ombrage de la venue d'un consultant extérieur, si toutefois ce prédicateur peut passer à leurs yeux pour un rival quelconque, et puis le personnel ébruiterait aussitôt la nouvelle. Après tout, Frère Kristos n'est pas un ami notoire de la famille présidentielle.

— On pourrait peut-être, dit Helen Hawkins, qui n'écoute pas, emmener George chez Frère Kristos. La sortie lui ferait du bien.

— Je ne pense pas que ça marcherait, dit Jennifer. Les journalistes se demanderaient où vous conduisez George, et ils suivraient l'ambulance. Madame, si cette rencontre doit avoir lieu, la plus grande discrétion est exigée. Nous devons éliminer tout risque de fuite.

— Ça y est, je sais ! s'exclame la Première dame. Nous inviterons Frère Kristos à Camp David pendant le week-end. On l'installera dans l'un des bungalows. Nous convierons d'autres personnes pour donner le change, et nous amènerons George. De cette façon, ils pourront passer un moment ensemble tous les deux. Qu'en pensez-vous ?

— C'est parfait, dit Jennifer, vaincue.

A peine est-elle arrivée à son bureau qu'elle décroche le téléphone et appelle John Tollinger.

5

— Monsieur, dit Tollinger à son supérieur le lendemain matin, il faut que vous m'accordiez un moment. Une heure au moins.

Henry Folsom, assis derrière son bureau, lève de grands yeux vers son homme de confiance.

— Une heure ? Bon Dieu, mais j'ai pas cinq minutes aujourd'hui. C'est à quel sujet ?

— Le patron.

— Ce qui s'est dit avant-hier, avec Stemple ?

Tollinger hoche la tête.

— Et c'est important ?

— Capital.

Le directeur du cabinet soupire, se penche sur son emploi du temps.

— Ce matin, réunion du cabinet. Cet après-midi, je dois me rendre au Capitole où m'attendent ces fouineurs de la commission sénatoriale des Finances. Entre-temps, j'ai mon déjeuner hebdomadaire avec le vice-président... ce sale pleurnicheur ! Je devrai encore écouter ses jérémiades et le rassurer une fois de plus que nous ne l'écartons d'aucune affaire. Comment voulez-vous que je vous accorde une heure ?

— Vous feriez bien, pourtant, insiste son assistant.

— Bon, si c'est vous qui le dites. Mais je vous préviens, si c'est du vent, j'aurai la peau de vos couilles. Je vais annuler mon déjeuner avec le vice-président. Il gueulera comme un cochon qu'on égorge mais qu'il aille se faire foutre. On se retrouve ici ?

— Non, dit Tollinger, pas ici. Trop d'interruptions, trop d'oreilles à l'affût. Pouvons-nous utiliser la Salle Secrète ?

Folsom le regarde en ouvrant de grands yeux.

— C'est si moche que ça ?

— Plutôt. Je passerai prendre quelques sandwiches. Toujours salami-seigle pour vous ?

— Ouais, ça ira. Avec une petite barquette de chou aigre et quelques gros cornichons. Je regrette que le patron ait interdit les boissons alcoolisées. Je me serais bien envoyé une bière ou deux avec ça. Non, mais vous vous rendez compte qu'on boit de la limonade aux dîners officiels ? Qu'est-ce qu'on est devenus, ici, des musulmans ou quoi ?

— J'ai apporté un pack de six ce matin, dit John Tollinger. Carlos les garde au frais à la cambuse. Evidemment, il a fallu que je lui en cède une. Mais je savais que vous auriez envie d'une bière avec votre salami.

Folsom lui fait un grand sourire.

— Drôlement sûr de vous, dites-moi !

Il est une heure tapante de l'après-midi quand ils s'assoient au bout de la longue table de conférence dans cette salle utilisée pour les délibérations secrètes. Probablement le lieu le plus protégé de la Maison-Blanche. Située au sous-sol, elle est balayée chaque jour par les services techniques chargés de repérer d'éventuels micro-appareils d'écoute. Les murs sont nus, peints d'un beige « vomissure », pour citer Folsom.

Il est assis, Folsom, devant deux sandwiches encore chauds au salami-seigle au cumin, une barquette de chou aigre et une autre de cornichons. Les boîtes de bière sont posées par terre, hors de vue.

— Vous ne déjeunez pas ? demande-t-il à Tollinger.

— Non, je ne peux pas parler et manger en même temps.

— Ça ne m'a jamais gêné, dit Folsom. Eh bien, je vous écoute.

L'assistant excelle dans les comptes rendus. Il en a tellement fait, déjà. Il s'exprime à coups de phrases concises, sans jamais hésiter. Son récit est descriptif, dénué de toute opinion personnelle.

Il rapporte à son supérieur tout ce qu'il tient de Jennifer Raye : comment la Première dame du pays a appris l'existence de Frère Kristos, sa décision de lui rendre visite, le voyage de reconnaissance de Raye avec un agent des services de sécurité, enfin la rencontre de Mme Hawkins avec le prêcheur.

Tollinger reprend les mots de Jennifer pour décrire Kristos et l'ancien séchoir à tabac où il semble vivre et officier à la fois. Il conclut en disant à Folsom que la Première dame a maintenant l'intention d'inviter le bonhomme à Camp David, afin qu'il puisse imposer les mains sur son fils et, qui sait, accomplir un miracle.

Le directeur du cabinet écoute son assistant sans l'interrompre, règle méthodiquement leur sort à ses deux sandwiches, au chou, aux cornichons. Quand il a fini, il repousse sa chaise, décapsule deux boîtes de bière et en pousse une vers son vis-à-vis.

— Parfois, dit-il, je me demande où j'avais la tête quand j'ai brigué un poste dans cette baraque.

— Je devais vous en informer, dit Tollinger.

Folsom hoche la tête.

— Bien sûr, et je vous remercie de l'avoir fait. Vous tenez donc tout ça de Jennifer ?

— Oui.

— Qui d'autre est au parfum ?

— Vous, moi, Jennifer, la Première dame. Je doute que

les hommes de la sécurité et le médecin personnel de Mme Hawkins connaissent le but de cette visite.

— Il y en a un autre qui sait tout... le Frère Kristos. Et aussi ses deux nanas. Avez-vous dit à Jennifer que vous m'en parleriez ?

— Non.

— Comment réagira-t-elle quand elle l'apprendra ?

Tollinger avale une gorgée de bière avant de répondre.

— Elle sera furieuse. Elle se prend pour une femme capable de résoudre seule ses problèmes.

— Et ce n'est pas votre opinion ?

L'assistant a moins d'assurance dans la voix sur ce terrain.

— C'est une grande émotive. Mais le fait qu'elle m'ait parlé de la visite d'Helen Hawkins à cet escroc ressemble à un appel à l'aide. Elle sait parfaitement quelles peuvent être les conséquences.

— Ouais, marmonne Folsom, j'imagine ce que baveront les médias en apprenant que la Première dame du pays consulte un charlatan enturbanné qui lit l'avenir dans le marc de café.

— Je ne pense pas que la situation soit dramatique, mais il y a danger, dit Tollinger. Monsieur, ce n'est pas tant à Mme Hawkins qu'il faut songer, mais au patron. Il faut le protéger. A votre avis, si sa femme lui demande d'accueillir Kristos à Camp David, est-ce qu'il acceptera ?

— Evidemment qu'il acceptera. Quand on arrive à ce genre de connerie... le pouvoir de Dieu d'accomplir miracles et merveilles... il est aussi crédule qu'elle. Il ne marchera pas, il courra. Et la presse s'en saisira, parce qu'on ne peut garder secret un truc pareil, et on entendra alors un jeune trou-du-cul d'élu poser au Congrès la question de la santé mentale du président. John, je me refuse à croire que vous m'ayez raconté tout ça sans avoir songé à une parade quelconque.

— J'avoue que cette affaire m'a fait veiller tard, la nuit dernière, dit Tollinger. J'ai trop fumé et trop bu. Mais voilà ce que je suggère. Jusqu'ici, tout ce que nous avons, c'est la version de Jennifer Raye. Il nous faudrait d'abord le curriculum de ce Frère Kristos. Qui est-il ? D'où vient-il ? A-t-il déjà un casier judiciaire ? S'il a déjà été condamné pour charlatanisme, nous pourrons alors mettre en garde le patron et le persuader de repousser cet escroc.

— Oui, c'est une possibilité, dit Folsom.
— A mon avis, poursuit Tollinger, nous ferons bien de garder tout cela entre nous. Normalement, nous devrions nous adresser au FBI pour l'enquête. Mais moins de gens sauront, mieux ça vaudra.
— Pour ça, je suis tout à fait d'accord avec vous, approuve Folsom. Mais qui pourrait s'en charger en dehors des Feds ?
— Vous me faites confiance ? demande Tollinger.
— Question idiote. Si je ne vous faisais pas confiance, est-ce que vous seriez ici en ce moment ?
— Alors, laissez-moi m'en occuper seul. Tout ce que vous aurez à faire, ce sera de signer quelques feuilles de frais, à titre de « recherches documentaires ». De cette façon, en cas de pépin, vous serez couvert.
Folsom grimace un sourire.
— Merci, John, mais pas question de vous laisser vous démerder seul. On y va ensemble ou pas du tout. Agissez comme bon vous semble mais tenez-moi en permanence informé. De vive voix. Pas d'écrits, pas de cassettes, pas de traces.
— D'accord, dit Tollinger.
Sitôt regagné son bureau, il ouvre son carnet d'adresses et cherche le téléphone de son contact au FBI, Fred C. Hechett, jeune sous-directeur de service. Il l'appelle, et ils échangent quelques plaisanteries.
— Ecoute, Fred, dit Tollinger, je t'appelle à titre personnel en espérant que tu pourras m'aider. Est-ce que tu te souviens d'un de vos agents, un certain Marvin Lindberg ? Vous l'avez lourdé il y a environ six mois.
— Bien sûr que je me souviens de lui, dit Hechett, mais on ne l'a pas lourdé, comme tu dis. On a accepté sa démission.
— Il picolait, c'est ça ?
— Hé ! s'écrie l'agent fédéral. Tu ne penses tout de même pas que je vais répondre à cette question ?
— J'ai entendu dire qu'il s'était installé comme privé, dit Tollinger. Spécialisé dans les enquêtes financières. Il nous a aidés une fois, et le souvenir qu'on a gardé de lui dans la maison est celui d'un type vachement compétent.
— C'était le meilleur. On regrette beaucoup, ici, qu'il soit parti.
— Voilà mon problème : j'ai un copain qui s'apprête à

investir dans une banque qui aura prochainement pignon sur rue à Silver Springs. Mais avant de s'engager, et de les sortir, il aimerait bien en savoir un peu plus sur les types qui lui proposent l'affaire. Il m'a demandé de l'aider mais je ne peux rien faire officiellement. Alors j'ai pensé à Marvin Lindberg. Tu ne connaîtrais pas le nom de son agence, par hasard ?

— Il possède un bureau à son nom à Alexandria. Je n'ai pas son numéro mais tu le trouveras dans l'annuaire.

— Merci, Fred, je te revaudrai ça.

Hechett raccroche, considère pensivement le téléphone. Puis il décroche de nouveau et prie sa secrétaire de lui passer un numéro au bureau de la vice-présidence.

A quatre heures, dans l'après-midi, Tollinger est assis sur un banc dans le jardin du Smithsonian Institute. Il porte un manteau gris à chevrons, une écharpe blanche en soie et des gants de daim noirs.

Quelques minutes plus tard, Marvin Lindberg apparaît au détour de l'allée, et Tollinger se lève pour l'accueillir. Les deux hommes échangent une poignée de main et s'assoient côte à côte sur le banc.

— Fameux, votre lieu de rendez-vous, dit Lindberg en promenant son regard sur le jardin désert. Vous n'auriez pas pu choisir un endroit où il fasse un peu plus chaud ?

— Je dois devenir parano, dit Tollinger.

— Celui qui n'est pas parano dans cette ville n'a rien dans le caillou. Mais pourquoi ce rendez-vous ?

— J'ai un travail pour vous. Mais avant d'y venir, je voudrais savoir quelque chose.

Lindberg le regarde avec un sourire malin.

— Si je picole toujours, c'est ça ? Oui, je suis et resterai un alcoolo jusqu'à la fin de mes jours. Mais j'ai rejoint les Alcooliques Anonymes et ça fait quelques mois que je n'ai pas retouché à la bouteille. Je me garde toutefois de chanter victoire.

L'homme a été un sacré balèze dans le temps, avec un cou de taureau et des épaules massives. Aujourd'hui, il est maigre et voûté. Son cou, autrefois si épais, nage dans son col de chemise et la peau plisse comme une collerette. Le nez luit encore comme celui d'un pochetron et la voix rocaille dans les graves.

Tollinger décide de parier sur cette épave.

— Le travail que j'ai à vous proposer est strictement personnel, dit-il à l'ancien agent du FBI. L'administration n'a rien à y voir.

— Si c'est vous qui le dites...

— Il s'agirait de retracer le curriculum vitae d'un homme. Son vrai nom, ses date et lieu de naissance, études, métier, situation familiale, casier judiciaire, etc. Bref, un dossier complet. Vous voyez ce que je veux ?

— Parfaitement, dit Lindberg avec un sourire rusé. Ça fera mille dollars par semaine, plus les frais.

— Un peu cher, non ?

— Oui, c'est cher, acquiesce le détective. Vous pouvez engager quelqu'un d'autre pour beaucoup moins.

— Combien de temps pensez-vous mettre ?

— Je connais les ficelles. Ça ne devrait pas excéder un mois, déplacements compris, si toutefois il y en a.

— Il y en aura sûrement, dit Tollinger. Pouvez-vous m'adresser un rapport quotidien ?

— Ce serait une perte de temps. Ça m'étonnerait que je glane des renseignements tous les jours. Que diriez-vous d'un compte rendu hebdomadaire ? Plus, si un fait nouveau se présentait.

— D'accord. Vous me les adresserez à mon domicile.

— Si vous êtes vraiment parano, dit Lindberg, vous pouvez toujours prendre une boîte postale sous un faux nom.

— Non, dit Tollinger. Envoyez-moi directement les rapports. Comment fait-on pour l'argent ?

— Vous pouvez me filer une avance ?

— J'ai mille dollars sur moi.

— Ça ira. Quand j'en aurai besoin d'autres, je vous appellerai.

— Chez moi, s'empresse de préciser Tollinger. Pas à la Casa Blanca.

Lindberg soupire.

— Accordez-moi quelque bon sens, voulez-vous ? Bon, maintenant que ces questions bassement matérielles sont réglées, qui c'est votre bonhomme ?

— Il se fait appeler Frère Kristos. Une espèce de prêcheur, prétendu guérisseur et devin.

— Superbe. Et où crèche-t-il, ce Kristos ?

— En Virginie. Ecoutez, je vous ai mis par écrit tout ce que je sais de lui. Il prêche et vit dans un ancien séchoir à tabac. Il y a deux femmes avec lui. Essayez de savoir leurs noms, et quels sont leurs rapports avec lui.

— Leurs rapports avec lui ? répète Lindberg de sa voix éraillée. Sexuels. Eh bien, si vous me donnez vos infos et le blé, je pourrai m'y mettre tout de suite.

Tollinger sort de la poche intérieure de sa veste un portefeuille en porc renforcé de coins métalliques plaqués or. Il en extrait une feuille de papier pelure pliée en quatre et la donne à Lindberg. Puis, du soufflet à billets, il sort une liasse de coupures de cent. Elles sont neuves et crissent sous les doigts qui les comptent.

— Voilà une oseille qui m'a l'air d'arriver toute fraîche du Trésor Public, dit le détective.

— Ça se pourrait bien, dit Tollinger avec une ombre de sourire. Ecoutez, je ne vous demande pas de me jurer de garder le secret ou ce genre de truc. Je vous ai engagé parce que j'ai confiance en vous.

— Je ne suis pas bavard, dit Marvin Lindberg.

6

Michael Oberfest, le secrétaire particulier du vice-président Samuel Landon Trent, croit fermement que l'histoire n'est qu'une longue conspiration. Il est convaincu que Lyndon Johnson a commandité l'assassinat du président Kennedy, que Gerald Ford a obtenu la vice-présidence contre la promesse de ne pas charger Richard Nixon, que le président Ronald Reagan s'est engagé auprès d'ultra-conservateurs de Californie de gonfler la dette nationale au point que nul autre président, pendant les décennies à venir, ne pourrait promouvoir la moindre mesure sociale.

Quel intérêt, l'histoire, sans complots bien juteux ?

Oberfest aime les complots et il n'a qu'une envie : en être et en profiter. Mais depuis six ans qu'il appartient à l'équipe de Samuel Trent, aucune occasion de conspirer ne s'est présentée. Le vice-président est un homme austère et froid qui, a écrit un chroniqueur politique, « semble avoir subi une transplantation charismatique d'Andrei Gromyko ».

Michael a loyalement servi Trent quand celui-ci était gouverneur du Massachusetts. Puis son patron s'est retrouvé candidat à la vice-présidence afin d'équilibrer le ticket républicain avec Abner Hawkins, l'homme du Middle West. Le parti a remporté de justesse la victoire, ce qui a rendu celle-ci plus suave, et Michael Oberfest travaille maintenant avec ceux qui ont le pouvoir exécutif, il assiste aux réunions diplomatiques, possède un laissez-passer à la Maison-Blanche et il est courtisé par tout ce que le pays compte de lobbies et de groupes de pression. Le pouvoir, a-t-il découvert, a un goût de miel.

L'appel d'Hechett, son pote du FBI, est une énigme. Fred et Michael font partie d'un groupe d'employés qui se rencontrent de temps à autre pour échanger des cassettes porno. Hechett lui a rapporté le coup de fil qu'il a reçu de Tollinger.

— Il aurait un ami désireux d'investir dans une banque qui doit s'installer à Silver Springs, et il a pensé à un ancien de la maison, Marvin Lindberg, pour mener une petite enquête sur les promoteurs de cette banque. J'ai pensé que ça pouvait t'intéresser au cas où tu voudrais placer du fric. Peut-être que j'en serais, moi aussi.

— Bien sûr, Fred, dit Michael. Merci du tuyau. Je vais me renseigner.

Et Oberfest, homme cupide, se renseigne. Il appelle son agent de change, son banquier et une relation à la Banque Centrale Fédérale. Ils lui promettent tous de s'enquérir de la chose et de le rappeler aussitôt. Et ils le font, parce qu'il est le secrétaire particulier du vice-président des Etats-Unis d'Amérique, et quelqu'un à ménager impérativement.

Vers les quatre heures de l'après-midi, après que ses informateurs lui ont fait leurs rapports, il est convaincu qu'il n'y aura pas plus de nouvelle banque à Silver Springs que de beurre sur la tartine d'un pauvre. L'appel de Tollinger à Hechett cachait donc autre chose. Soit Tollinger lui-même soit la Maison-Blanche a besoin d'un privé, de quelqu'un d'extérieur aux services officiels. Et c'est à un ancien agent du FBI, licencié pour alcoolisme, qu'il est fait appel.

Le vice-président est dans son bureau. Il reçoit un journaliste sans expérience de Missoula, dans le Montana.

— Monsieur, vous arrive-t-il de ne pas approuver la politique du président Hawkins ? demande avec sincérité le garçon.

— Oh, nous avons bien de temps à autre quelques désaccords mineurs, répond Trent avec un sourire glacial, mais sur des problèmes de tactique, jamais de stratégie. Pour tout vous dire, nous n'avons pratiquement pas de conflits proprement politiques. Il nous arrive de ne pas avoir le même point de vue sur une question mais nous parvenons toujours à un consensus. Je n'oublie jamais que je joue dans une équipe, je participe activement à toutes les réunions du cabinet présidentiel et du Conseil de la Sécurité Nationale, et je puis vous assurer que je n'ai d'autre but que d'aider le gouvernement à réaliser son projet de rendre ce pays plus fort, plus heureux et plus juste.

— Merci, monsieur, dit faiblement le journaliste en refermant son calepin.

Quand il sort du bureau du vice-président, Oberfest est là dans l'antichambre pour le reconduire dans le couloir. Le secrétaire lui jette un coup d'œil de compassion. Il a reconnu les symptômes d'une exposition aux effets lénifiants du discours de Trent : le regard est légèrement vitreux, la mâchoire inférieure tombe, les bras pendent.

Puis Oberfest regagne le bureau du vice-président, frappe une fois et entre.

— Monsieur, auriez-vous quelques minutes à m'accorder ? demande-t-il.

— A quel propos ? s'enquiert Trent d'une voix minérale.

Le secrétaire lui rapporte l'appel téléphonique de Fred Hechett, et la petite enquête qu'il a menée lui-même à ce sujet. Quand il a fini, il reste debout devant le bureau de Trent. Le vice-président attend de ses subordonnés qu'ils se comportent toujours comme des écoliers mandés chez le censeur.

Il est vrai que Samuel Landon Trent est mieux « né » que la plupart de ceux et de celles travaillant dans l'administration américaine, et il en est lourdement conscient. Férocement ambitieux, il éprouve du ressentiment à jouer le second violon auprès d'un homme qu'il prend pour un crétin. « Abner Hawkins, dit-il un jour à sa femme, n'est qu'un cul-terreux qui aurait rendu un plus grand service au pays en élevant des vaches. »

Trent est un Bostonien, il a le sentiment que la plus haute fonction dans l'Etat devrait lui revenir, non seulement pour son intelligence et ses capacités mais comme par manière de droit divin. Débarquée deux cents ans plus tôt de l'entrepont d'un bateau d'immigrants, la famille Trent compte parmi ses aïeux trois évêques, quatre proviseurs de collège, un général, un amiral, deux juges fédéraux, et un voleur de chevaux. Son épouse, née Matilda Sopley Arbuthnot, est pareillement bien née.

— Voilà qui est intéressant, dit Trent quand son secrétaire a terminé son histoire. Mais laissez-moi élucider cette curieuse suite d'événements.

Il lève un pouce élégant.

— Un, vous recevez un coup de fil énigmatique qui, assez logiquement, nous entraîne à soupçonner la Maison-Blanche de chercher un détective privé hors des canaux officiels.

Il lève un index effilé.

— Deux, ce matin, le chef du cabinet présidentiel m'a appelé pour annuler notre déjeuner hebdomadaire sous prétexte qu'il est surchargé de travail, ce que je n'ai pas cru une seconde.

Il lève un long majeur.

— Trois, hier, ma femme a reçu sa photocopie de l'emploi du temps de la Première dame. On pouvait y lire que Mme Hawkins passerait la journée auprès de son fils à l'hôpital Walter Reed. Matilda a pensé la rejoindre là-bas pour la réconforter et lui tenir compagnie pendant une heure ou deux. Mais quand elle a appelé l'hôpital pour savoir si la Première dame était arrivée, on lui a répondu que non seulement Mme Hawkins n'était pas là mais qu'elle n'était pas attendue.

— De plus en plus curieux, fait remarquer Oberfest.

Puis, son pouce et ses deux doigts toujours levés, le vice-président poursuit :

— Maintenant, pris séparément, chacun de ces incidents peut passer pour le fruit du hasard. Mais à les voir se produire tous trois en moins de vingt-quatre heures, on ne peut que les soupçonner d'être liés les uns aux autres. Oberfest, auriez-vous une idée de ce qu'ils cachent ?

— Non, monsieur, répond Michael. Je ne vois pas.

— Moi non plus, dit le vice-président.

Puis, ramenant ses doigts tendus, il abat le poing sur la table.

— Ce que je vois, en revanche, c'est que comme toujours on me tient dans l'ignorance de toute affaire touchant à l'intérêt du pays. Je ne supporterai pas plus longtemps ce mépris avec lequel on me traite. Je veux absolument savoir ce qui se passe. J'en ai le devoir moral vis-à-vis de cette grande nation. Est-ce que je me fais comprendre clairement ?

— Oui, monsieur, répond Oberfest. Vous voulez que je me charge de découvrir ce qui se trame dans votre dos.

— Exactement. Et le plus tôt sera le mieux.

— Je m'y mettrai dès jeudi matin, déclare son secrétaire. Demain, ma femme et moi, nous allons à New York faire quelques emplettes. Y a-t-il quelque chose que je puisse vous rapporter, monsieur ?

— Non, merci, dit Samuel Trent avec un sourire glacé. A mes yeux, New York est le meilleur exemple du déclin de l'empire américain.

— Oui, monsieur, dit Michael Oberfest. Mais le corned-beef de chez Carnegie Delicatessen est toujours aussi bon.

Il regagne son propre bureau en se réjouissant d'avoir fait passer comme une lettre à la poste sa petite escapade à New York. Il appelle sa femme pour lui demander si ça lui plairait un après-midi de lèche-vitrines à Manhattan, un dîner dans leur restaurant italien préféré dans la 58e Rue et retour en vol de nuit à Washington. Ruth est emballée.

— Et en quel honneur ? demande-t-elle.

— Juste pour le plaisir, lui dit-il.

Ils s'embarquent donc le lendemain, mercredi, pour New York, prennent un taxi à Kennedy Airport et se séparent sur le trottoir devant l'hôtel *Plaza*, après être convenus de se retrouver à seize heures au *Oak Bar*. Michael regarde sa femme s'éloigner parmi la foule puis il entre dans l'hôtel, trouve une cabine téléphonique et compose un numéro.

— Oui ? répond une voix d'homme.

— Ici, Arnold, dit Oberfest. J'ai les deux coupons de tissu que vous avez commandés.

— Vous vous êtes trompé de numéro, mon vieux, grogne l'homme.

Et il raccroche.

Satisfait, Michael quitte l'hôtel, s'arrête pour allumer un Garcia y Vega Napoleon, et descend d'un pas tranquille la 5e Avenue.

C'est Marchuk qui lui a donné ce nom de code, Arnold. Leonid Y. Marchuk est attaché de presse de la délégation soviétique aux Nations unies. Il est également le commandant Leonid Y. Marchuk. Du KGB, suppute Oberfest, ou de tout autre service soviétique de renseignements à l'appellation nébuleuse. En vérité, Michael se fiche de le savoir. Il n'a jamais posé la question.

Aucune idéologie ne nourrit sa trahison. Il pense même que le régime politique de l'URSS est appelé à disparaître un jour prochain pour la seule raison qu'il dénie ce moteur essentiel du génie humain : l'intérêt personnel. Mais si les Rouges consentent à lui payer mille dollars par mois les rumeurs et les potins courant sur les personnes travaillant au gouvernement, il serait le dernier des crétins de refuser.

Il rationalise sa trahison de maintes façons. On n'a jamais exigé de lui un seul document secret. De toute façon, il n'a accès à aucune information confidentielle dans les domaines militaire, spatial ou scientifique.

Il est en vérité davantage commère qu'espion, et il se demande bien pourquoi les Ruskofs paient si chers semblables potins de concierge. Mais voilà ils paient, cash, et chaque mois. Souvent, peu de temps après qu'il a fait son rapport oral au commandant Marchuk, la même information paraît dans le *Post*, le *Times* et toute la presse à scandales. Aussi quel mal pourrait bien causer au pays Michael Oberfest ?

Il fait un froid sec et piquant à New York. Quelques nuages épars cotonnent dans un ciel turquoise. Au chaud dans son Burberry en tweed, tirant sur son cigare, il avance dans la 5e Avenue en s'émerveillant une fois de plus de l'extraordinaire vitalité de cette ville. New York est un repaire de brigands affamés de gains rapides, et Oberfest s'y sent comme un poisson dans l'eau.

Il lèche quelques vitrines, s'arrête chez Saks pour acheter une superbe écharpe Hermès à sa jeune maîtresse du moment, fait envoyer le cadeau chez elle à Foggy Bottom et puis s'offre une cravate de soie jaune imprimée de minuscules symboles Yin et Yang.

Quelques minutes avant deux heures, il entre dans un petit hôtel de la 46e Rue Ouest. C'est un établissement bohème, gentiment crasseux, fréquenté surtout par des gens de télé, des comédiens de théâtre et, à l'occasion, des dealers de cocaïne.

Il prend l'antique ascenseur à cage grillagée jusqu'au sixième étage, traverse un couloir faiblement éclairé et frappe deux coups à la porte de la chambre 612. Le commandant Leonid Y. Marchuk l'accueille avec un grand sourire et lui donne une accolade qui manque lui briser les côtes.

— Il fait un froid de Sibérie ! s'exclame Marchuk après avoir refermé la porte. Formidable, non ? Et regardez ce que j'ai acheté pour nous réchauffer !

Il brandit une bouteille de vodka Pertsovka parfumée au piment et en remplit deux pleins gobelets en plastique.

— Bon Dieu ! proteste Oberfest. Je ne pourrai jamais boire tout ça. J'ai rendez-vous avec ma femme au bar du *Plaza* dans deux heures.

— Et alors ? dit le commandant avec un haussement d'épaules. Buvez-en autant que vous voulez et, quand j'aurai fini le mien, je finirai le vôtre. Croyez-moi, rien ne se perd jamais.

Le papier à fleurs des murs de la petite suite est passé, le velours du canapé sur lequel prennent place les deux hommes usé par endroits jusqu'à la trame.

— Bon ! dit Marchuk, levant son verre. *Na zdorovye !*

— A votre santé, dit Oberfest.

Il trempe les lèvres dans le breuvage et siffle comme une locomotive.

— Ouf ! c'est du feu, ce machin !

— Ça met une mine dans votre crayon, comme on dit chez vous, dit le commandant, jovial.

— Une mauvaise mine, plaisante Michael.

Le Russe part d'un éclat de rire tonitruant en se frappant la cuisse.

— Arnold, vous êtes un rigolo. J'attends toujours avec impatience nos petites conversations. Alors, dites-moi quelles sont les dernières nouvelles de Washington ?

Michael se dit que ses informations sont sans importance stratégique et qu'elles seront bientôt du domaine public :

— Le nom de l'émissaire envoyé au Pérou pour négocier la libération des otages.

— La décision d'adjoindre un économiste au Conseil de la Sécurité Nationale.

— La rumeur prêtant au président des Anciens du Viêtnam la possession d'une extravagante collection de dessous féminins et de chaussures à talons aiguilles.

— L'empoignade musclée qui a opposé deux magistrats de la Cour Suprême lors d'un débat sur le droit de la population pénitentiaire à poursuivre le gouvernement en justice.

Décidément rien d'important, pense Michael en racontant. Et ennuyeux au possible. Mais Marchuk ne semble pas s'en lasser. Il sirote sa vodka au poivre et écoute attentivement, son visage lunaire fendu d'un sourire de sympathie. Et avec cela il rit facilement, d'un bon rire franc, comme si Arnold et lui étaient les complices d'une sacrée farce. Tous deux savent combien tout cela est ridicule et sordide mais ils doivent jouer leurs rôles sans grincements.

— Et puis hier, conclut Oberfest, je suis tombé sur un rébus.

Il raconte au commandant la chaîne d'incidents impliquant la Première dame, John Tollinger et le directeur du cabinet présidentiel.

— Le vice-président m'a chargé de voir ce que ça pourrait cacher, dit-il. De la merde, probablement.

— Oui, mais la merde pue, dit le Russe. La merde capitaliste comme la merde communiste. Ce vice-président, je ne l'aime pas. Il est bien trop fier. Et de quoi donc, dites-moi ? Parce qu'il n'est pas né Bantou ou Jivaro ? Et puis c'est un ennemi juré de l'Union soviétique. C'est même sur cette haine qu'il a fait sa carrière politique, n'est-ce pas ? En pensant tout haut que nous, les Russes, on ne sait rien faire d'autre que de boire de la vodka et déporter les gens en Sibérie.

De nouveau, il éclate de rire. Il termine son verre puis sort une enveloppe de la poche de sa veste et la tend à Oberfest.

— Dépensez-le sagement, dit-il, patelin, et tenez-moi informé de votre enquête. Ah ! que j'aime ce métier ! Et comme ce pays me plaît ! Arnold, je dois vous avouer que ma plus grande peur est d'être muté ailleurs, dans un autre pays, à Madagascar ou en Islande, par exemple. Je serais capable de déserter. Vous savez, pendant deux ans, j'ai travaillé à Los Angeles. Ah ! ces Californiennes ! Elles ont des corps ! Et une peau ! Du satin ! Oh, oui, je les aime ces femmes de Californie, comme j'aime toutes choses dans cette merveilleuse nation. C'est ici que je veux rester, et jusqu'à la fin de mes jours.

— Je vous le souhaite, dit Oberfest en se levant.

Le Russe le raccompagne à la porte, son bras musculeux passé sur les frêles épaules de l'Américain.

— Vous avez en tête le numéro de téléphone en cas d'urgence ? demande-t-il.

— Oui, bien sûr.

— Bien, dit le commandant en riant une dernière fois. Maintenant, allez retrouver votre femme et profitez de la vie.

Quand Oberfest est parti, Marchuk ferme la porte à clé. Puis il va ôter de sous le canapé le minuscule magnétophone (made in Taïwan) qu'il a planqué là. Il l'éteint, enlève la cassette.

Ensuite il s'assoit pour réfléchir, se tapotant de temps à autre le menton avec la cassette.

Enfin, il tend la main vers le gobelet d'Arnold et entreprend de le vider à petites gorgées. Comme il l'a dit à son cupide informateur, rien ne se perd jamais.

7

Ces cinquante dernières années, chaque Première dame a fait refaire la décoration des appartements privés, mais des meubles, des lampes, des tableaux ont survécu aux changements. Le grand salon présente désormais un mélange éclectique de canapés, de fauteuils et de tables qui évoque une Première famille prolifique et capable d'emplir ce sanctuaire d'un brouhaha de conversations et de rires.

En cet instant, la pièce est très faiblement éclairée. Le président et son épouse sont assis côte à côte sur un canapé recouvert de chintz. Ils semblent perdus dans la pénombre, perdus dans ce décor où rien ne leur appartient. Et, dehors, dans le couloir, un homme en complet noir, un attaché-case enchaîné au poignet, taille le bout de gras avec un agent des services de sécurité.

— Mais est-ce un prêtre régulier ? demande le président. Est-il ordonné ?

— Je ne sais pas, avoue Helen Hawkins. Je ne sais même pas de quelle religion il peut être. Mais est-ce donc important, papa ?

— Pas vraiment. Il y a des coins dans ce pays où l'on peut obtenir pour cinq dollars un certificat d'ordination et, pour dix, un diplôme de docteur en théologie. Le tout par voie postale. Je ne veux pas que tu aies mal, maman. On n'est jamais à l'abri d'un charlatan.

— Je sais cela, dit-elle en lui prenant les mains dans les siennes. Mais je sens en moi qu'il est peut-être la réponse à nos prières. Papa, ne pouvons-nous pas lui donner une chance ? J'ai confiance en lui.

Il reste là assis, à réfléchir. Il mesure les risques. Politiques pour lui, psychiques pour elle. Pendant combien de temps peut-on voir ses espoirs détruits l'un après l'autre avant de s'abandonner au désespoir ? Mais Abner Hawkins vient d'une famille de croyants. Il a grandi dans le respect des hommes de robe, qu'elle soit de brocart ou de bure.

— S'il se révèle incapable d'aider George, dit-elle, je te promets que jamais je ne le reverrai. Mais je tiens si fort à ce qu'on essaie. Je suis persuadée que tu seras aussi impressionné que je l'ai été quand tu le rencontreras.

Il prend une profonde inspiration.

— D'accord, si tu y tiens tant, dit-il. Nous l'inviterons un week-end à Camp David.

— Merci, dit-elle dans un soupir, refoulant ses larmes. Je m'occuperai de tout ; tu n'auras rien à faire.

— Sois prudente, lui dit-il. Moins de gens le sauront, mieux ça vaudra.

— Bien sûr, s'écrie-t-elle presque gaiement en portant les mains de son époux à ses lèvres.

8

« Tollinger,

Frère Kristos, de son vrai nom Jacob Everard Christiansen, est né à Bethlehem, dans le Nebraska. (Qu'est-ce que vous pensez de ça ?) Jusqu'ici, j'ai récolté non pas une mais trois dates de naissance. Il aurait entre trente-huit et quarante et un ans. Aucune trace de service militaire. Pas de numéro de Sécurité sociale sous son identité véritable. Inconnu au centre d'informations des crimes et délits, ce qui ne fait pas de lui un innocent.

Au cas où vous vous demanderiez comment j'ai obtenu ces premières informations, sachez que je suis parti de la plaque minéralogique d'une vieille camionnette Ford qu'il possède. Le séchoir à tabac aussi lui appartient, ainsi que cinq hectares alentour. Il a débarqué là il y a un an et a payé comptant.

Les deux drôlesses avec lesquelles il vit s'appellent Agnes Brittlewaite et Pearl Gibbs. Des demi-sœurs : même mère, pères différents. Elles étaient avec lui quand il est arrivé en Virginie. Je ne sais pas encore où et comment il les a rencontrées. Il a également un chien, un braque efflanqué et pelé qui le suit comme son ombre.

Le bonhomme est un gaillard, moustachu et barbu, des cheveux longs comme un hippie. Il a une voix plate comme de l'eau mais des yeux pas comme les autres. Qui brillent, c'est incroyable. Un vrai regard d'hypnotiseur.

Il prêche chaque soir à huit heures. Puis ses deux copines font la quête. Il consulte en privé aussi, pas gratuitement, je présume. Je ne pense pas qu'il soit en passe de devenir riche mais il se débrouille. Les gens du coin disent que le nombre de ses fidèles va croissant. Il a commencé avec trois pelés et, maintenant, certains soirs, il peut attirer une cinquantaine de pèlerins. Mais il n'est pas encore prêt pour Madison Square Garden.

Je n'ai encore rien trouvé qui puisse nous indiquer s'il appartient à une confrérie ou une religion établie, mais je continue de fouiller. J'ai dans l'idée que, pour le moment, il improvise. Dans le voisinage, et chez les Blancs comme chez les Noirs, il s'est fait une réputation de guérisseur. Et on dit qu'il est capable de prédire l'avenir et de parler d'événements de leur passé que vraisemblablement il n'a pas pu connaître.

Il passe enfin pour le meilleur vétérinaire de toute la contrée. Ils disent qu'il n'y en a pas deux comme lui avec les animaux malades.

Je suis allé deux fois l'écouter prêcher. Des foutaises. Je n'ai pas tout compris mais, en gros, il prétend qu'on est sans péché parce qu'on a été créé à l'image de Dieu, et que si l'on se sent coupable d'avoir péché, on n'a qu'à se décharger de sa culpabilité sur Frère Kristos, parce qu'il est là pour ça : endosser tous les crimes du monde. Bon, passons...

Si vous voulez apprécier le bonhomme dans toute sa saveur, faut le voir de visu. Je vous recommande fortement le déplacement. C'est mille fois mieux que tous les shows de tous les prédicateurs-vedettes qu'on peut voir à la lucarne.

Quant à moi, je prends le chemin de Bethlehem, Nebraska, afin de prendre la piste là où elle commence. Cette histoire devient intéressante.

Lindberg. »

9

Tollinger, dégingandé comme un enfant grandi trop vite, se plie derrière le volant de son coupé Jaguar XJ-S. (Encore vingt-deux mensualités et elle sera complètement à lui.) Il démarre tôt, espérant éviter le bouchon du pont sur le Potomac, mais il est tout de même quatre heures quand il franchit le fleuve et poursuit vers le sud de la Virginie.

Le temps s'est enfin radouci. C'est un bel après-midi avec un soleil orangé, un ciel à peine voilé de stratus et une brise assez douce pour qu'il abaisse la vitre, emplisse d'air frais ses poumons et se laisse aller à croire à l'immortalité de l'âme.

Il aime ça, conduire. De jour, de nuit, sous la pluie, dans le brouillard ou la tempête. Un espace clos, protégé, un nid duquel on domine le temps et la distance.

« C'est ton vice, lui a dit une fois Jennifer. Tu es accro au volant comme d'autres le sont à la came, au cul ou au yoga.

— Peut-être bien. »

Le ciel s'assombrit bientôt des couleurs vineuses du crépuscule. Il se méfie de ce flux de sensations agréables car il est de ces hommes pour lesquels « tout bonheur se paie ». Mais il trouve toutefois difficile de résister à la belle suavité du soir qui tombe.

Il trouve sans difficulté le séchoir à tabac de Frère Kristos. Autos, motos, camionnettes sont garées tout autour. Tollinger range la Jaguar à l'écart des autres véhicules, ferme à clé et se dirige vers l'antique bâtiment. Il n'est pas encore huit heures, et des voitures continuent d'arriver.

Il trouve une place dans le fond sur l'un des bancs de bois, d'où il pourra s'éclipser discrètement au cas où le sermon de Kristos serait trop ennuyeux. Et il attend, patient, observant la congrégation : assemblée hétéroclite de fermiers en canadiennes, de femmes en manteaux de fourrure, de quelques jeunes, quelques Noirs, un type qui a l'air d'un banquier, d'une typesse qui a tout d'une prostituée, de deux homos se tenant par la main et chuchotant.

Frère Kristos sort de la pièce du fond, le braque pelé sur ses talons. Il monte en chaire, agrippe à deux mains le pupitre au velours râpé et se met à parler sans un mot d'accueil ni préambule.

— Vous êtes ici parce que vous êtes affligés, dit-il. Affligés dans votre chair ou dans votre esprit. Certains d'entre vous souffrent de la décrépitude de leur corps, d'autres de la désespérance de leur âme. Mais tous vous partagez un mal commun qui vous vide de tout espoir et jette sur la plus belle des journées les ombres les plus noires.

« Je parle de la solitude.

« Elle vous tourmente, vous dérobe le bonheur, se rit de votre réussite. Oh, vous pouvez avoir autour de vous une famille et des amis mais je sais que dans le secret de votre cœur le vitriol de la solitude ronge votre existence et ôte toute saveur et douceur au monde.

« Pouvez-vous le nier ? Nier que vous vous sentez seuls et vulnérables ? Que votre famille vous abandonne, que vos amis vous trahissent, et il ne vous reste qu'une solitude germant et proliférant dans votre esprit comme un cancer. N'est-ce pas vrai ?

« Alors pourquoi une telle souffrance ? La solitude n'est qu'un égoïsme. Vous vous prenez pour le centre de l'univers, oubliant que vous ne faites qu'un avec Dieu. Car Il vous a créés à Son image. Il est en vous, et vous en Lui. Croyez en Dieu, et vous ne serez plus seuls. »

Tout en parlant de sa voix monotone, Frère Kristos parcourt lentement du regard les visages. John Tollinger ressent l'éclat de ces yeux qui se posent un bref instant sur lui.

— Ne vous désolez pas de votre solitude, poursuit le prêcheur. Désolez-vous de votre ignorance. Car Dieu vous attend, les bras ouverts, pour écouter votre plainte, faire renaître votre espoir et vous retourner décuplé l'amour que vous Lui témoignez.

« Ecoutez-moi avec vos cœurs. Je vous dis que la solitude continuera de vous miner jusqu'à ce que vous cherchiez refuge auprès de Dieu. Il sera l'épouse, l'ami, le confident, le conseiller, l'amant. Plus que tout cela, Il sera partie de vous, et vous partie de Lui si vous Lui apportez un peu de votre amour.

« Je parle en Son nom. Croyez en moi. »

Il parle encore pendant une quinzaine de minutes puis se tait abruptement et redescend de l'autel, suivi par le chien. Les deux femmes en robe blanche passent parmi les fidèles. John Tollinger dépose un billet d'un dollar dans la boîte à cigares que l'une d'elles lui présente.

Le sermon de Frère Kristos l'a d'autant plus impressionné qu'il n'était pas l'un de ces « Venez à Jésus et soyez sauvés » auquel il s'était attendu. Et l'assistance est manifestement touchée.

Tollinger attend que la salle se vide puis il s'approche d'une des assistantes.

— Puis-je parler à Frère Kristos ? demande-t-il. En privé.

Elle le jauge longuement du regard.

— Attendez ici, dit-elle enfin. Je vais voir.

Elle disparaît pendant une minute ou deux puis fait signe à Tollinger d'approcher depuis la portière en toile de jute.

Frère Kristos s'est débarrassé de sa robe. Il est en chemise de coton bleu, jeans et bottes noires de motard. Il a l'air fatigué, vidé, mais les yeux ont gardé leur fier éclat. Tollinger comprend ce qu'en disaient Jennifer Raye et Marvin Lindberg : impossible de s'arracher à ce regard intense.

— Frère Kristos, dit-il, étonné par le tremblement de sa voix, j'ai trouvé votre sermon remarquable.

L'homme ne dit mot, et Tollinger se lance :

— J'ai entendu dire que vous pouvez guérir les malades. Je suis très malade. Cancer du côlon. Les médecins envisagent une intervention chirurgicale. Mais avant de prendre ce risque, je voulais vous demander si vous pouvez m'aider.

Le prêcheur se détourne de lui pour prendre une bouteille de vodka sur une étagère. Il la débouche, la porte à sa bouche et boit goulûment.

— Vous n'êtes pas malade, dit-il à Tollinger. Vous voulez m'éprouver. Vous êtes un incroyant, et mon ennemi. Vous n'avez nulle confiance en moi. Ou en Dieu.

— Gardez ces conneries pour vos fidèles, dit rudement Tollinger. Alors je suis un très mauvais comédien. Donnez-moi à boire, voulez-vous ? Je paierai.

De façon inattendue, Kristos éclate de rire. Un rire silencieux, mais qui rejette sa tête en arrière et dévoile ses dents jaunes. Il tend la bouteille à Tollinger.

— Servez-vous, dit-il. Vous me plaisez. Vous êtes franc, direct. Vous me prenez pour un charlatan, pas vrai ?

— Exact, répond Tollinger.

Puis il laisse couler dans sa gorge le feu de la vodka.

— Je pense que vous trompez des gens crédules et que vous en tirez un joli profit. Oui, vous êtes un escroc.

Kristos le fixe d'un regard pénétrant. Il lui reprend la bouteille et s'envoie une nouvelle rasade.

— Un escroc ? dit-il, suave. Et vous, vous êtes un idiot. Pensez-vous que j'avais prévu de parler de la solitude, ce soir ? Pas du tout. Je voulais parler du péché et de la culpabilité. Mais quand je suis entré, je vous ai vu, assis, seul dans le fond. Vous aviez l'air si désemparé que j'ai décidé de parler de la solitude. Car elle est un péché. Vous êtes un homme seul et, ce qui est pire, vous en tirez de la fierté.

— Je ne suis pas seul, proteste Tollinger. J'ai de nombreux amis, une vie très remplie.

Kristos a un curieux sourire.

— Vous avez perdu votre femme et vous ne vous trouvez pas malheureux dans votre solitude. Vous avez envie de devenir un ermite. Pourquoi ? A cause de votre enfance difficile ? Des disputes de vos parents ?

Tollinger n'en revient pas. Il enfonce les mains dans ses poches pour en cacher le tremblement.

— Vous vous trompez totalement, dit-il d'une voix qui chevrote.

— Non, répond Frère Kristos, je ne me trompe pas. Mais il n'est pas trop tard pour changer, pour chercher l'amour et le partager.

— L'amour de Dieu ?

— Ou d'une femme, dit le prêcheur avec un haussement d'épaules. C'est la même chose.

— Est-ce que je peux boire encore ? demande Tollinger d'une voix rauque.

Il avale une bonne gorgée de vodka puis sort de sa poche un billet de cinquante dollars et le pose sur la table. Il va pour sortir de la pièce mais se retourne.

— Vous savez, dit-il à Kristos, rien de ce que vous dites n'a de sens. D'après vous, nous sommes tous créés à l'image de Dieu et, par conséquent, nous serions sans péché. Cependant, vous m'avez accusé du péché de solitude. Vous dites aux gens qu'ils sont innocents et, dans le même temps, vous vous proposez de prendre sur vous leurs fautes à la condition qu'ils croient en vous. Il n'y a aucune logique ni raison dans vos croyances.

— Pensez-vous que la logique et la raison résoudront les problèmes de ce monde ? demande Kristos. Ça ne risque pas. Vous vous prenez pour un homme rationnel mais vos problèmes persisteront jusqu'à ce que vous reconnaissiez le pouvoir de la foi qui, elle, ne connaît ni raison ni logique hormis l'amour de Dieu.

Soudain, il tressaille. Son front se perle de sueur. Il s'appuie à la table pour ne pas vaciller, et ses yeux se voilent étrangement.

— Ça ne va pas ? demande Tollinger.

— J'ai vu ma mort, dit Kristos d'une voix sourde. Et la vôtre. Elles sont liées. Comment vous appelez-vous ?

— C'est important que vous le sachiez ?

— Non. Vous êtes le messager.

— C'est-à-dire ?

Kristos ne répond pas et, de nouveau, Tollinger se détourne.

— Comment s'appelle le chien ? demande-t-il.

— Nick, répond Frère Kristos.

Tollinger conduit lentement et prudemment sur la route du retour. Pas à cause de la vodka — il a la tête solide — mais à cause de ce que lui a dit le prêcheur. Comment cet homme peut-il connaître certains faits de sa vie aussi intimes : son penchant pour la solitude, le ménage tumultueux que formaient ses parents, le départ de Jennifer ?

Il envisage en vain la question d'un point de vue rationnel. Kristos ne l'a jamais vu, il ne connaît pas son nom et il n'est pas vraisemblable qu'il ait mené une enquête quelconque à son sujet. Cette aptitude à « voir » dans son passé est un mystère et, pour des raisons qui le laissent plus perplexe encore, John Tollinger en éprouve une excitation presque sexuelle.

Il est près d'une heure trente du matin quand il arrive à Spring Valley et là, dans l'allée, bloquant l'accès au garage, il y a la Toyota rouge de Jennifer.

Il jette un coup d'œil à l'intérieur de la voiture. Elle dort derrière le volant, la tête tournée de côté, la bouche entrouverte. Il frappe à la vitre, et elle se réveille lentement, ouvre la portière et sort en vacillant.

— Où diable étais-tu ces jours derniers ? demande-t-elle d'une voix endormie.

— J'ai fait la fête, dit-il. Deux cocktails d'ambassades et un buffet au Conseil du Patronat. J'ai dû prendre trois kilos au moins. Et toi, que fais-tu ici ?

— Je m'amuse comme une folle, bougonne-t-elle.

Un bras passé autour de sa taille, il l'entraîne avec lui. C'est une femme ronde, pulpeuse. Ils enlèvent leurs manteaux et s'installent dans le bureau.

— Je me ferais bien un petit cognac, dit-il. Et toi ?

— Idem.

Il sert deux ballons de Rémy Martin et laisse la bouteille sur la table basse entre les deux fauteuils.

— Tu as l'air fatiguée, dit-il.

— Pas fatiguée, le reprend-elle. Démolie. Tu te souviens de ce que je t'ai raconté... Helen Hawkins qui voulait inviter Frère Kristos à Camp David ? Eh bien, ça y est. Ce sera samedi prochain.

— Merde, dit Tollinger.

— Tu peux le redire ?

— Je veux. Merde.

— Et je suis censée organiser cette farce. Quel honneur, hein ? Je dois donc me démerder pour conduire les invités là-bas, arranger toutes choses avec le personnel de Camp David, contacter les services de sécurité, et m'assurer enfin que cet empaffé de prêcheur soit sur place en temps voulu.

— Comment tu vas t'y prendre ?

— On m'a proposé de lui offrir cinq cents dollars. Ça devrait suffire, tu ne penses pas ?

— Oh que oui ! Il ne viendra pas, il courra. Pas avec ses deux pétasses, j'espère.

— Bon Dieu, non ! Il vient seul ou rien du tout. Nous lui enverrons une voiture avec un chauffeur. Ça devrait l'encourager à venir.

— Qui sont les autres invités ?

— La fille du président du Conseil Général et son fiancé. La présidente de la Ligue des Femmes et sa gougnotte, ainsi que le parlementaire Louis Gehringer et sa nouvelle épouse. Ils ont été choisis parce qu'ils sont jeunes et qu'ils passeront probablement la journée à se promener dans les bois et à cueillir des champignons ou s'envoyer en l'air derrière un buisson, et qu'ainsi ils ne feront pas trop attention à Frère Kristos.

— Tu parles, dit Tollinger. Gehringer est pays avec Samuel Trent ; il lui mange dans la main. Si jamais il repère le prêcheur, tu peux être sûre que le lundi matin il ira tout raconter au vice-président.

— Trop tard pour s'en inquiéter, dit Jennifer. Ils ont tous été invités, et ils ont tous accepté. Après tout, on n'a pas souvent la chance de passer le week-end en compagnie de la famille présidentielle. Maintenant, je dois m'assurer que l'hôpital laissera sortir le gosse. On l'emmènera certainement en ambulance.

— Avec un médecin pour l'accompagner, j'espère.

— Au moins un. Ainsi que son infirmière attitrée. Voilà donc ce que j'ai fait tous ces derniers jours, pendant que tu faisais la fête, espèce de salopard. John, dis-moi que cette histoire n'est pas une gigantesque connerie.

— Ce n'est pas une gigantesque connerie.

— Tu n'as pas l'air très convaincu.

— Je ne le suis pas du tout. Je pense que c'est une folie. Les médias l'apprendront tôt ou tard, et ce sera comme si quelqu'un chiait dans un ventilateur. Tu vois d'ici la réaction de l'Ordre des Médecins ?

— Oui, je vois, dit sombrement Jennifer. Mais je n'ai pas trente-six alternatives : soit je démissionne soit je continue. Et je ne démissionnerai pas. J'aime mon travail et j'aime bien Mme Hawkins. Ce coup-ci, elle est complètement à côté de ses pompes mais c'est une brave femme, et elle a besoin d'aide. Je ne peux pas lui faire défaut.

— Bien sûr, dit Tollinger. Accroche-toi, petite. Après tout, il se peut que ça ne tourne pas aussi mal qu'on le craint.

— Tu le crois sincèrement ?

— Non, dit-il. Ecoute, buvons un dernier verre de ce breuvage et puis allons au lit.

— Hé ! s'exclame son ex, surprise. Qu'est-ce qui te prend ? En rut tout d'un coup ?

— C'est mon droit.

— Je ne le conteste pas.

Ils emportent leurs verres dans la chambre à coucher. Tandis que Jennifer se déshabille, Tollinger va se rafraîchir dans la salle de bains. Il repense à sa conversation avec Frère Kristos. Qu'entendait celui-ci en disant : « Vous êtes le messager » ?

Il regagne nu la chambre éclairée. Jennifer est déjà sous les draps. Elle l'attend.

— Magnifique, dit-elle, le regard appréciateur. Tu pourrais accrocher ton peignoir de bain sur ce machin.

10

Une légère couche de neige a taché de blanc le sol et les arbres verts. A Camp David, les gardes engoncés dans d'épaisses canadiennes, passe-montagne sur la tête, battent la semelle. Le ciel est clair, le froid vif, le vent mordant. On fait du feu dans les cheminées de la maison du président et dans les bungalows des invités.

Tôt le vendredi matin, le chauffeur passe prendre Frère Kristos avec la limousine. S'il est surpris par l'aspect de son passager barbu, il ne le montre pas. Kristos porte sa chemise bleue de coton, ses jeans et ses bottes noires. Une croix de bois grossière pend à son cou par une cordelette tressée. Il est tête nue. Il a jeté sur ses épaules un vieux trois-quarts de grosse laine à carreaux. Il n'a pas de bagage, pas même une trousse de toilette.

Il ne veut pas prendre place sur le vaste siège arrière de la confortable Lincoln et insiste pour s'asseoir à côté du chauffeur. Pendant le long trajet jusqu'à Camp David, les deux hommes parlent surtout de la maison que le chauffeur se bâtit lui-même. Kristos le conseille sur la manière de poser du carrelage.

Ils arrivent à Camp David en fin d'après-midi. Le chauffeur est muni d'un laissez-passer mais les gardes appellent le chef de la sécurité pour vérifier. Et avant qu'ils soient autorisés à entrer, la Lincoln est fouillée et les deux hommes invités à franchir un portique de détection.

Seule Jennifer Raye, portant son manteau de castor, est là pour accueillir Frère Kristos. Elle le conduit au bungalow qui lui est assigné et lui explique non sans une certaine nervosité qu'il dînera seul mais que le menu est varié. S'il désire se promener dans la propriété, il devra informer par téléphone le responsable de la sécurité qu'il quitte le bungalow. Par ailleurs, en raison des mesures de sobriété imposées par le président dans son entourage, il ne pourra pas commander de vin ou d'alcool mais du thé, du café et toutes boissons non alcoolisées à toute heure du jour ou de la nuit.

— Les autres invités n'arrivent pas avant demain matin, lui dit-elle. En hélicoptère. L'enfant viendra en ambulance avec son médecin et son infirmière.

Kristos, qui inspecte la pièce, hoche la tête. Une petite bibliothèque contient des livres et des cassettes vidéo. Le bungalow n'est pas d'un grand luxe mais il est chaud et accueillant, décoré dans le style ranch.

— Si vous avez besoin de quoi que ce soit, dit-elle, n'ayez pas peur de demander. Je sais que ça a l'air un peu rustique mais c'est confortable, et la cuisine est excellente.

— Vous êtes déjà venue ici ?

— Non, c'est la première fois. Mme Hawkins m'a chargée spécialement de veiller à ce que votre séjour soit le plus agréable possible.

— Vous êtes seule ? demande-t-il en la regardant.

— Non, dit-elle, troublée. Enfin, oui, pour le moment, mais Audrey Robertson, la secrétaire de la Première dame, arrive demain, et je partagerai un bungalow avec elle.

Il la considère pendant un moment puis détourne son regard. Elle en éprouve un soulagement.

— J'ai faim, déclare-t-il. Est-ce qu'ils ont du poisson ?

— Du poisson ? Oh, je suis sûre qu'ils en ont. Après tout, nous sommes vendredi. Comment l'aimeriez-vous ? Bouilli ? Frit ? Au four ?

— En matelote, dit-il. J'aime la matelote de poisson.

— De la matelote de poisson ? dit-elle, perplexe. Je vais demander s'ils peuvent en faire. A quelle heure aimeriez-vous dîner ?

Il hausse les épaules.

— Dès que ce sera prêt.

— Voulez-vous une salade verte avec ?

— Non, juste du pain.

Il pose de nouveau son regard sur elle. C'est comme de faire face à un fourneau ronflant et d'en ouvrir soudain la porte, pense-t-elle. La chaleur lui saute au visage ; elle a l'impression de suffoquer.

— Vous mangerez avec moi, dit-il. C'est plus un ordre qu'une invitation.

Elle a un moment d'hésitation avant de répondre :

— D'accord, je demanderai à ce qu'on nous serve ici, et puis je vous laisserai. Je suis épuisée ; la journée a été longue.

Il ne répond pas. Elle s'en va consulter le chef cuisinier. Une fois seul, il se promène dans le bungalow. Il inspecte la salle de bains immaculée, essaie le robinet d'eau chaude, palpe les épaisses serviettes de toilette. Dans la petite chambre, il tâte le matelas puis s'allonge sur le couvre-lit de satin. La main serrée sur sa croix de bois, il contemple le plafond aux poutres apparentes.

— Merci, dit-il tout haut.

Il se relève et regagne le salon. Il est en train d'examiner le magnétoscope quand Jennifer Raye revient, suivie de deux serveurs en veste blanche. Des cloches d'argent tiennent la nourriture au chaud. Le linge et la vaisselle sont marqués du sceau présidentiel.

— De la bouillabaisse ! s'exclame Jennifer. Formidable, non ?

— Qu'est-ce que c'est ? demande Frère Kristos.

Elle le regarde.

— C'est comme une matelote mais, au lieu que ce soit dans du vin, le poisson est cuit dans son bouillon.

Les serveurs dressent la table près de la fenêtre dans le coin salle à manger, découvrent les plats et s'en vont. Frère Kristos tire une chaise et s'assied. Il fait signe à Jennifer de le rejoindre. Elle prend place en face de lui en se demandant s'il va dire le bénédicité.

Il s'en abstient et verse sans attendre la moitié du plat dans son assiette. Il rompt en morceaux la moitié de la baguette de pain français croustillante et, penché au-dessus de son assiette, commence à engloutir. Jennifer se sert une part modeste qu'elle chipote d'une fourchette hésitante.

— Mmm, fait-elle. C'est bon, n'est-ce pas ?

— Manque de poivre, dit-il.

Et, s'emparant du grand poivrier, il déverse une pluie noire sur son assiette.

Elle l'observe, fascinée. Il dévore comme une bête affamée, avec des grognements de plaisir. Il enfourne, mastique avec ardeur, recrache arêtes et bouts de carapaces. Sa barbe dégouline de sauce, sa moustache est trempée. Mais il ne s'arrête pas ; sa serviette reste bien pliée à côté de son assiette.

Jennifer essaie en vain d'avaler quelque chose. Ce n'est pas par dégoût. Elle est seulement captivée par la vision de cet adulte dévorant comme un enfant affamé. Il a un coup d'œil vers l'assiette encore pleine de son vis-à-vis avant de se resservir. Il engloutit crevettes, moules, chair de crabe, langoustines, poisson, oignons, céleri, pommes de terre, carottes, gousses d'ail, enfin tout. Ses mâchoires tranchent et broient, le jus coule sur sa barbe, et le tas d'arêtes et de déchets grossit.

Il ne s'arrête que lorsque le plat est vide. Il le torche d'un morceau de pain. Jennifer pousse son assiette vers lui.

— Allez-y, dit-elle. Je n'ai pas faim.

Il ne proteste ni ne la remercie et fait un sort à ce qui reste. Elle lui offre également son dessert, une tarte aux pommes, mais il refuse d'un signe de tête et repousse sa chaise. Sans réfléchir, elle déplie sa serviette et, se penchant en avant, lui essuie la barbe et la moustache. Il la laisse faire, dévoilant ses grandes dents jaunies dans ce qu'elle espère être un sourire.

— Je vois que vous avez aimé, dit-elle du ton le plus léger possible. C'était bon, n'est-ce pas ?

— Toute nourriture est bonne, dit-il. Boire aussi. Un don du Ciel.

— Il y a du café. Vous voulez une tasse ?

Il secoue de nouveau la tête, se lève et quitte la table, la laissant seule. Elle essaie de nettoyer un peu, honteuse que les serveurs voient la nappe tachée de sauce et jonchée de déchets quand ils reviennent débarrasser.

— Je vais prendre un peu de café, déclare-t-elle d'une voix forte. Et puis je vous laisserai.

Mais elle n'obtient pas de réponse. Derrière elle, le salon est désert. Elle se met à sa recherche, craignant qu'il soit sorti sans avertir le service de sécurité. La porte de la salle de bains est ouverte mais il n'y est pas. Elle le trouve dans la chambre à coucher. Il est agenouillé au pied du lit, la tête inclinée. Elle l'entend murmurer et pense qu'il prie.

Elle retourne à table, boit un peu de café. Il est tiède, et cela ne l'aide pas à se calmer.

« Pars, se dit-elle. Pars ! »

Mais elle reste.

Elle termine son café et retourne à la chambre. Frère Kristos est planté devant le miroir de la commode en pin, à contempler son reflet.

— Je m'en vais, maintenant, dit-elle, stupéfaite de la timidité qu'il y a dans sa voix. Je suis certaine que vous serez très bien. Vous pouvez dormir aussi tard que vous voudrez.

Il se tourne lentement vers elle, s'approche. Il y a du

feu dans ses yeux, et les mains qu'il pose sur les épaules de la jeune femme sont lourdes et chaudes.

— Restez avec moi, dit-il.

— Non, il faut que je m'en aille.

— Il n'y a pas de péché, dit-il. Rien dont on puisse se sentir coupable. Contentez-vous de suivre vos désirs. Ne croyez-vous pas en moi ?

— Je... je ne sais pas... ce que vous dites...

Elle ne peut s'arracher à ce regard de vrille. Il brûle.

— Que voyez-vous en moi ? demande-t-elle, le souffle court.

— De la peur, répond-il. Pas de moi mais de la vie. Vous prétendez être forte mais vous êtes emplie de doute. Vous rêvez de monstres.

— Pas du tout..., proteste-t-elle faiblement.

Il l'entraîne vers le lit.

— Je ne suis pas un monstre, dit-il. Je suis le frère du Christ, venu sur terre pour vous montrer la Vérité.

— Vous êtes..., commence-t-elle de dire, mais elle ne peut finir.

Quand ils sont nus, il retrouve la bestialité qu'elle a vue à table. C'est une femme grande, aux formes amples, mais il la manie comme un jouet, la tourne et la retourne à son gré. Elle se sent glisser dans un monde rude et primitif.

Il a un corps puissant et sans grâce. La peau est rêche, poilue, zébrée de cicatrices. Il est gauche comme un ours savant dans ses gestes, mais la force brute est là, avec ses grognements d'animal et l'odeur musquée qui monte de lui.

Il la ravage. Son désir est brutal. Il griffe, mord, étreint et la prend jusqu'à ce qu'elle pleure, mais elle ne sait si c'est de douleur ou de plaisir. La croix de bois qui pend à son cou tombe sur le visage de Jennifer Raye, et elle y plante ses dents et la serre comme un bâillon, tandis qu'il râle à ses oreilles.

11

L'hélicoptère arrive peu avant dix heures du matin, amenant la famille présidentielle, leur entourage et les invités. Des voiturettes de golf transportent tout le monde jusqu'aux habitations, et il s'ensuit une joyeuse confusion le temps que chacun récupère ses bagages, qu'il prenne possession de ses pénates et que la cuisine puisse prendre les commandes pour le déjeuner.

Peu de temps après onze heures, l'ambulance est là, avec George Powell Hawkins, son médecin et son infirmière. Le garçon adore Camp David, et on lui permet sous étroite surveillance de se promener et de rendre visite aux postes de sécurité où il s'est fait des copains parmi les gardes et les agents de la sûreté.

A onze heures quarante-cinq, le président et la Première dame quittent le bâtiment principal pour se rendre au bungalow occupé par Frère Kristos. Ce dernier a été averti de leur venue par Jennifer Raye, et bien que le couple présidentiel soit comme à l'accoutumée flanqué de leurs gardes du corps, il pénètre seul à l'intérieur.

S'il est impressionné par la position de ses visiteurs, il n'en laisse rien transpirer. Le président et sa femme s'assoient côte à côte sur un canapé, tandis que Frère Kristos se laisse choir négligemment dans un fauteuil. Pendant l'entretien, il peigne lentement sa barbe de ses doigts épais, portant son regard de l'un à l'autre de ses interlocuteurs.

— Ma femme m'a parlé de vous, Frère Kristos, dit le président, mais il y a quelques questions que j'aimerais vous poser si cela ne vous dérange pas.

— Oui, père, dit Kristos.

— Pourquoi m'appelez-vous « père » ? demande le président avec un léger sourire. Washington était le père de notre pays, pas moi.

— Vous êtes le père de tous et vous devez prendre soin de nous comme si nous étions vos enfants.

— Ma foi, je suppose, acquiesce le président, dubitatif. Je veux d'abord vous demander si vous êtes membre d'une religion ou d'une Eglise ?

— Il n'y a qu'une seule religion, qu'une seule Eglise, de

même qu'il n'y a qu'un seul Dieu, quel que soit le nom qu'on lui prête.

— Avez-vous été ordonné ?

— Seulement par Dieu. Je suis son apôtre sur la terre, le frère du Christ.

— Depuis combien de temps prêchez-vous ?

— Dès mon enfance j'ai parlé de la gloire de Dieu. Mais c'est seulement depuis ces sept dernières années que j'y consacre ma vie.

— Vous parlez en homme cultivé, Frère Kristos, dit la Première dame. Vous avez fait des études supérieures ?

— Non, mère. J'ai tout juste terminé l'école primaire. Tout ce que je sais, je l'ai acquis par les lectures et l'écoute de ceux que je trouvais sages.

— Ma femme m'a dit que vous possédiez certains dons, dit le président. Que vous pouvez guérir les malades. Est-ce vrai ?

— Si leur foi est assez grande.

— Leur foi en Dieu ou en vous ?

— C'est la même chose, dit Frère Kristos.

— Pouvez-vous deviner l'avenir ? demande Mme Hawkins.

— Des fois, je vois des choses qui arriveront.

— Et le passé ? dit-elle en chuchotant presque. Pouvez-vous voir dans le passé ? Lors de notre rencontre, vous m'avez dit une chose qui s'est passée dans ma vie que mon mari et moi sommes les seuls à savoir.

Kristos ne répond pas mais il porte son regard sur le président. Cet homme solide a un léger tressaillement sous le feu de ces yeux qui le fixent, mais il ne détourne pas les siens. Un silence tombe, puis le prêcheur dit de sa voix plate :

— Une fois dans votre vie, père, vous êtes allé vers Dieu. La nuit était tombée après des combats où avaient péri nombre de vos camarades. Mais vous n'avez pas cherché le secours de Dieu par peur du jour qui se lèverait et de la bataille qui recommencerait. Vous êtes allé vers Lui pour Le remercier d'être encore en vie et Lui promettre que si jamais la mort vous frappait le lendemain, vous l'accepteriez sans que votre amour pour Lui en soit diminué, et que si vous étiez épargné, votre foi n'en serait que plus grande.

— Oui, dit Hawkins, le visage pâle. C'est bien ce qui s'est passé.

— Cette foi vous a soutenu, et vous vous êtes juré que jamais elle ne faiblirait. Et puis, pris par votre carrière, elle est devenue peu à peu une simple habitude dominicale, bien éloignée de cette passion éprouvée durant la guerre. A présent, alors que la ferveur a disparu, voilà votre croyance durement mise à l'épreuve. La maladie de votre fils ronge votre esprit. Vous vous demandez quel peut être votre péché pour mériter pareille punition. Mais vous n'avez commis aucune faute et vous ne devriez pas vous sentir coupable. C'est votre foi qui a faibli, et Dieu vous a envoyé cette épreuve pour que renaisse votre croyance.

— Oui, dit le président avec ferveur. Oh, oui !

— La foi en Dieu est un muscle de la volonté, conclut Frère Kristos, et il faut sans cesse l'exercer si l'on veut qu'elle demeure forte. Ecoutez ce que je dis, car c'est la parole de Dieu que j'apporte.

— S'il vous plaît, Frère Kristos, le prie Helen Hawkins, rendrez-vous visite à notre fils ? Il déjeune en ce moment, et puis il devra se reposer. Mais à son réveil, viendrez-vous le voir ?

— Si vous le désirez, dit Kristos.

Peu après deux heures et demie de l'après-midi, Jennifer vient chercher Kristos. En chemin, ils croisent quelques invités qui regardent avec curiosité cet homme barbu, mais Jennifer se garde de le présenter.

La Première dame attend et elle conduit Frère Kristos jusqu'à une petite chambre aux murs décorés de posters représentant des personnages de dessins animés. Il y a des jouets par terre mais le lit est un lit d'hôpital, et dans un coin il y a une grande armoire à pharmacie, dont la partie inférieure est réfrigérée.

Le médecin et l'infirmière sont là. Mme Hawkins s'entretient à voix basse avec eux, et ils se retirent alors que le président entre. La Première famille et Frère Kristos sont seuls dans la pièce. George est couché, recouvert jusqu'à la taille d'un drap et d'une couverture légère. Il suit tout ce qui se passe avec de grands yeux curieux.

Le président et Mme Hawkins, debout contre le mur, observent Frère Kristos s'approcher lentement du lit. Il baisse les yeux vers le visage pâle du garçonnet. Soudain, il prend sa barbe dans sa main et l'agite de bas en haut. George éclate de rire, et Kristos se joint à lui. Puis il s'agenouille à côté du lit et prend l'une des mains frêles dans la sienne.

— Qui es-tu ? demande le garçon. Le Père Noël ?

— Non, dit Kristos, je suis ton frère.

— Je n'ai pas de frère.

— J'aimerais être ton frère. Je peux ?

— D'accord, dit George, si tu veux. Tu es docteur ?

— Un docteur d'un genre particulier. Dis-moi, frère, t'a-t-on parlé de Dieu ?

— Bien sûr. Je sais à quoi il ressemble. Il a une grande barbe comme la tienne mais elle est blanche, et ses cheveux aussi.

— Et que fait Dieu ?

— Il gouverne le Ciel.

— Oui, dit Kristos. Il gouverne le Ciel, et la Terre et toutes les étoiles. Sais-tu prier, frère ?

— Bien sûr. Mais des fois je m'endors avant d'avoir fini.

— Ce n'est pas grave ; Dieu comprend.

— Comment t'appelles-tu ?

— Frère Kristos.

— Où tu vis ?

— Loin d'ici. Dans une grange.

— Une grange ? Avec des animaux ?

— Seulement un chien.

— J'aime bien les chiens, dit George, mais on ne me permet pas de jouer avec eux. Ils pourraient me mordre.

— Mon chien ne te mordrait pas. Il t'aimerait beaucoup.

— Vraiment ? demande le garçon. Alors moi aussi je l'aimerais beaucoup. Comment il s'appelle ?

— Nick.

— Nick ? C'est un drôle de nom pour un chien.

— Ma foi, c'est un drôle de chien. As-tu appris à écrire ?

— Bien sûr, j'ai appris à écrire.

— Pourquoi n'écris-tu pas une lettre à Nick ? Il ne sait pas lire mais je la lui lirai et il comprendra.

— Sans blague ? Il comprend quand tu lui parles ?

— C'est un chien très intelligent.

— Alors, dit George, je lui écrirai une lettre. Qu'est-ce que je mettrai dedans ?

— Ce que tu veux. Comment tu vas, ce que tu fais, les choses que tu aimerais faire.

Le gosse glousse de joie.

— Ça fait bizarre d'écrire à un chien, dit le gosse. Mais je le ferai. Et il me répondra ?

— Naturellement, dit Frère Kristos. Il aboiera, jappera, mais je comprendrai ce qu'il veut dire, et je te l'écrirai pour lui.

— Ouah ! Une lettre d'un chien !

Kristos se relève. Il se penche au-dessus du lit et, plaquant sa barbe sur sa poitrine pour qu'elle ne balaie pas le visage de George, il dépose un baiser sur le front pâle veiné de bleu.

— Que Dieu soit avec toi, frère, dit-il tendrement.

Et il se détourne.

Dehors, dans le couloir, la Première dame lui agrippe fermement le bras et le regarde dans les yeux.

— Il vous aime bien, dit-elle. Nous pouvons vous le dire.

— C'est un beau garçon.

— Dites-nous franchement, murmure le président, est-ce qu'il vivra ?

Une curieuse métamorphose se produit soudain dans le regard de Kristos. Les yeux semblent fouiller quelque insondable abîme. Puis il pousse un grand soupir.

— Il aura une vie heureuse, dit-il enfin. Pendant longtemps.

— Merci, dit Helen en se mettant à pleurer.

Jennifer raccompagne Kristos jusqu'à son bungalow.

— Vous restez avec moi ? lui demande-t-il.

— Non, je vais être occupée avec les invités, répond-elle piètrement. Vous avez commandé votre dîner ?

— Non.

— Ils n'ont pas de poisson, ce soir. Mais il y a de la salade de langouste, des côtelettes de veau ou du steak au poivre.

— C'est quoi, le dernier ?

— Steak au poivre ? C'est une tranche de filet de bœuf avec une sauce au poivre.

— Je prendrai ça. Deux.

— Des légumes ? De la salade ?

Il hausse les épaules.

— Ce qu'ils ont. Et du pain.

Elle s'attarde sur le seuil.

— Comment ça s'est passé avec George ? demande-t-elle.

— Bien.

Il la regarde dans les yeux.

— Je le reverrai. Très bientôt.

Puis il entre dans le bungalow, la plantant là, effrayée pour une raison qu'elle ne comprend pas.

Il se déshabille et va dans la salle de bains. Rien n'est omis pour le confort des invités : savonnette parfumée, shampooing, pâte dentifrice et brosse à dents, peignes neufs dans des sachets de cellophane, sels de bain, eau de Cologne et un nécessaire à ongles. Kristos inspecte l'assortiment, renifle savonnette et eau de toilette.

Il remplit la baignoire d'une eau si chaude que la vapeur envahit la pièce. Il vide le flacon de sels dans l'eau et contemple la mousse qui se forme. Il enjambe le rebord et s'immerge lentement jusqu'à ce que sa barbe barbote dans la mousse. Alors il ferme les yeux et s'abandonne à la chaleur dissolvante.

Il trempe dans le bain pendant près d'une demi-heure. Puis, quand l'eau commence à tiédir, il se lève et vide la baignoire. Il ne se savonne ni ne se frotte, il ne se touche pas, se contente d'ouvrir la douche et de se rincer. Il utilise deux serviettes pour se sécher le corps et la barbe, les laisse choir par terre quand il a fini.

Il est déjà rhabillé quand le serveur arrive avec son dîner et se met en devoir de dresser la table. L'homme est petit et rondouillard, avec une petite moustache si bien taillée et peignée qu'elle a l'air postiche. Il se déplace avec indolence.

— Avez-vous besoin d'autre chose, monsieur ? demande-t-il quand il a terminé.

— Oui, répond Frère Kristos, plantant son regard dans celui du serveur. Je veux quelque chose à boire.

Le bonhomme cligne les yeux.

— Je vous ai apporté du café, monsieur. Préférez-vous du thé, du lait, un soda ?

— Vodka. Je préfère la vodka.

— Oh, non, monsieur, dit l'homme, affectant un air vertueux. Le président et sa dame ne permettent aucun alcool ici.

— Je sais, dit Kristos.

Il plonge la main dans sa poche, sort une poignée de billets, compte cinquante dollars.

— Vodka, répète-t-il. N'importe quelle marque.

— C'est ma place que je joue, dit l'homme en empochant

l'argent. Le règlement est très strict. Le mois dernier, l'un des gardes...

Sa voix s'éteint sous le regard que lui jette Kristos.

— Je reviens de suite, s'empresse-t-il de dire.

Le temps qu'il soit de retour dix minutes plus tard, la bouteille de vodka, dissimulée sous une cloche d'argent, le prêcheur a dévoré l'un des steaks, avec ses doigts, déchiquetant la viande à pleines dents.

Le serveur reparti, Kristos ouvre la bouteille, boit goulûment et entame le second steak, prenant, de temps à autre, un morceau de pomme de terre au four ou une poignée de haricots verts qu'il fait passer d'une gorgée de vodka.

Quand il a fini, il se lève de table et s'installe dans un fauteuil. Ce n'est pas le même serveur qui vient desservir, et s'il trouve bizarre que les couverts n'aient pas été utilisés, il ne le montre pas. Pas plus qu'il n'adresse la parole au prêcheur.

A minuit, la bouteille est vide, et Frère Kristos la laisse rouler par terre. Il va dans la chambre et s'allonge sur le couvre-lit de satin sans même enlever ses bottes. Il s'endort presque immédiatement, d'un sommeil de plomb pendant lequel il ne se tourne ni ne remue mais gît immobile comme un cadavre.

A trois heures moins vingt du matin, il est réveillé par des coups frappés à la porte. Il se lève aussitôt, traverse le salon resté allumé et ouvre la porte. C'est Jennifer. La bordure dentelée d'une chemise de nuit dépasse de son manteau de castor.

— C'est George, dit-elle d'une voix tendue. Il a une hémorragie. Ils vous demandent de venir.

Il ne dit rien mais l'accompagne jusqu'au bâtiment principal. La nuit est claire, le ciel noir constellé d'étoiles. Un bon vent d'ouest siffle et pique de mille aiguilles, et leurs pas crissent sur une mince couche de neige.

— Vous auriez dû enfiler votre trois-quarts, dit-elle.

Il reste silencieux et, serrant dans une main la croix de bois sur sa poitrine, il lève les yeux vers le ciel. Il y a une violence primitive dans cette nuit, sombre infini où chante le vent sous les constellations.

Trois agents de la sécurité les attendent sur le perron, les mains enfoncées dans les poches de leurs manteaux. Ils s'écartent en silence pour laisser passer Jennifer et

Frère Kristos. Abner Hawkins est là quand ils poussent la porte. Son visage est livide.

— C'est George, dit-il sombrement. Il saigne, et ils n'arrivent pas à arrêter l'hémorragie. Il a dû jeter sa jambe par-dessus le bord de son lit en dormant, et il s'est coupé sur la mince bordure d'acier du sommier. L'entaille n'est pas profonde mais assez tout de même pour avoir provoqué un saignement. Ils ont utilisé des compresses, des coagulants, et une injection de ce nouveau produit, mais rien n'y fait. Le médecin veut appeler une équipe de secours pour pratiquer une transfusion mais je ne sais pas s'ils pourront arriver à temps. Le petit a déjà perdu beaucoup de sang.

— Il est conscient ? demande Kristos.

— Oh, oui, il sait ce qu'il lui arrive ; il a déjà connu ça. Pensez-vous pouvoir faire quelque chose, Frère Kristos ?

— Conduisez-moi auprès de lui.

Ils se retrouvent tous dans la chambre gaiement décorée de posters de Mickey Mouse et de Donald Duck. Le médecin et l'infirmière appliquent un nouveau pansement sur la jambe de George. Le drap est poissé de sang frais au rouge vermillon.

Le docteur lève les yeux à leur entrée.

— Je vous en prie, Monsieur le président, dit-il avec colère, laissez-moi appeler l'hôpital.

Hawkins consulte Kristos du regard, et le prêcheur hoche la tête.

— Oui, dit le président, allez les appeler. Et dites-leur qu'ils fassent vite, pour l'amour du Ciel !

La Première dame est adossée au mur, une phalange entre ses dents. Frère Kristos va vers elle, lui prend le bras et lui dit quelques mots à voix basse. Elle hoche la tête, l'air égaré.

— Je vous en prie, laissez-nous seuls, dit-elle à l'infirmière. Jennifer, vous voulez bien sortir également ?

L'infirmière a un mouvement de protestation mais Mme Hawkins lui fait signe de se retirer. Le président, sa femme, le prêcheur et l'enfant sont seuls. Kristos s'approche du lit.

— George, dit-il doucement.

Le garçon ouvre les yeux.

— Salut, dit-il d'une voix faible. Est-ce que je vais mourir ?

Kristos se penche sur lui.

— Tu m'as dit que tu connaissais Dieu.

— Oui, bien sûr.

— Et crois-tu en Lui, frère ?

George hoche la tête.

— Je sais que tu crois en Dieu, dit Frère Kristos, et Il m'envoie te transmettre Son amour pour que tu ailles bien.

— Dieu sait qui je suis ?

— Naturellement. Maintenant, je veux que tu pries.

— Qu'est-ce que je dois dire ?

— Dis « Je crois en Toi, mon Dieu, et je T'aime. »

— Je crois en Toi, mon Dieu, répète George d'une voix fluette, et je T'aime.

— Bien. Maintenant, dis : « Je crois en toi, Frère Kristos, et je t'aime. »

Obéissant, l'enfant reprend :

— Je crois en toi, Frère Kristos, et je t'aime.

— Dieu est satisfait, dit le prêcheur. Il a entendu ta prière et Il arrêtera ton hémorragie.

— Vraiment ?

— Ferme les yeux et pense uniquement à ton amour pour Dieu et ta confiance en moi.

George ferme ses yeux. Frère Kristos pose ses mains sur la petite jambe, une au-dessus de la blessure d'où sourd le sang, l'autre dessous. Le président et son épouse se sont agenouillés et, les mains croisées sur leurs poitrines, ils observent la scène avec des yeux pleins d'effroi.

Les doigts épais de Kristos s'enfoncent dans le pansement gorgé de sang. Ses yeux se ferment, son corps frissonne violemment. Ses lèvres remuent mais aucun son n'en sort. Tous les quatre semblent comme pétrifiés, figés dans une supplication muette. Presque cinq minutes passent avant que Frère Kristos se redresse. Il retire lentement ses mains de la jambe. Puis, avec d'infinies précautions, il dégage les serviettes maculées, défait le pansement, enfin découvre la blessure. Il se penche de nouveau pour examiner la plaie puis il porte sa croix de bois à ses lèvres d'une main rougie de sang.

Il se tourne vers Abner Hawkins et sa femme.

— Père, mère, dit-il, approchez et voyez l'œuvre de Dieu.

Ils se relèvent, se précipitent auprès de l'enfant. Le sang ne coule plus.

— Un miracle ! s'écrie le président.
Et il serre Frère Kristos dans ses bras.

12

Le chef du cabinet présidentiel est penché en avant, les coudes sur son bureau, la tête calée entre ses paumes.

— Vous tenez tout ça de Jennifer ? demande-t-il.

— Oui, monsieur, dit John Tollinger. Elle s'est arrêtée chez moi hier dans la soirée en rentrant de Camp David. Elle était pratiquement hystérique.

— Je ne le lui reproche pas, dit Henry Folsom. Ça me rend personnellement parfaitement hystérique.

— Ecoutez, il y a une explication tout à fait rationnelle à ce qui s'est passé. Le médecin a traité l'hémorragie du garçon avec des coagulants. Alors que les produits n'avaient pas encore fait leur plein effet, Frère Kristos débarque, joue au grand sorcier, et le sang arrête de couler. Ça se serait probablement produit s'il avait été à cent kilomètres de là, mais c'est lui qui récolte les bénéfices.

— Vous et moi, nous savons ça, mais allez le dire au patron. Comment il appelle ça... Le Miracle de Camp David ?

— Je crois que c'est Mme Hawkins qui a dit cela la première, mais le président a repris le mot.

— Qui est au courant ?

— Le président, la Première dame, George, Kristos, le médecin, l'infirmière et Jennifer. Il est possible par ailleurs que des agents de la sécurité et les invités aient eu vent de ce qui s'est passé.

— Sûrement, dit Folsom avec un soupir. Alors, qu'allons-nous faire ?

— Monsieur, êtes-vous certain de ne pas vouloir réunir le cabinet et alerter le conseiller à la Sécurité Nationale ? Si la presse s'empare de l'événement, nous devrons opposer un front uni.

— Non, dit Folsom, pas encore. Mais informons-en l'attaché de presse de la présidence. Nous pourrons peut-être étouffer l'affaire en déclarant que les croyances et les sentiments religieux sont d'ordre strictement intime et ne peuvent en aucun cas concerner l'opinion publique.

— Je ne pense pas que ça marchera, dit Tollinger. Il y a autre chose que je ne vous ai pas dit.

— Allons bon, gémit Folsom. Encore une bonne nouvelle ? Eh bien, je vous écoute.

— Toujours selon Jennifer, le patron et madame veulent avoir Kristos sous la main au cas où une hémorragie se reproduirait. Ils l'auraient persuadé de s'installer à Washington, s'engageant à lui trouver une habitation.

— Formidable, dit Folsom, amer. Où vont-ils le caser ? Dans une suite du *Watergate* ? Et il va emmener ses deux muses en robes blanches avec lui ?

— Ils n'ont pas encore pris tous les arrangements, dit Tollinger. Pour l'instant, Jennifer cherche un logement pour le prêcheur. Je lui ai bien spécifié qu'en aucun cas — aucun cas — le nom du président figurerait sur un bail quelconque. S'il insiste pour payer le loyer de Kristos, alors la meilleure façon c'est de lui remettre l'argent en mains propres. Nous pouvons ainsi toujours prétendre qu'il s'agit d'un don à une association religieuse.

— Oui, dit Folsom, mais tôt ou tard quelque fouille-merde découvrira d'où vient la monnaie. En avez-vous appris un peu plus sur le bonhomme ?

— Non, pas depuis cette première lettre que je vous ai montrée. Lindberg est dans le Nebraska. Il doit se les geler. Ils ont eu du blizzard l'autre jour. Mais je pense que j'aurai de ses nouvelles d'ici la fin de la semaine.

— Eh bien, avertissez-moi dès que vous aurez du nouveau. Plus tôt nous nous débarrasserons de ce charlatan, mieux ça vaudra.

Il relève la tête et tend l'oreille.

— L'hélico arrive, dit-il. Ce doit être le patron. Allons l'accueillir avec des masques qui rient sur des visages qui pleurent. Et pas un mot. Nous sommes censés tout ignorer. S'il veut nous en parler, qu'il le fasse. Et si nous en avons l'occasion cet après-midi, réunissons-nous avec l'attaché de presse.

— Oui, monsieur, dit John Tollinger.

Pendant que les officiels de la Maison-Blanche accueillent la famille présidentielle, Samuel Trent, dans son bureau, écoute un appel téléphonique qui l'intrigue fort et qu'il entrecoupe de « vraiment ? » stupéfaits et autres « Non, je ne peux le croire ! » Son correspondant, comme Tollinger l'avait prédit, est le congressiste Louis Gehringer.

L'appel se termine par les félicitations de Trent et la promesse d'user de toute son influence pour que soit créée la maison de retraite d'Anciens Combattants que Gehringer a promise aux électeurs de sa circonscription. Puis le vice-président appelle son secrétaire et, en attendant que Michael Oberfest arrive, Trent se balance dans son fauteuil pivotant sans jamais détacher les yeux d'une huile accrochée au mur en face de lui : le portrait par Copley d'un des ancêtres de Trent — l'amiral, pas le voleur de chevaux.

Quand Oberfest est enfin au garde-à-vous de rigueur devant son bureau, le vice-président lui demande sèchement :

— Avez-vous progressé dans votre enquête sur cette étrange affaire dont nous avons parlé la semaine dernière ?

— Très peu, monsieur, avoue le secrétaire. Je n'arrive pas à savoir ce que cache le coup de fil de Tollinger.

— Eh bien, moi, j'ai du nouveau, annonce Trent avec satisfaction.

Et de raconter ce que lui a rapporté au téléphone le congressiste Gehringer.

— Non ! s'écrie Michael. Le président consulte un guérisseur ?

— Il ne consulte pas, il l'emploie ! dit le vice-président en levant un index exclamatif. Evidemment, la Maison-Blanche aurait préféré que cela reste secret. D'après Gehringer, le guérisseur est un personnage tout à fait excentrique.

— Je n'arrive pas à le croire, dit Oberfest en secouant la tête. Si cela éclatait au grand jour, vous vous imaginez quelles...

— Je l'imagine, dit Trent d'une voix forte. Laissez-moi vous dire quelles seraient les conséquences si la nouvelle parvenait au public.

« Un : Le président des Etats-Unis d'Amérique passera pour un crétin aux yeux de tous les électeurs responsables de ce pays pour afficher un tel mépris des progrès de la science médicale et préférer à celle-ci les services d'un charlatan qui soigne par la prière les ongles incarnés.

« Deux : Nos amis d'outre-mer douteront du bon sens du président américain.

« Trois : Nos ennemis, particulièrement les Soviétiques,

accueilleront avec une joie indicible la nouvelle et donneront tout l'impact médiatique voulu à cette nouvelle évidence de l'ignorance et de la superstition des sociétés capitalistes.

« Quatre : Le conseil de l'Ordre des Médecins, et pas seulement lui mais la communauté scientifique tout entière, seront scandalisés par le camouflet infligé à leurs professions.

« Cinq : Le Congrès, déjà conscient de la regrettable tendance du président à trop simplifier des problèmes complexes, se verra confirmer que l'homme est un incapable et qu'on ne peut lui confier le destin de notre grande nation.

« Maintenant, il est sûr qu'une certaine catégorie d'électeurs approuveront la démarche du président et ne verront aucun mal à ce qu'on cherche secours auprès d'un charlatan de la foi. Mais ces gens, fondamentalistes, évangélistes et autres Fous de Dieu, n'ont heureusement aucun poids politique. Je vous garantis que la majorité des citoyens responsables de ce pays verront dans la conduite d'Abner Hawkins une insulte à leur intelligence. Les élections législatives ne sont pas loin, et je peux vous dire que cette bêtise me fait redouter le pire pour l'avenir de notre parti. »

Oberfest hésite un instant, ne sachant si le vice-président a terminé son prophétique discours. Finalement, il se hasarde à dire :

— Ma foi, monsieur, ce que vous dites risque en effet de se produire. Mais à la condition que cette affaire parvienne à la connaissance du public. Supposons que la Maison-Blanche parvienne à garder l'histoire secrète ?

Le vice-président reprend son balancement sur son fauteuil pivotant.

— Oberfest, dit-il, n'avez-vous pas un contact au *New York Times ?*

— Oui, monsieur. Un ancien copain de fac.

— Pourquoi ne pas lui donner un petit coup de fil ? dit suavement Trent. Je pense que cela pourrait l'intéresser.

13

« Tollinger,

Affaire : Frère Kristos.

Si tout va bien, je compte expédier la présente d'Omaha, où j'espère trouver un avion pour la Floride. Je viens de passer trois jours à Bethlehem, Nebraska, non pas parce que j'en avais envie mais parce que j'ai été bloqué par la neige. Ils ont finalement dégagé les routes, et je devrais pouvoir partir demain de bon matin avec ma voiture louée, direction Omaha.

A propos, j'utilise ma carte de crédit pour mes dépenses, aussi attendez-vous à une lourde note de frais (avec justificatifs) quand je rentrerai à Washington.

Bethlehem est aujourd'hui un petit bled de deux mille huit cents habitants. Ils étaient onze mille il y a vingt ans, ce qui vous donne une idée de la désertification de la région. Il n'y a plus de banque, plus de salle de cinéma, plus d'hôtel, plus d'école. Les quelques gosses qui sont là — la population est dans sa majorité âgée — doivent se rendre à l'école de la ville voisine, à vingt bornes de là.

J'ai séjourné dans un motel minable (le seul du coin), et pris mes repas au *Ace-High Café*. Je ne pourrai plus jamais revoir dans mon assiette une côte de porc panée. Mais je suis fier de moi ; je n'ai pas touché à la bouteille, et si je suis capable de supporter d'être bloqué par la neige pendant trois jours à Bethlehem sans me bourrer la gueule, alors je devrais pouvoir rester sobre n'importe où et dans n'importe quelle circonstance.

A présent, revenons à nos moutons. Voici ce que j'ai pu apprendre :

Jacob Everard est le troisième fils de la famille Christiansen (quatre fils, trois filles), qui possédait une exploitation agricole de deux cents hectares à l'ouest de Bethlehem. Culture de blé principalement mais aussi petit élevage de vaches laitières, de porcs et de poulets. La ferme a été vendue et les terres sont aujourd'hui morcelées en petites surfaces. Le père et la mère sont morts, et les enfants sont partis. Je ne le leur reproche pas. C'est une rude contrée.

Les Christiansen avaient une excellente réputation comme fermiers. Ils travaillaient dur (y compris les gosses), et leur lait, leur crème et leur beurre passaient pour être les meilleurs de la région. Idem pour leurs porcs et leurs poulets. Ils payaient tous leurs achats comptant, et non seulement ils n'avaient pas de dettes mais possédaient encore une somme rondelette à la banque (désormais disparue). C'est à la mort des parents que les enfants ont décidé de vendre et de se séparer.

Voilà quelle était leur réputation de fermiers. Comme voisins et bons citoyens, c'est un autre son de cloche. Apparemment, ils formaient une drôle de bande, des farouches, des méfiants qui ne participaient jamais aux activités locales et ne recevaient jamais personne chez eux, y compris les copains de leurs enfants (si toutefois ces derniers avaient des copains).

C'est leur religion qui les marginalisait de cette façon. La région est en majorité luthérienne. D'ailleurs presque tout ce que j'ai pu glaner, je le tiens du pasteur de Bethlehem, qui a un an de moins que Mathusalem et qui est bavard comme une pie.

Les Christiansen appartenaient à une secte mystique, surgeon de l'Eglise de la Nouvelle Jérusalem, fondée par un Suédois, Swedenborg, pour qui la divinité était amour infini. Mais les Christiansen radicalisèrent le précepte, prétendant qu'on ne pouvait suivre l'enseignement du Christ qu'à travers l'amour, et surtout l'amour physique.

La secte comptait six ou sept familles qui se réunissaient chaque week-end chez l'un ou chez l'autre. Le bruit courait que tout le monde couchait avec tout le monde et que ce n'étaient que joyeuses partouzes sous prétexte de prouver que le sexe était pur, sans péché, car nous sommes tous créés à l'image de Dieu, qui Lui est sans péché, comme chacun sait. Cela doit vous rappeler quelque chose, pas vrai ? La rumeur disait également qu'on fouettait ceux ou celles qui rechignaient à s'envoyer en l'air et que l'inceste dans les familles était monnaie courante.

Pour en revenir à Jacob Everard, il passait pour un beau garçon, que les travaux rudes n'effrayaient pas et qui semble avoir eu beaucoup de succès auprès des filles du pays. Tous mes informateurs étaient d'accord sur ce point : le Jacob était un fameux tombeur.

Un teigneux aussi, qui se battait souvent et qui, encore enfant, avait déjà développé ce regard terrible dont je vous ai parlé dans ma dernière lettre. Il avait aussi des dons oratoires et des talents de batteleur dont il usait surtout, m'a-t-on dit, pour persuader les filles de venir avec lui dans la grange pour une séance de « Tu me montres le tien, je te montre le mien ».

Jacob avait dix-huit ans quand il aurait, paraît-il, engrossé une donzelle. Toujours est-il que le père et le frère de la « victime » lui ont couru après avec un fusil, et Jacob a fait ce que tout autre aurait fait à sa place : il a pris ses jambes à son cou.

Il a probablement fait du stop jusqu'à la ville voisine (New Castle). Il y avait là un cirque de passage dans lequel Jacob, dit-on, aurait trouvé du travail. Quelques jours plus tard, quand le cirque a plié bagages, il est parti avec.

J'ai passé un coup de fil au shérif de New Castle, à qui je me suis présenté comme un agent du FBI (juste un petit mensonge), et je lui ai demandé s'il serait assez aimable de regarder dans ses registres quel était le cirque de passage dans sa ville à cette époque-là. Il m'a répondu qu'il n'avait pas besoin de consulter ses registres ; il n'y avait jamais eu depuis quarante ans qu'un seul cirque, un seul, pour s'arrêter à New Castle : La Grande Parade des Frissons, des Monstres et des Extravagances de Ryan et Goldfarb. J'adore ce nom !

J'ai appelé ensuite un contact que j'ai au magazine *Billboard*. Il m'a promis de vérifier et de me rappeler, ce qu'il a fait deux heures plus tard. Le Ryan et Goldfarb est toujours en activité, figurez-vous, et hiverne en ce moment à Sarasota, en Floride. C'est donc là-bas que je vais maintenant, et après ces trois jours enfermés dans un congélateur, il me tarde de suer sous les palmiers.

Le portrait qui se dessine peu à peu de Jacob Everard Christiansen est celui d'un garçon indocile et violent, séducteur. Il aurait reçu une éducation religieuse stricte, ce qui ne voudrait pas dire grand-chose si ce qu'on m'a rapporté de la secte est vrai. Tout le monde s'accorde à reconnaître qu'il avait un don pour soigner les animaux malades et que pour avoir tant de succès parmi les femmes, il doit être monté comme un cheval.

Une dernière note : on lui connaît dès l'âge de quatorze ans un goût pour la bouteille, dans le cas précis pour l'eau-de-vie de pomme fabriquée par les bouilleurs de cru locaux. Notre Jacob aurait été vu plus d'une fois complètement bourré. Même moi, je n'ai pas commencé si jeune !

Prochaine lettre de Floride...

Lindberg. »

14

Ils dînent à une table d'angle chez *Belle,* dans Georgetown. Ils parlent à voix basse, leurs têtes rapprochées, sourires plaqués. « Quel beau couple », pourraient remarquer les dîneurs autour d'eux, ignorant que Jennifer et John sont en train de se déchirer.

— Combien de fois faudra-t-il que je te le dise ? demande John. Le médecin administre à George des coagulants. Pendant que le produit fait lentement son effet, Frère Kristos débarque, marmonne une prière, et l'hémorragie s'arrête. Il n'y est pour rien. Les coagulants ont simplement rempli leur fonction. Je suis désolé mais il n'y a pas de miracle.

— Foutaises ! siffle-t-elle entre ses dents. Tu n'étais pas là-bas, et tu ne sais pas ce qui s'est passé. Moi j'y étais, et je sais, et je te dis que Frère Kristos a sauvé l'enfant. Ecoute, le médecin appelait une équipe de secours pour pratiquer une transfusion. Est-ce qu'il aurait fait ça s'il avait pensé que les médicaments agiraient ?

— Allons, Jennifer, tu n'es pas sotte. Réfléchis. Le toubib assurait ses arrières, voilà tout. Un peu plus de vin ?

— Et comment ! dit-elle en se servant elle-même. Très bien, pour toi, la foi n'a jamais guéri personne.

— Je n'ai pas dit ça. De nombreux malades se sentent mieux après l'administration d'un placebo s'ils sont convaincus d'avoir absorbé une drogue miracle. La foi religieuse n'a rien à voir là-dedans.

— Ah non ? rétorque-t-elle. Et pourquoi quelqu'un de croyant ne serait-il pas persuadé du pouvoir de Dieu à le guérir si sa foi en Lui est suffisamment forte ? Il prie, et il ne se sent plus malade. C'est quoi ça, de la psychothérapie ou de la foi religieuse ?

— Mange ta viande, elle va refroidir, dit Tollinger.

— Autre chose encore, poursuit Jennifer. Je t'ai dit que Frère Kristos, lors de notre première rencontre, m'a dit certaines choses de mon passé qu'il ne pouvait qu'ignorer. Il l'a fait également avec Mme Hawkins, c'est elle-même qui me l'a confié. Pareil pour Katherine Downley et Lenore Mattingly. Comment aurait-il pu le deviner s'il n'avait pas un don ?

— C'est un truc qu'utilisent toutes les diseuses de bonne aventure et autres devins de bazar. Tiens, je m'installe moi-même comme diseur de bonne aventure. Un client arrive, et je lui dis, par exemple : « Je vois une grande blessure dans votre vie. » Ou : « Quelqu'un qui vous était très proche est décédé récemment. » Ou encore : « Certaines personnes vous ont trahi. » Cela est vrai pour quatre-vingt-dix pour cent des gens, mais le crédule s'exclamera : « Mince, ce type est rudement fortiche ; il sait tout de ma vie. » Et c'est comme ça que Frère Kristos trompe les gogos.

— Eh bien, pour ton information, toi qui es si malin, Frère Kristos n'a pas sorti de lieux communs. Il s'est montré étrangement précis. Il savait que j'avais quitté mon mari. Il savait que Kate Downley souffrait d'arthrose aux genoux, et Lenore Mattingly de migraines. Comment aurait-il pu savoir ça ?

— Une quantité de femmes âgées souffrent d'arthrose ou de migraines. Et en ce qui te concerne, je t'ai expliqué comment il a pu deviner que tu avais été mariée. Il me semble avoir démontré qu'il n'était pas plus guérisseur que ma tante en avait. Maintenant, tu prétends qu'il aurait en plus le don de voyance. Dis donc, il t'a fait un effet bœuf, le prêcheur !

Jennifer repose sa fourchette.

— J'ai trop mangé, se plaint-elle. Si on prenait du café et un cognac, d'accord ?

— Oui, dit-il en l'observant. Comme tu es pâle. Tu te sens bien ?

— Je survivrai, dit-elle avec un faible sourire.

Il passe commande au serveur puis reporte sur elle son attention.

— Où en sont tes recherches d'un logement pour ton faiseur de miracles ?

Jennifer s'anime de nouveau.

— Impossible de trouver un appartement dans un quartier décent sans tomber sur des loyers hors de prix. Tu ne peux pas savoir combien c'est cher ! Et puis je me suis rappelée que Lenore Mattingly possède une maison dans la 18e Rue. Elle est veuve et vit avec sa fille, Emily, restée demoiselle, dans une gigantesque baraque de trois étages. Je suis allée la voir, lui ai fait jurer de garder le secret et lui ai demandé si elle voulait bien louer une chambre à Frère Kristos. Lui seul, pas ses assistantes. Elle ne se sentait plus de joie. Le dernier étage est inoccupé, il peut le prendre, m'a-t-elle dit. Il y a un beau salon, une grande chambre, une salle de bains. Il n'y a pas de cuisine, bien entendu, mais Lenore a dit qu'il pourra manger avec Emily et elle, s'il le veut bien. Par ailleurs, cela ne lui pose aucun problème ménager car elle a une femme de ménage à demeure. Ça me paraît la solution idéale.

— Oui, c'est possible, dit Tollinger, pensif. Quand Frère Kristos doit-il emménager ?

— Probablement dans une semaine ou deux. La Première dame est ravie. Elle prévoit de l'inviter à la Maison-Blanche afin qu'il dise la prière avec eux.

— Mon Dieu, gémit John Tollinger.

— Je sais que tu le prends pour un charlatan, dit Jennifer, sirotant son cognac. Mais tu te trompes. En vérité, c'est un être supérieur avec des dons hors du commun.

Il la regarde longuement.

— Si tu le dis, murmure-t-il.

Ils terminent leur café en silence. Tollinger règle l'addition, ils réclament leurs manteaux et sortent sur le trottoir.

— Je t'inviterais bien à monter, dit Jennifer, mais Martha est à son ordinateur, et la maison est un foutoir.

— Tu veux venir prendre un verre à Spring Valley ? demande-t-il.

— Plutôt la prochaine fois.

— Comme tu veux, dit Tollinger.

15

A sa femme, à ses amis intimes, le vice-président Samuel Landon Trent aime à dire : « Qu'on n'oublie pas que je n'ai qu'une seule marche à gravir pour la présidence. »

Fort de cette idée, et bien décidé à décrocher un jour la timbale, Trent s'est démené comme un diable pour tisser des liens de sympathie avec les lobbies soutenant le Parti républicain. La plupart des hommes d'argent se trouvant à New York, Oberfest se rend fréquemment à Manhattan afin d'y organiser les réunions que le vice-président tient avec les responsables des lobbies, des banquiers, des financiers.

C'est au cours de l'un de ces voyages qu'Oberfest trouve le temps de passer son énigmatique coup de fil. Trois heures après, il pose séant sur le canapé défraîchi de la chambre qu'occupe le commandant Leonid Y. Marchuk dans cet hôtel plutôt douteux de la 46e Rue Ouest.

Le Russe, toujours aussi jovial, conte à Michael quelques anecdotes croustillantes concernant ses collègues des Nations unies, éclatant de son rire tonitruant avec force grandes claques sur les cuisses. Finalement, il se calme.

— Alors, Arnold, dit-il, et à moi, qu'est-ce que vous racontez ?

Le secrétaire du vice-président rapporte quelques rumeurs circulant dans le Tout-Washington : l'épouse d'un membre du cabinet présidentiel se défonce à mort à la coke, le vote prévisible d'une mesure sociale touchant aux soins médicaux, le désaccord au sein du Conseil de la Sécurité Nationale sur l'opportunité d'envoyer du matériel militaire au Swaziland, la révélation toute proche des spéculations d'un juge à la Cour fédérale.

Rien de ce qu'il révèle, se dit Oberfest, n'affecte la sécurité de son pays. Mais le commandant ne l'en écoute pas moins avec une vive attention, ponctuée de grands sourires et de hochements de tête.

— Voilà, c'est à peu près tout, conclut Michael.

— Oh ? s'étonne Marchuk. Et cette histoire dont nous avons parlé la dernière fois ? Où c'en est-il ?

L'Américain avait espéré un oubli du commandant. Parler du prêcheur le met mal à l'aise. Peut-être, considère-t-il, parce que son propre rôle dans la circonstance n'a pas été très élégant. Mais il n'y a pas de raison de cacher au Russe une histoire assurée de devenir publique.

Aussi raconte-t-il tout à Marchuk, sans oublier l'invite que lui a faite Trent de transmettre la nouvelle à son ami journaliste au *Times*.

— J'imagine que ça va faire du bruit, dit-il. Les médias vont se déchaîner.

— Un guérisseur, dit le Russe avec mépris. Chez nous aussi, il y en a. Mais seuls les ignorants et des paysans superstitieux se font prendre à leurs mensonges. Je m'étonne beaucoup que votre président fasse appel à un tel... escroc ? Est-ce le mot correct ?

— Oui, tout à fait, dit Oberfest.

— Et puis, je ne comprends pas pourquoi le vice-président

veut rendre publique cette histoire. Il veut donc du mal au président Hawkins ?

— Il n'en veut pas à la personne du président, dit Michael, mal à l'aise. Mais le moins qu'on puisse dire, c'est qu'il ne serait pas désolé de voir Hawkins devenir la risée du public. Mon patron est un politicien. Et un des plus ambitieux. Ce n'est un secret pour personne qu'il ambitionne d'être élu président. Tous les journalistes l'ont dit ou écrit : Trent s'impatiente sur le banc de touche, prêt à remplacer Hawkins à la moindre défaillance de ce dernier.

— Alors, il pense que si le président se couvre de ridicule, c'est autant de gagné pour lui ?

— Oui, en gros, c'est ça.

Marchuk hoche gravement la tête.

— Nous avons des hommes comme ça en Union soviétique. Très ambitieux. Ne pensant qu'à la gloire, au pouvoir. Et pour parvenir à ce qu'ils croient leur revenir de droit, ils sont prêts à toutes les manigances, à tous les coups bas, et même au crime.

— Hé, attendez un peu, proteste le secrétaire. Trent n'est pas un criminel. La politique est un panier de crabes. Il faut avoir le cuir épais pour y durer.

— Un panier de crabes, hein ? demande le Russe, perplexe.

— Oui, on se déteste les uns les autres et on se tire dans les pattes à la moindre occasion. Et Trent est du genre la-fin-justifie-les-moyens.

— Un homme dangereux, dit le commandant.

— Non, je ne le pense pas. Sous les grands airs qu'il se donne, il y a un homme rusé, vif, toujours prompt à devancer les attaques de l'opposition.

— Et à devancer le président ?

— Hawkins est un homme presque trop scrupuleux pour un politique. Il n'a aucune malice. Pourquoi pensez-vous qu'il a été élu ? Parce que son honnêteté et sa sincérité ont crevé le petit écran, et les grands chefs du parti savaient qu'ils pourraient le manipuler à leur guise. Et c'est ce qui se passe. Mais Hawkins n'en a pas vraiment conscience ; il continue de croire à la bonté de l'homme.

Le commandant demeure songeur pendant un instant, puis :

— Dites-moi, Arnold, si, comme Trent l'espère, le président devient la risée du public, est-ce qu'il perdra toute chance d'être réélu ?

— Oh, j'en doute, dit Oberfest. Les élections n'auront pas lieu avant presque trois ans, et les Américains ont la réputation d'avoir la mémoire courte. Non, je pense que quelles que soient les difficultés que causera ce charlatan à la Maison-Blanche, tout sera rapidement oublié avec le prochain scandale qui défraiera la chronique.

— Mais si ce n'était pas le cas, si, sous l'influence de votre patron, les choses empiraient, serait-ce possible que le vice-président accède à la présidence dans trois ans ?

— En politique, tout est possible. Si on envisage le pire, la réputation du président et sa capacité à diriger les affaires du pays pourraient faire l'objet de telles critiques qu'il soit contraint de démissionner. Dans ce cas de figure, Trent assurerait l'intérim jusqu'aux prochaines élections.

— Je n'aimerais pas ça, dit le Russe.

— Je m'en doute, dit Oberfest avec un sourire finaud. Pour l'instant, vous avez un copain au Bureau Ovale. Hawkins est un pacifiste convaincu. Mais Trent est d'une tout autre espèce. Avec lui à la Maison-Blanche, c'est le retour assuré à la guerre froide.

— Et vous approuvez ça, Arnold ? demande Marchuk, intrigué.

— Je n'approuve ni ne désapprouve. Je travaille avec des politiciens mais en vérité je n'ai pas d'opinion politique et pas d'autre ambition que tirer mon épingle du jeu.

— Moi aussi, avoue le commandant. Après tout, vous et moi, nous ne sommes que des employés. Que ceux qui veulent gouverner prennent les décisions !

— Parfaitement, approuve Oberfest. Le président Truman avait un écriteau posé sur son bureau : « Ici commence la responsabilité. »

Marchuk part d'un rire formidable.

— Chez nous, elle commence nulle part ! rugit-il.

Quand Michael Oberfest est reparti, son enveloppe en poche, l'agent soviétique retire le petit magnétophone de sous le canapé et il reste assis, l'air songeur, pendant quelques instants. Dans son métier, la première règle est de se préserver soi-même. « Garer son cul », comme disent les Américains. Il décide que le mieux est d'informer Moscou et d'attendre les ordres.

DEUXIEME PARTIE

1

La maison de Lenore Mattingly, dans la 18e Rue Nord-Ouest, est, comme l'a décrite Jennifer Raye, une véritable caserne. Le corps de bâtisse en pierres de taille est d'une sévérité qui contraste avec les baies vitrées, le perron en encorbellement, et une tourelle surmontant le toit sans autre but qu'une esthétique douteuse. Construite pendant l'administration du président Harding, elle aurait servi de résidence à son ministre de la Défense.

L'intérieur n'est guère plus gai. D'épais doubles rideaux en velours marron pendent aux fenêtres. Les meubles massifs, pour la plupart gravés de motifs floraux, semblent peser si lourd qu'ils doivent être aussi inamovibles que des sénateurs.

Le salon (anciennement appelé le parloir) est situé au rez-de-chaussée. Des portes coulissantes en noyer sombre ouvrent sur une salle à manger et une pièce moins vaste qui était jadis une bibliothèque aux murs lambrissés mais que Mme Mattingly a transformée en un petit salon tapissé de papier à fleurs et meublé de meubles en rotin.

Au même niveau, il y a la cuisine et l'office, une buanderie, un cabinet de toilette et une remise encombrée de quarante années d'exemplaires du *National Geographic*. Les trois chambres au premier étage sont occupées par Mme Mattingly, sa fille Emily et l'intendante Brenna O'Gara.

Le second, destiné à Frère Kristos, présente un assez vaste salon, une chambre, et une salle de bains. Comme dans le reste de la maison, des appliques murales en étain terni assurent l'essentiel de l'éclairage. Elles diffusent sous des plafonds hauts de quatre mètres une lumière faible et ocrée. Toute la maison, même de jour, semble avoir une teinte de vieux parchemin et l'odeur de renfermé d'une bibliothèque désertée.

Les dispositions prises par Jennifer au sujet de l'installation de Kristos sont les suivantes :

Il a la jouissance de tout le second étage et il a sa propre clé de la porte d'entrée. S'il le désire, il peut prendre ses repas avec les Mattingly, sans que cela lui coûte un supplément. Il paiera cinq cents dollars par mois de location et versera un mois de caution.

Il est entendu qu'il passera la nuit du vendredi et toute la journée du samedi chez lui, dans l'ancien séchoir à tabac, et regagnera Washington le dimanche. Ce dernier point provoque une nouvelle dispute entre Jennifer et John Tollinger.

— Tu ne peux pas lui en vouloir de ne pas abandonner son église, dit-elle. Ses fidèles ont besoin de lui.

— Ses fidèles ?

Tollinger a un rire froid.

— Tu en fais un bon pasteur, ma parole ! Tu sais pourquoi il tient tant à retourner dans son gourbi chaque semaine ? Pour le fric, ma belle. Il tient un bon petit commerce avec ses deux pétasses et leurs boîtes à cigares. Sans compter ce qu'il soutire lui-même en consultes privées à de malheureux gogos. Il ne va pas laisser se perdre pareille manne en venant s'installer ici à plein temps. Comme ça, il aura les deux : ses culs-terreux du week-end et les vieilles folles argentées de l'entourage des Mattingly. Il va s'en mettre plein les fouilles, ton Ali Baba.

— Comment peux-tu être aussi cynique ? siffle, rageuse, Jennifer. Ce n'est pas parce que tu ne crois pas en lui que les autres doivent en faire autant. Ils sont nombreux à avoir confiance, à avoir besoin de lui, et il se sent le devoir de continuer de prêcher.

— Il te l'a dit ?

— Eh bien, justement, il me l'a dit.

— Hum !

Tollinger la regarde pensivement.

— Bien sûr, on peut aussi supposer qu'il ait envie d'aller là-bas le week-end pour s'envoyer en l'air avec ses deux quêteuses.

— Tu es dégueulasse ! s'écrie-t-elle.

Frère Kristos arrive chez Lenore Mattingly un lundi, peu

avant midi, après que Pearl Gibbs, qui l'a emmené à la capitale avec le vieux Ford, l'a déposé sur sa demande à deux blocs de la maison dans la 18e Rue Nord-Ouest. Aussi fait-il son apparition à pied, avec à la main une antique valise au cuir éraflé et craquelé, attachée par un bout de ficelle.

Il est chaleureusement accueilli par Mme Mattingly, corpulente matrone. Elle est flanquée d'Emily et de Brenna O'Gara, toutes deux grandes et minces, aussi les trois femmes alignées ressemblent au nombre 181. Mme Mattingly lui présente sa fille, l'intendante, on le défait de son trois-quarts qu'on accroche à un portemanteau en bois de chêne.

C'est Brenna O'Gara qui le conduit à ses appartements. Elle a dépassé la soixantaine mais elle gravit les marches avec l'agilité d'une chèvre. Elle lui présente, avec un débit de mitraillette, le logement qu'il va occuper.

— Les draps et les serviettes de bain sont changés chaque semaine. Il y a une couverture supplémentaire dans le placard si vous en avez besoin. Veillez à ce que le rideau de la douche soit à l'intérieur du bac quand vous vous doucherez. Le tiroir du bas de la commode est coincé. Nous allons vous faire poser un téléphone. Vous aurez votre propre ligne. Que vous paierez, évidemment. Le petit déjeuner est à huit heures, le déjeuner à midi et demie, le dîner à sept. Si vous voulez manger avec nous, soyez à l'heure ; nous ne vous attendrons pas. Avez-vous faim ?

— Non, répond-il en regardant lentement autour de lui.

— Nous sommes toutes au lit à minuit, aussi si vous rentrez tard, essayez de ne pas faire de bruit. Le courrier arrive habituellement vers midi. C'est une vieille maison mais elle est confortable. La chaudière est dans la cave. Madame craint le froid, et les radiateurs sont allumés jour et nuit. Si vous avez trop chaud, vous pouvez fermer l'arrivée d'air chaud ou bien ouvrir une fenêtre. Etes-vous habile ?

— Habile ?

— De vos mains ? Connaissez-vous un peu la plomberie, l'électricité ?

— Oui.

— Parfait. Le robinet de la cuisine au-dessus de l'évier est cassé.

— Je le réparerai ou le changerai, promet-il.

— Et la poire de votre douche fuit. Le joint est à

changer, je suppose. Si vous pouvez vous en occuper également...

Il hoche la tête. Il porte une chemise blanche propre et repassée. Le bas de ses jeans est rentré dans ses bottes. La lourde chaîne à son cou est en or. Tout comme la croix massive qui y est suspendue. Un cadeau de la Première dame en reconnaissance du Miracle de Camp David.

— Je dois vous dire, dit Brenna O'Gara avec détermination, que je suis catholique romaine, et je ne suis pas d'accord avec votre religion.

— Nous sommes tous des enfants de Dieu, dit-il.

— Pas tous, dit-elle sèchement. J'en ai connu qui étaient des enfants du diable. Et maintenant, je dois descendre et m'occuper du déjeuner. Salade de fruits avec du fromage blanc. Vous joindrez-vous à nous ?

— Non, dit-il. Merci.

— Je vous laisse, alors. Si vous avez besoin de quelque chose, vous me le direz plus tard. Avant trois heures. Je fais ma sieste à ce moment-là. La porte qui donne dans votre couloir a un verrou à l'intérieur, si vous voulez la fermer. Au cas où vous achèteriez de quoi manger, vous pouvez l'entreposer dans le réfrigérateur. Vous devrez vous arranger pour votre blanchissage ; je ne m'en chargerai pas.

Il hoche de nouveau la tête.

Elle contemple sa barbe qui pend sur sa poitrine.

— Mon père aussi avait une barbe, Dieu ait son âme, dit-elle. Depuis quand la portez-vous ?

— Depuis vendredi dernier, répond-il, imperturbable.

Elle ouvre de grands yeux.

— Oh, vous êtes un plaisantin ? Ma foi, ce n'est pas un crime. Madame ne tarit pas d'éloges à votre propos, que vous l'avez guérie de ses migraines et tout. Aussi j'espère que vous vous plairez ici et que vous ne décevrez personne.

— Je l'espère aussi, dit-il de sa voix plate.

Quand elle est partie, il va fermer au verrou la porte du couloir. Puis il pose sa vieille valise sur le lit et dénoue la ficelle. Il y a une bouteille de vodka pleine enveloppée dans son linge de corps. Il la débouche, avale une longue gorgée et, emportant la bouteille, il inspecte l'appartement.

Les hauts plafonds à pâtisseries ont besoin d'un coup de peinture et les lambris du salon d'une couche de vernis. Mais la salle de bains brille de propreté, et la chambre est confortable, même si elle semble avoir été meublée avec tous les rebuts de la maison.

Dans le salon, il y a une grande table, un canapé et deux fauteuils en cuir craquelé, quatre chaises droites, une bibliothèque vide et une petite armoire de bois sombre. L'applique d'étain éclaire à peine les coins de la pièce ; les fenêtres sont drapées d'épais rideaux de coton marron.

Frère Kristos s'assoit à la table, avale de temps à autre une gorgée de vodka, passe une main sur le lourd plateau en chêne. Il fait chaud, trop chaud même, mais il accueille cette chaleur comme seul peut le faire quelqu'un qui a connu la morsure du froid.

Il a bu presque la moitié de la bouteille quand on frappe doucement à la porte du couloir. Il se lève lentement pour aller ouvrir, ne prenant nullement la peine de dissimuler la bouteille. C'est Emily Mattingly. Elle porte une assiette à dessert recouverte d'un napperon.

— Excusez-moi de vous déranger, Frère Kristos, dit-elle d'une voix haletante. Brenna nous a dit que vous ne vouliez pas déjeuner mais maman a pensé que vous aimeriez peut-être un peu de dessert. De la tarte aux cerises. C'est moi qui l'ai faite.

Il prend l'assiette qu'elle lui tend.

— Merci, dit-il.

Soudain son regard s'allume, et elle fait un pas hésitant en arrière.

— J'espère que vous aimerez, dit-elle d'une petite voix, incapable de détourner les yeux.

Puis, avec un gloussement nerveux, elle demande :

— Pourquoi me regardez-vous comme ça ? Que voyez-vous ?

— De la solitude, dit-il.

Un son étranglé monte de sa gorge. Elle tourne les talons et fuit comme une ombre.

Il referme le verrou, emporte l'assiette jusqu'à la table, écarte le napperon et la fourchette. Il enfourne à pleines mains la tranche de tarte dans sa bouche, se gorge comme un glouton. Des gouttes de sirop perlent de rouge sa barbe. D'autres s'écrasent sur la table, brillantes comme des gouttes de sang frais.

2

La couverture médiatique de l'affaire commence piano-piano. Le premier article révélant l'existence de Frère Kristos ne comporte que trois paragraphes à la page « Société » du *New York Times.* Il est seulement dit que la famille présidentielle a invité Frère Kristos à passer un week-end à Camp David, et que le « prêcheur itinérant » a une réputation de guérisseur et de voyant. Pas un mot sur le Miracle de Camp David.

La nouvelle du *Times* est reprise par plusieurs autres quotidiens nationaux. Qui la traitent pour la plupart de façon légère. Pas de commentaire critique ni d'interrogation quant aux motifs poussant le président des Etats-Unis à s'attacher un personnage tel que Frère Kristos. Quant aux chaînes de télévision, elles ne traitent pas le sujet.

Le vice-président Samuel Trent est furieux de ce manque total d'esprit d'initiative et d'entreprise dont font preuve à ses yeux les médias.

— C'est un comble ! dit-il à sa femme. Un désastre se prépare, et la presse écrite et surtout la télé restent sourdes et muettes. C'est une honte !

— Pourquoi ne pas les appeler, mon chéri ? demande-t-elle placidement en continuant de tricoter un grand châle en cachemire. Juste pour les mettre sur la piste. Tom Walkins est un bon ami. Ne travaille-t-il pas à la télé ?

— Cette grande gueule ? dit le vice-président avec dédain. Il n'est pas au service des informations. Il est membre du conseil d'administration d'une chaîne.

— Il n'empêche, dit Matilda Trent en levant les yeux vers son mari, il pourrait faire passer la nouvelle à quelqu'un d'autre.

— C'est dans le domaine du possible, dit lentement Samuel Trent. Ça vaut le coup d'essayer. Je lui dirai que je suis très inquiet à l'idée que les chaînes télévisées s'emparent d'une affaire qui pourrait jeter le discrédit sur le président. Je demanderai à Tom d'user de toute son influence pour que Frère Kristos ne paraisse jamais à l'écran.

— Oui, mon chéri, dit Matilda avec un gloussement. Ce serait la meilleure façon de présenter la chose.

La réaction des médias à la relation du chef de l'Exécutif avec Frère Kristos intéresse tout aussi passionnément certains membres du cabinet ministériel, mais pour de tout autres raisons.

— L'oiseau est sorti de la cage, dit, lugubre, le directeur Folsom, et c'est même pas la peine d'essayer de le rattraper. Il est en compagnie de John Tollinger et de l'attaché de presse à la Maison-Blanche, Pete K. Umbaugh.

— Pete, avez-vous pu savoir qui a cafeté au *Times* ? demande-t-il.

— J'ai essayé, dit Umbaugh, personnage porcin au cou serré par une cravate à nœud fixe et les cheveux coiffés la raie au milieu. Et je suis tombé sur un prévisible « Source confidentielle ».

— Evidemment, grince Folsom. Et vous, John, vous avez une idée ?

— Oui, dit Tollinger. J'y vois la main machiavélique de cet excellent Trent.

— Et c'est bien vu, dit Folsom. Ce ne serait pas la première fois que ce salopard nous jouerait ce genre de tour. Et il se demande pourquoi on garde nos distances avec lui !

— Ecoutez, dit Umbaugh, tôt ou tard on me posera la question en réunion. Que répondre ?

— Que les croyances religieuses du président ne regardent que lui et qu'elles ne sauraient concerner l'opinion publique, dit Folsom.

— Ça pourrait passer si Frère Kristos était un évêque anglican, fait remarquer l'attaché de presse, et non un prétendu guérisseur, voyant, et je ne sais quoi. Difficile dans ce cas d'invoquer les croyances religieuses du patron.

— Faites de votre mieux, dit le chef de cabinet. Qu'au moins les chaînes de télé ne s'en emparent pas.

— Ce n'est pourtant qu'une question de temps, dit Umbaugh. Je tremble à chaque fois que j'allume mon poste à la pensée de voir apparaître le barbu.

— Attendez, vous ne savez pas tout, dit Folsom. Le patron veut que Frère Kristos conduise une de leurs prières du matin à la Maison-Blanche.

— Bon sang ! s'écrie Umbaugh.

— Vous le saviez, John ?

— Jennifer m'en a dit un mot, mais je pensais qu'ils abandonneraient l'idée.

— Eh bien, pas du tout. Le patron veut même en faire une grande cérémonie avec le cabinet, les congressistes, les diplomates, tout le monde, sans oublier sa propre sœur, Sue. Mais je pense l'avoir persuadé de faire ça dans l'intimité. Je lui ai dit de se limiter au personnel de la Casa. De faire de la présentation de Frère Kristos un événement familial, en quelque sorte. Ça lui a plu. John, connaissez-vous Audrey Robertson, la secrétaire de Mme Hawkins ?

— Bien sûr, je la connais. Une femme brillante.

— Voudriez-vous prendre contact avec elle ? Expliquez-lui le problème. Qu'elle fasse en sorte de réduire la liste des invités au minimum. Et uniquement les gens de la maison.

— Entendu.

— Pas de photographes sur le coup, Pete, à moins que Mme Hawkins y tienne absolument. Agissons comme s'il s'agissait d'une réunion de famille.

— Ça ne marchera pas, dit Umbaugh en secouant lentement la tête. Toute la ville le saura une heure après que Kristos aura dit « Amen ».

Folsom hausse les épaules.

— C'est ce que le patron veut. Vous savez, le plus incroyable dans cette histoire, c'est que je ne l'ai jamais vu aussi en forme. Depuis sa rencontre avec le frangin Kristos, il est plein d'allant et de vigueur, veillant à tout comme il le faisait toujours. Il se plonge dans les dossiers et prend les décisions les plus dures sans hésiter.

— Monsieur, dit Tollinger, est-ce qu'il a une idée de ce que peut lui coûter, politiquement, la fréquentation d'un Kristos ?

— Non, répond Folsom. Je me demande si la question lui est seulement venue à l'esprit. Il est comme sous un charme.

Quand la réunion prend fin, Tollinger part à la recherche d'Audrey Robertson. Cela fait un bon bout de temps qu'il travaille à la Casa Blanca, il n'en continue pas moins de se perdre dans la labyrinthique bâtisse. Comme pour compliquer à plaisir les choses, les bureaux semblent jouer éternellement aux chaises musicales. Bureaux, plaques, noms et numéros des services s'échouent de-ci de-là au gré des crises de déménagite aiguë.

Il finit par trouver la secrétaire de la Première dame dans un box tout juste large pour contenir un petit bureau, une chaise pivotante, un fauteuil et un classeur métallique. La porte est ouverte, Robertson est là, qui téléphone. C'est un bout de femme toujours coiffée d'un galurin pour garden-party. Voyant John qui se tient dans l'entrée, elle lui fait signe d'approcher et lui désigne le fauteuil.

— Bien sûr, ma chérie, dit-elle. Je comprends parfaitement. Mais c'est une réunion diplomatique, vois-tu, et je ne peux pas te porter sur la liste. Crois-moi, tu t'ennuierais à mourir. Tous ces gens n'ont pas seulement le col amidonné mais tout le reste. Mais il y a une soirée prévue en mars qui te plaira : un concert de musique de chambre avec des musiciens épatants. Je te réserve une place dès maintenant. D'accord, ma chérie ? A bientôt.

Elle raccroche et fait une grimace comique à Tollinger.

— Mme Edith Todd. Vous la connaissez ?

Il secoue la tête négativement.

— Une tordue de première, dit Audrey. Pas seulement excentrique mais complètement folle. Certifié par le corps médical. Elle m'appelle trois fois par semaine pour qu'on l'invite à « tout, tout, tout », comme elle dit. Elle assisterait aux réunions du cabinet présidentiel si elle le pouvait.

— Pourquoi ne l'envoyez-vous pas promener ? demande-t-il.

— A cause du fric, mon bon ami, uniquement le fric. Elle a eu quatre maris qui lui ont tous fait une rente à vie plus que confortable pour être enfin débarrassés d'elle. Elle compte parmi les plus gros donateurs individuels du parti, et je dois donc la traiter gentiment. Alors, qu'est-ce qui vous amène, John ?

Il lui rapporte l'entretien qu'il vient d'avoir avec son supérieur et Umbaugh et leur intention d'entourer de la plus grande discrétion possible cette prière matinale projetée par le président. Pas de publicité, pas de photographes.

— Que ça reste très intime, insiste-t-il. Nous ne sommes pas des fanas de Frère Kristos.

— Mme Hawkins m'en a parlé, dit Audrey. Et je suis de votre côté, John. Je trouve toute cette histoire parfaitement dingue, mais ni vous ni moi n'y pouvons rien. Je ne prévois pas d'inviter plus de vingt personnes. Je ferai servir le petit déjeuner en premier. De cette façon, les pique-assiette pourront s'éclipser avant que le service religieux commence.

— Bien vu, dit John Tollinger, admiratif. Est-ce que vous irez chercher Frère Kristos pour éviter tout retard ?

— Ce n'est pas moi qui le ferai. Ce type me donne la chair de poule. Mais Jennifer s'est portée volontaire pour passer le prendre chez lui. Ces deux-là ont l'air de bien s'entendre.

— Quoi ?

La secrétaire le fixe un instant du regard.

— Ils n'auraient pas une histoire ensemble ? dit-elle, interrogative.

— Comment le saurais-je ? dit Tollinger.

Il regagne son bureau et travaille jusqu'au soir, à prendre connaissance des dossiers du jour, sélectionnant les documents à soumettre au chef de cabinet.

En rentrant chez lui il s'arrête dans un fast-food pour prendre un gobelet de consommé de tomate, un hamburger, une barquette de frites, deux cafés noirs et une tarte aux pommes. C'est son premier repas chaud de la journée mais il n'a de goût pour rien et avale sans plaisir.

De retour dans son refuge, il se verse un verre de Glenfiddich mais cela ne l'aide pas. Il s'assoit, se relève, erre dans la pièce, sort un livre d'un rayon, le feuillette distraitement, le remet en place, vide son verre, le remplit de nouveau, et décide d'affronter ce qui l'agite.

C'est cette question d'Audrey Robertson, faisant allusion à Jennifer et Frère Kristos : « Ils n'auraient pas une histoire ensemble ? »

Cette idée ne l'a pas véritablement pris par surprise pour la bonne raison qu'elle lui est déjà venue à l'esprit. Quelques faits l'y ont amené : la défense passionnée du prêcheur par Jennifer alors qu'elle s'est montrée très soupçonneuse envers lui au début ; l'enthousiasme qu'elle a mis à trouver un logement à Kristos ; enfin ces soudaines réticences à partager la couche de Tollinger.

Et puis après ? se dit-il. Il est divorcé ; la vie privée de son ex-femme ne le regarde pas, elle peut s'envoyer tous les membres du Congrès si ça lui chante. Il n'a rien à redire à cela mais l'idée qu'elle ait une liaison avec Frère Kristos le blesse. N'importe qui d'autre, d'accord, mais pas Kristos.

Il essaie de comprendre pourquoi cela lui est si désagréable, presque douloureux. Ce n'est pas à cause de l'infidélité de Jennifer ; encore une fois la jeune femme n'a pas de compte à lui rendre. C'est donc le prêcheur, l'origine de son malaise. Pourquoi Kristos lui fait-il peur ?

Il lui faut un troisième verre de malt avant qu'il s'avoue la vérité. Malgré tout le mépris qu'il affiche à l'égard de celui qu'il tient pour un charlatan, une secrète inquiétude le ronge que peut-être l'homme possède réellement des pouvoirs surnaturels. Comment peut-il deviner tant d'événements personnels dans la vie des gens ? Par quel moyen a-t-il pu déduire le penchant de Tollinger pour la solitude et son enfance malheureuse dans un foyer en discorde ?

Difficile de persister à n'y voir qu'un « coup de bol », quand s'accumulent les preuves, aussi anecdotiques soient-elles, que ce drôle de prêcheur possède un don pour voir dans le passé, prédire l'avenir, et peut-être même guérir des malades par les forces conjuguées de sa propre foi et de celle de ses fidèles.

Le seul fait d'admettre cette possibilité sans y croire totalement laisse pantois Tollinger. Car si Kristos n'est pas un charlatan, alors c'est lui, John Tollinger, qui se trompe, et son monde tout de réflexion, de logique et de raison n'est pas toute la réalité. Il existerait donc un autre monde, où la foi, la volonté et la force spirituelle pourraient guérir les malades et, pourquoi pas, ressusciter les morts.

Tollinger se souvient soudain d'une vieille histoire : un physicien de grand renom reçoit un jour dans son laboratoire la visite d'un étranger.

— Je peux léviter, lui dit ce dernier.

— Oh ? fait le savant, très amusé. Faites voir.

Et l'étranger, d'une petite poussée des pieds, s'élève lentement dans l'air et s'immobilise au plafond. Et le grand physicien, qui le contemple bouche bée, sait que son univers vient de s'écrouler autour de lui, car toutes les lois, les théories, les équations, les preuves, qui ont soutenu son existence même viennent d'être réduites à néant.

C'est ce que ressent à cet instant John Tollinger, son verre vide à la main, les yeux levés au plafond où flotte Frère Kristos.

3

Avec la permission de Kristos, Mme Mattingly a invité trois de ses amies les plus proches à venir prendre le thé avec lui et lui poser, s'il le veut bien, quelques questions concernant le péché, la prière et la rédemption.

La petite réunion est organisée par Emily mais c'est Brenna O'Gara qui s'appuie la besogne. Il ne lui faut pas moins de quatre voyages jusqu'au salon de l'appartement du prêcheur pour disposer sur la grande table nappe, service à thé en porcelaine de Chine, assiettes à dessert, couverts d'argent, et un gâteau au fromage dans un joli plat à fleurs.

Quand enfin tout est prêt, que la bouilloire est sur le feu en bas dans la cuisine, Brenna jette un dernier coup d'œil d'inspection à son travail avant de redescendre.

— J'espère que vous êtes satisfait, dit-elle de son ton revêche à Kristos.

— Oui, dit le prêcheur en regardant la table.

La nappe et les serviettes sont roses.

— C'est très bien.

Elle coule vers lui un regard de biais et ricane.

— C'est dur, vous allez devoir boire du thé, dit-elle, et pas de cette saleté que vous cachez sous votre lit.

Il n'est pas du tout démonté.

— Servez-vous si ça vous dit, réplique-t-il.

— Oh ça, non ! Je sais ce que ça fait aux gens, la boisson.

— Oh ? Et qu'est-ce que ça leur fait ?

— Ça les rend fous, dit-elle.

Il se rapproche d'elle. C'est une femme fort laide, sèche et tout en dents, coudes et genoux. Frère Kristos pose une main sur la nuque de Brenna et la passe lentement sur le dos osseux. Elle frissonne comme une chatte sous la caresse puis s'écarte d'un bond.

— Espèce de diable ! crie-t-elle. Ah, le beau prêcheur que vous faites ! Laissez vos sales mains où elles sont ou je dirai à Madame ce que vous êtes vraiment. Un suppôt de Satan !

Elle part en claquant la porte. Il reste un moment debout sans bouger puis va dans la chambre, retire une bouteille de vodka de sous le lit et avale lentement deux ou trois gorgées. Puis il rebouche la bouteille, la dissimule de nouveau et se tourne vers le miroir de la commode. Il s'inspecte attentivement, sort un peigne de la poche arrière de son pantalon noir en velours côtelé et se peigne les cheveux, la moustache et la barbe, tous parfumés de la riche eau de toilette que lui a offerte Jennifer Raye.

Sa chemise en soie marron est d'inspiration tsigane : boutonnée haut jusqu'au col officier, bouffante aux manches, étroite aux manchettes. Elle pend hors de son pantalon et elle est serrée à la taille par une large ceinture noire en cuir souple fermée par une fine boucle d'argent gravé. La chemise est un présent de Mme Katherine Downley. Emily Mattingly lui a donné la ceinture.

Et c'est Emily la première à arriver, avec un vase de roses d'un rouge tendre qu'elle dispose au milieu de la table.

— Là, dit-elle. N'est-ce pas joli ?

— Oui, très joli.

— Nos invitées sont déjà arrivées, et elles vont monter d'un instant à l'autre. Je crois que vous avez déjà rencontré Kate Downley ?

Il acquiesce d'un signe de tête.

— Les deux autres dames sont Mme Edith Todd et Mme Cynthia Jorgensen. Elles sont très actives sur la scène sociale à Washington. Il leur tardait de vous rencontrer, surtout après que les journaux ont parlé de votre venue à Camp David. Mon Dieu, je ne savais pas que vous étiez tellement célèbre. Avez-vous revu le président récemment ?

Il est dispensé de répondre par l'arrivée de ces dames. Elles entrent dans la pièce, guidées par Mme Mattingly. Les quatre femmes se ressemblent étonnamment : la cinquantaine épaissie, corsetée, leurs chairs molles collant à de vilaines robes noires seyant, ont-elles pensé, à un entretien avec un sage religieux.

Les présentations sont faites, tout le monde est assis. Frère Kristos trône en bout de table. Avec ses cheveux longs, sa moustache et sa barbe, son regard pénétrant, il compose une remarquable figure d'autorité et de ferme conviction. Il est plus jeune que ses auditrices, à l'exception d'Emily, mais toutes sont tournées vers lui avec des penchements de bustes et de têtes pleins de déférence.

Emily sert le thé et le gâteau. Le silence accompagne tous ses mouvements jusqu'à ce que tout le monde soit servi et qu'elle regagne sa place à table.

— Frère Kristos, dit Mme Todd, un trémolo dans la voix, je ne saurais vous dire quelle émotion c'est de vous rencontrer en personne.

Il opine gravement du chef.

— On dit, continue-t-elle, avec un sourire, que vous pouvez voir dans le passé des gens. Est-ce vrai ?

— Oui, dit Kristos. Mais je ne fais ce genre de révélation qu'en privé et avec la personne concernée, jamais en présence de tiers.

— Oh, allons, dit-elle, coquette, je n'ai rien fait dans ma vie dont je puisse avoir honte. Vous pouvez tout dire de moi, cela ne me gênera pas.

Il fixe son regard sur elle, et une lueur s'allume dans ses yeux. Il ne dit rien pendant un moment, et à la table les souffles sont suspendus.

— Voulez-vous vraiment que tout le monde le sache ? demande-t-il de sa voix plate. Cet incident dans votre enfance, dont vous n'avez su s'il avait été rapporté ou pas, et la culpabilité que vous avez éprouvée en le cachant à vos parents. Tenez-vous à ce que ces dames apprennent ce qui est arrivé ?

Mme Edith Todd éclate soudain en sanglots et porte à ses yeux sa serviette rose.

— Non, je vous en prie, non, non..., gémit-elle.

Les autres la regardent, médusées, puis plongent leurs nez dans leurs tasses.

— C'était une erreur de jeunesse, dit Kristos à la femme en pleurs. Dieu vous a pardonné.

— Dieu nous pardonnera-t-il tous nos péchés, Frère Kristos ? demande Cynthia Jorgensen.

— Le péché n'existe pas, dit-il.

Elles ouvrent de grands yeux.

— Tout de même, dit Mme Downley, quand nous faisons une chose que nous savons mauvaise, contraire aux commandements de Dieu, c'est bien un péché.

— Oui, intervient Mme Mattingly, commettre un crime, par exemple. Dieu dit : « Tu ne tueras point. » Tuer est donc un péché, n'est-ce pas ?

— Tuer n'est pas un péché mais un terrible manque de foi en Dieu. C'est Lui que l'on frappe à chaque fois qu'on assassine un homme.

— Et les pensées, dit Emily d'une voix basse, est-ce qu'elles ne peuvent être coupables parfois ?

Kristos tourne son regard vers elle.

— Vos désirs secrets, vos envies inassouvies... toutes ces choses se voient refouler par la culpabilité. Mais posez-vous la question : d'où ces désirs et ces envies vous viennent-ils ? La réponse est : ils viennent de Dieu. Qui que nous soyons, c'est à Lui que nous le devons.

— Alors on peut faire tout ce que l'on veut ? demande Mme Jorgensen. Mentir, tricher, voler parce que Dieu a mis ces penchants-là en nous ?

— Non. Comme le crime, ces choses-là sont l'œuvre de ceux et celles qui ne croient pas à la Toute-Puissance de Dieu. Il faut aller vers Lui, L'aimer pour recevoir en retour Son amour éternel.

Mme Todd, qui s'est remise de ses pleurs, se tourne vers Kristos.

— Et le sexe ? demande-t-elle crûment. Avec une personne qui n'est pas votre mari ou votre épouse. Est-ce un crime contre Dieu ?

— Non, dit Frère Kristos. L'amour fait partie de la divinité, et répondre au désir de la chair est un devoir sacré.

— Frère Kristos, dit Mme Downley, si cela est vrai, alors pourquoi les amours adultères ravagent tant de couples ?

— La culpabilité, la jalousie les ravagent, pas l'amour, répond-il. Dieu les punit de n'avoir pas su aimer au-delà de leurs égoïsmes.

La discussion se poursuit pendant une heure encore. Enfin ces dames se lèvent et, après avoir fourragé dans leurs sacs à main, laissent des billets pliés sous leurs assiettes.

— Pour votre église, murmurent-elles.

Il accepte avec grâce leurs contributions et embrasse chaque femme avant qu'elle parte.

— Allez avec Dieu, dit-il.

Puis il s'en va ramasser leurs dons et fourre le tout dans sa poche.

Emily s'attarde à débarrasser la table.

— Brenna ne peut pas le faire ? lui demande-t-il.

— Oh, elle fait sa sieste à cette heure-ci, répond gaiement Emily. Ce n'est pas beaucoup de travail. Mon Dieu, vous n'avez rien bu ni mangé. Vous n'avez pas faim ?

— Non.

Il se laisse choir d'un air las dans un fauteuil et la regarde s'affairer autour de la table.

— Je ne sais comment vous dire quel merveilleux après-midi j'ai passé, lui dit-elle. Ce que vous avez dit était si... si lumineux ! Merci de partager ainsi votre foi avec nous.

Il ne répond pas. A la fin elle se redresse, jette un regard à la pièce.

— C'est mieux, dit-elle, enjouée. Eh bien, je vais vous laisser. Vous devez avoir envie d'un peu de tranquillité.

Il se lève, va vers elle. Il s'empare d'une de ses mains longues et fines, en embrasse longuement la paume.

— Vous approuvez ce que j'ai dit ? lui demande-t-il.

— Oh, oui, répond-elle avec ferveur. Je trouve cela... enthousiasmant !

— Vous n'avez pas peur d'un monde sans péché ?

Elle secoue la tête. Non, elle n'a pas peur.

— Répétez après moi : « Je crois en vous, Frère Kristos. »

— Je crois en vous, Frère Kristos.

C'est une femme qui s'abandonne déjà qu'il entraîne vers la chambre.

4

« Tollinger,

Affaire : Frère Kristos.

Pas de bol, le beau soleil n'est pas au rendez-vous. Il pleut et vente et je me demande si je verrai jamais un seul bikini avant mon départ. Sarasota est sur la côte ouest, et la mer a l'air froide et traîtresse.

J'ai fini par trouver les quartiers d'hiver de la Grande Parade des Frissons, des Monstres et des Extravagances de Ryan et Goldfarb ; ces deux messieurs ont rejoint le ciel il y a quelques années. Le cirque appartient maintenant à un jeune du genre « battant », Simon K. Masilla, personnage terre à terre qui possède six spectacles itinérants et les dirige tous depuis sa console d'ordinateur.

Masilla a racheté l'affaire de Ryan et Goldfarb il y a huit ans et il ne sait rien de Jacob Everard Christiansen.

Mais il avait le nom et l'adresse de l'ancien directeur, qui est depuis à la retraite à Sarasota. Le type s'appelle — vous allez rire — Billy Feinschmecker. Si mon allemand ne me trahit pas, Feinschmecker signifie taste-vin, quelque chose comme ça.

Je suis allé voir Billy à sa maison de retraite. Il pleuvait trop fort pour jouer aux galets, et le vieux bonhomme ne demandait qu'à bavarder. Je résume ce qu'il m'a raconté car il n'a pas arrêté de parler pendant près de trois heures. Il marche en boitant un peu, il a des tremblements dans la main droite mais la mémoire fonctionne et la voix encore plus.

Il se souvient parfaitement de Jacob Christiansen. Quand dans les années soixante, à New Castle, Nebraska, le gosse est venu chercher du travail au cirque, Billy l'a engagé parce qu'il se retrouvait toujours à court de bras dans chaque ville où ils se produisaient.

Il raconte donc qu'il aurait embauché Jake comme apprenti garçon de piste tout en se doutant que le garçon était encore mineur et vraisemblablement en fugue. Jake était solide, travailleur, et il apprenait vite.

Billy dit qu'il était docile, accomplissait sa besogne sans discuter et ne s'attirait jamais d'ennuis sérieux. Mais il aimait picoler et tenait mieux l'alcool que tous les soiffards à la ronde. Il avait également acquis une réputation de Don Juan. Billy prétend que Jake a baisé toutes les femmes de la parade, y compris la Femme la plus Grosse du Monde, qui faisait plus de deux quintaux, et les sœurs siamoises (les deux).

Il est resté à la Grande Parade pendant près de dix ans, la quittant à chaque hivernage en automne pour revenir au printemps suivant. J'ai demandé à Billy ce que Jake faisait en hiver, et il m'a répondu en haussant les épaules : « Il traînait sur les plages. Vivait des femmes. Il en avait de Naples à Tampa. Jamais entendu dire qu'il avait un autre travail en hiver. »

Billy m'a encore dit de notre héros :

Qu'il était avide de lectures, et pas des faciles : religieuses, philosophiques, ce genre.

Qu'il se bagarrait souvent (toujours à cause d'une fille) et qu'il savait très bien se servir de ses poings et de ses pieds. Jamais perdu une bagarre, dit Billy. Mais le mari de la contorsionniste l'a blessé au ventre d'un coup de couteau avant de se faire étendre.

Dans chaque ville où ils s'arrêtaient, Jake ne ratait jamais la messe du dimanche. Catholique, protestante, baptiste, peu lui importait la religion ou la secte.

J'ai demandé à Feinschmecker (je me marre à chaque fois que j'écris son nom) si Jake s'était fait des amitiés pendant toute cette période. Il m'a répondu : « Seulement des femmes, jamais d'hommes. »

L'une des femmes qu'il a bien connues était Madame Olga, de son vrai nom, Lorna Burgoos. Elle tenait l'une de ces petites tentes de diseuses de bonne aventure. Elle tirait les cartes, pas les tarots mais des cartes ordinaires. Jake passait beaucoup de temps en compagnie de Madame Olga.

« Est-ce qu'il couchait avec elle ? » ai-je demandé.

Billy m'a regardé comme si j'étais l'idiot du village.

« Bien sûr, m'a-t-il dit. Elle était assez vieille pour être sa mère mais Jake se fichait de l'âge, de la couleur, de la religion comme des difformités physiques. »

Toujours d'après Billy, à la veille de sa onzième saison avec la Parade, Jake n'était pas au rendez-vous ce printemps-là. Billy s'est mis à sa recherche, l'a retrouvé mais Jake lui a dit qu'il partait. Il avait mis de côté assez d'argent pour s'acheter une camionnette d'occasion et, dès que le temps se réchaufferait, il prendrait la route pour prêcher de ville en ville sa propre religion. Billy lui a souhaité bonne chance, fin de l'histoire.

Ç'aurait pu être aussi pour moi la fin de ma piste mais je lui ai demandé à tout hasard si Madame Olga était encore vivante. Et comment qu'elle l'était, m'a répondu Billy. Elle approche des quatre-vingts ans et habite Fort Myers. Billy et Lorna Burgoos s'envoient chaque année une carte à la Noël, il a donc pu me donner son adresse. Fort Myers n'est pas très loin d'ici. Je vais m'y rendre.

Le plus drôle de cette conversation avec Billy, c'est qu'à aucun moment il ne m'a demandé pourquoi je m'intéressais à Jacob Everard Christiansen. J'avais ma petite réponse toute prête, que Jake avait sollicité un emploi au FBI et que j'étais chargé de vérifier ses antécédents, mais je n'ai pas eu l'occasion de m'en servir. Je suppose qu'il était trop heureux d'évoquer le bon vieux temps. J'essaierai, si nécessaire, mon mensonge avec Madame Olga, et on verra si c'est une bonne voyante.

Lindberg. »

5

Cinq tables, chacune pour six personnes, sont dressées dans la salle Est de la Maison-Blanche. Le président et la Première dame sont à une table en compagnie de Frère Kristos. Le vice-président Trent et sa femme en président une autre, et le chef de cabinet Folsom une troisième.

Les autres invités sont pour la plupart des membres subalternes de l'entourage présidentiel, dont John Tollinger, Jennifer Raye, Audrey Robertson, Michael Oberfest, le Dr Stemple et l'attaché de presse Umbaugh. Outre un certain nombre de membres du cabinet, les directeurs de la CIA et du FBI n'ont pas été conviés à la petite cérémonie.

Un murmure de conversations monte des tables. L'hôte d'honneur en est le sujet principal. Il trône entre le président et son épouse avec lesquels il converse aimablement.

On remarque, sarcastique, qu'il porte une veste de soie noire à la Nehru. La croix en or brille sur sa poitrine. Ses cheveux longs, sa moustache et sa barbe lui donnent un air d'Hell's Angel mâtiné de Raspoutine. Les invités ont beau sourire en coin de son allure, ils n'en ressentent pas moins sa forte présence physique.

— On dirait un moujik endimanché, souffle Tollinger à Jennifer.

Elle hausse les épaules avec mépris.

— Moi, je le trouve romantique, réplique-t-elle.

— Hum ! Penses-tu qu'il va dire le bénédicité ?

— Non, il ne croit pas aux prières ni aux pratiques religieuses établies. Pour lui, elles sont de la croyance en conserve. Elles manquent d'âme, d'ardeur et de foi.

— C'est quoi, ça, murmure Tollinger, sarcastique, l'Evangile de Frère Kristos selon Sœur Jennifer ?

Elle est tellement vexée qu'elle l'ignore de toute la matinée.

Alors que tout le monde fait honneur à la confiture de melon, aux œufs suavement brouillés, au jambon fumé et aux petits pains chauds, Frère Kristos boit du thé.

— Peut-être qu'il jeûne, dit Michael Oberfest à Pete Umbaugh. A moins que l'émotion lui coupe l'appétit.

— L'émotion ? dit Pete. Je puis vous certifier que monsieur n'est pas du genre impressionnable. Vous ne l'avez pas encore rencontré ?

— Non.

— Une drôle d'expérience. Il ne serre pas la main. Il m'a laissé là, comme un idiot, la patte tendue. Mais il m'a regardé comme s'il pouvait lire dans ma tête. Une véritable épreuve, je vous le dis. Si vous en avez l'occasion, présentez-vous à lui.

— Je n'y manquerai pas. On le prétend capable de prédire l'avenir. Peut-être qu'il me donnera quelques tuyaux en Bourse.

Les invités, qui ont fini de déjeuner, attendent maintenant que le président se lève et signale la fin du repas.

— Nous n'allons pas tarder à nous rendre tous dans la salle du Cabinet, dit Audrey Robertson au Dr Stemple. Je ne vous en voudrai pas si vous filez maintenant.

— Non, non, dit Stemple, je veux écouter son sermon. Ce type me fascine. On penserait qu'il serait impressionné, d'être là à prendre le petit dèje avec le président des Etats-Unis d'Amérique. Mais pas du tout. Manifestement, il n'en fait pas grand cas. Regardez comme il se caresse la barbe. On dirait un prophète de l'Ancien Testament. Je veux absolument rencontrer ce bonhomme. Vous me le présenterez ?

— Si vous le voulez, mon cher, dit la secrétaire de la Première dame. N'y a-t-il donc personne qui s'en aille ?

Personne.

Dans la salle du Cabinet, l'hôte d'honneur est assis là où le président serait d'ordinaire, au milieu de l'un des côtés de la longue table finement polie. Les supérieurs hiérarchiques s'installent autour de la table, les autres se contentent des chaises dures le long des murs, chaises habituellement occupées par les secrétaires des membres du Cabinet. Mais des sièges manquent, et certains doivent rester debout. Audrey Robertson se livre à un comptage rapide et grimace en constatant que son plan a échoué : tout le monde est resté.

Quand le silence se fait enfin, Frère Kristos se lève. Pour la première fois, tous les présents mesurent l'intensité de son regard. Il en est qui s'agitent sur leurs séants et baissent les yeux.

— Regardez-moi, commande le prêcheur. Je suis Kristos, frère du Christ et apôtre envoyé par Dieu pour vous apporter le salut.

Il y a quelques chuchotements de stupeur dans la salle.

— Vous vous demandez, poursuit Kristos : « Qui est cet

homme qui ose se prétendre divin ? » Regardez dans mes yeux, et vous y verrez le feu sacré de la foi.

« Vous êtes tous des gens instruits, des gens de raison. Et votre raison ne peut concevoir ma sainteté, car vous voyez devant vous un homme fait de chair et de sang, et vous en déduisez que je suis donc comme vous... mais je ne le suis pas. Car seul le pouvoir de la foi m'anime.

« Je vous dis que la raison et la foi sont deux langues différentes, totalement étrangères l'une à l'autre. Aujourd'hui, je vous demande d'écarter vos principes de raison et d'entrer dans un monde dont seule la foi, et non la pensée, est le moteur, et l'amour de Dieu le seul devoir. »

Il tient son auditoire, à présent, et les bustes et les têtes se penchent, attentifs à son message. Il s'exprime avec une telle conviction que personne ne rit, et même le doute semble trop facile et déplacé.

— La foi est-elle si difficile à comprendre et à embrasser ? Vous vous êtes réveillés ce matin avec la croyance que le soleil se lèverait. Vous vous êtes déplacés jusqu'à cette belle maison avec l'espoir d'y arriver sains et saufs. De mille façons, vous agissez avec foi. Votre présent et votre avenir dépendent de votre foi. Serait-ce impossible alors de reconnaître son pouvoir et de se demander si elle ne serait pas la voie vers ce bonheur que le froid esprit de raison n'a jamais pu vous apporter ?

« Aussi, je vous demande d'écouter avec vos cœurs ce que je dois vous dire maintenant. Mon message est court. Il est dit que ce pays est un pays de droit. Mais ce sont les hommes qui font les lois, et elles sont donc sujettes à l'erreur humaine. Il y eut une époque dans cette nation où des hommes et des femmes étaient vendus comme esclaves, légalement. Où des enfants travaillaient dans les mines et les usines, légalement. Et pensez à toutes les injustices légales existant encore de nos jours.

« Les lois édictées par les hommes sont des brins de paille dans le vent et elles sont condamnées à disparaître si elles n'ont pas été créées dans une foi totale en Dieu. Nos lois, nos lois humaines, sont faillibles et mortelles. Seules les lois de Dieu sont infaillibles et éternelles. Et Sa Loi est l'amour. »

Frère Kristos se rassied brusquement. L'auditoire, figé dans une extrême attention, s'étonne de cette fin abrupte. On s'agite sur son siège en coulant des regards perplexes à ses voisins, se demandant si le service est terminé. Mais le président Hawkins se lève.

— Merci, Frère Kristos, dit-il d'une voix enrouée en baissant les yeux sur le prêcheur assis. Vous nous avez donné là matière à réflexion.

Puis il s'adresse à la salle :

— Merci d'être venus. Je vous demande de réfléchir au message de Frère Kristos et de discuter entre vous de la meilleure façon de servir notre pays en suivant la foi qu'il a si éloquemment exprimée.

— Fichons le camp d'ici, dit le vice-président Trent à sa femme sitôt que les Hawkins se sont retirés.

Il pointe son menton dans la direction de Frère Kristos, très entouré et pressé de questions.

— Cet homme est fou ! grogne-t-il. Pratiquement un communiste ! C'est une honte qu'on lui ait seulement permis de franchir le seuil de cette auguste maison !

— On dit qu'il boit, dit doucement Matilda Trent. Penses-tu qu'il était saoul ?

— Ce n'est pas une excuse, peste le vice-président.

— Vous le raccompagnerez, ma chère Jennifer ? demande Audrey Robertson.

— Bien sûr. Sans problème. Son sermon n'était-il pas merveilleux ?

— Epatant, dit Audrey. Pensez-vous que vous pourriez le convaincre de se raser la barbe ?

— J'en doute.

— Après tout, c'est peut-être mieux ainsi. La barbe est souvent portée par des hommes qui ont le menton fuyant. Est-ce que c'est son cas, ma chérie ?

— Comment le saurais-je ? dit raidement Jennifer.

— Extrêmement intéressant, dit le Dr Stemple à Pete Umbaugh. Il y a de la monomanie chez lui, ça ne fait pas l'ombre d'un doute.

— Il m'a paru sincère, dit l'attaché de presse à la présidence.

— Oh, il l'est, il l'est... comme tous ceux qui se prennent pour Napoléon ou Peter Pan. Mais c'est son éloquence qui m'a impressionné. Ce gars-là ferait un formidable représentant de commerce.

— Dommage qu'il n'en soit pas un, dit Umbaugh, parce qu'il n'a pas fini de nous créer des ennuis, et des sérieux.

Les invités, peu à peu, se retirent ; seuls quelques-uns

restent. Folsom entraîne à l'écart Frère Kristos, lui dit quelques mots, et le prêcheur lui répond longuement en fixant sur lui un regard intense.

— Excuse-moi de ce que je t'ai dit tout à l'heure, dit Tollinger à Jennifer Raye. Je ne voulais pas te vexer.

— Tu es pardonné, dit-elle. Mais donne-lui une chance, veux-tu ?

— D'accord.

— Que penses-tu de son sermon ?

— Impressionnant. Il croit manifestement tout ce qu'il dit.

— Naturellement. Ce n'est pas un hypocrite, tu sais. Ah, je vois que son entretien avec Folsom est terminé. Je dois le reconduire chez lui.

— On s'appelle plus tard ? demande-t-il.

Elle hésite un moment.

— D'accord, dit-elle enfin. Mais plutôt tard dans la soirée, si tu n'y vois pas d'inconvénient.

Elle emmène Frère Kristos. Ce dernier, en sortant, s'arrête devant Tollinger.

— J'ai apprécié votre sermon, lui dit John. Pour un homme qui se moque de la logique, il était construit très logiquement.

Le prêcheur sourit, découvrant ses dents. Quelqu'un a dû le persuader d'aller voir un dentiste ; elles sont blanches et brillantes.

— Vous allez dire que ma façon de traiter le sujet était excellente, dit Kristos, mais que le sujet lui-même est faux.

— Oui, c'est ce que j'allais dire.

— Il faut que nous ayons une longue conversation, vous et moi.

— Très volontiers, dit Tollinger, qui s'étonne de sa spontanéité.

Il ne reste bientôt que Folsom et lui. Le chef de cabinet est avachi dans l'un des fauteuils flanquant la grande table.

— Quelle matinée, monsieur, dit légèrement Tollinger.

Puis il remarque l'expression de Folsom. L'homme semble en état de choc, traits tirés, teint de plomb.

— Ça ne va pas ? s'enquiert John.

Folsom lève vers son assistant des yeux hagards.

— Je l'ai pris à part, dit-il d'une voix sourde, et je lui ai dit qu'il n'était qu'un charlatan. Il voyait dans le passé des gens, paraît-il, eh bien, allez, qu'il me dise quelque lourd secret de ma vie à moi.

— Et ?

— Il l'a fait, dit Folsom d'une voix blanche. Il m'a regardé avec ces yeux fous et m'a parlé d'une histoire qui s'est passée il y a des années, une histoire dont je ne suis pas fier. Et je jure que plus personne n'en sait rien aujourd'hui. Personne, mais lui la connaissait.

— Je ne vais pas vous demander quelle est cette histoire, dit Tollinger, mais êtes-vous certain de ne jamais l'avoir rapportée à quelqu'un ?

Folsom secoue la tête.

— Non, et ceux qui savaient sont morts. Morts quand c'est arrivé.

Tollinger reste silencieux. Il serait inconvenant de remarquer que : « C'est une chance. »

Le chef de cabinet lève vers lui un regard empli d'inquiétude.

— John, dit-il, cet homme est dangereux.

6

Pearl Gibbs est venue chercher Kristos avec le Ford.

— Qu'est-ce que t'es chic ! s'exclame-t-elle en le voyant apparaître.

Il porte un manteau de cuir noir tout neuf.

— Tu aimes ? dit-il en montant à côté d'elle.

— Superbe. Ça doit coûter une fortune.

— Tu en auras un, toi aussi, dit-il. Allez, démarre.

La circulation est dense ce vendredi après-midi. Ça avance au pas jusqu'à ce qu'ils sortent enfin de la ville et prennent la route du sud.

— Comment va Agnes ? demande-t-il.

— Elle va bien. Jake, pourquoi qu'on ne peut pas habiter avec toi ?

— Je m'en occupe. Et Nick... comment il est ?

Elle rit.

— Tu le croiras pas, mais ton chien a reçu une lettre hier, une lettre d'un gosse.

— Le fils du président. J'espère que vous ne l'avez pas jetée.

— Bien sûr que non. C'est trop mignon.

— J'y répondrai. Le gosse est mon passeport.

— Ah oui ? Et pour aller où ?

Il ne répond pas, et elle ne répète pas sa question.

— Jake, dit-elle, maintenant que tu as de l'argent, on pourrait peut-être restaurer le séchoir ?

— Non, dit-il. Les gens aiment y venir parce que ça ne ressemble pas à une église mais plutôt à l'étable où le Christ est né.

— Hé, sais-tu que tu as les mêmes initiales que Jésus Christ... Jacob Christiansen ?

— Oui, je le sais, répond-il sèchement. Le séchoir est très bien comme il est. Il prouve qu'on peut trouver le salut dans l'humilité ; on n'a pas besoin de la solennité d'une cathédrale.

— Depuis cet article dans le journal, beaucoup de gens sont venus nous demander quand tu viendrais prêcher. On pourrait au moins acheter quelques bancs de plus.

— Non, dit-il. Laissons-les debout. Qu'est-ce qu'il y a à manger, ce soir ?

— De la matelote d'anguille, comme tu l'aimes, avec beaucoup de poivre. Elle est toute prête. Il n'y a plus qu'à la réchauffer.

— Bon, dit-il.

— Jake, si tu ne veux pas qu'on arrange le séchoir, on pourrait peut-être acheter une voiture neuve ? Ce tas de ferraille nous coûte cher en réparations.

— Je m'occupe de ça aussi, dit-il.

— Quel sermon vas-tu dire demain soir ?

— Je n'y ai pas pensé, dit-il.

— Pourquoi pas celui où tu dis que le sexe est la volonté de Dieu ? Je l'aime, celui-là.

— Je sais, dit-il. On ne pourrait pas rouler plus vite ?

Cette nuit-là, avant qu'ils passent à table, il remet de l'argent à Pearl et Agnes.

— Achetez des vêtements, leur dit-il. Choisissez des robes simples, discrètes, qui cachent plus qu'elles ne montrent. Si vous venez à Washington, je ne veux pas que vous ressembliez à des putes.

— Quand ? demande Pearl. Quand est-ce qu'on y va ?

— Je t'ai dit que je m'en occupe.

— Et ici ? demande Agnes. Tu vas garder ce vieux séchoir à tabac ?

— Oui, il sera mon église. Même si je vais parmi les puissants, je n'abandonnerai jamais les pauvres, les faibles et les solitaires qui cherchent la parole de Dieu. Faites chauffer le poisson.

Les femmes vont à leurs tâches. Kristos sort par la porte de derrière, son chien étique sur ses talons. Une demi-heure plus tard, Agnes va le chercher. Il est dehors dans le champ nu derrière le séchoir. A genoux, la tête inclinée sur la poitrine, les mains jointes, il semble prier.

— Jake ! l'appelle Agnes. Viens manger !

Ils s'assoient à la table, remplissent leurs assiettes en fer-blanc. La bouteille de vodka passe de main en main. Kristos, penché sur son assiette fumante, dévore. Les femmes lui colportent les bruits et les rumeurs du pays mais il ne dit rien.

A la fin, il s'essuie la bouche et va chercher une autre bouteille dans le buffet.

— De la bonne nourriture, dit-il, c'est ce qui me manque le plus, là-bas, en ville.

— Il ne te manque rien d'autre ? dit Agnes.

Il a un sourire carnassier.

— A ce propos, dit-il, si vous enleviez un peu vos robes ?

Gloussant, les deux femmes commencent à se déshabiller.

— Jake, tu nous disais la vérité pour Washington ? On ira là-bas ? demande Pearl.

Il hoche la tête, affirmatif.

— Tu n'as pas envie de nous abandonner, n'est-ce pas ? dit Agnes.

— Non, dit Kristos en allant vers elles. Je ne peux me passer de vous. Vous êtes mon enfer.

7

Vers la fin février, George Hawkins est autorisé à quitter l'hôpital Walter Reed. Le garçon retrouve sa chambre à la Maison-Blanche. Les deux pièces voisines sont occupées par son infirmière et son garde du corps particulier, un gigantesque sergent des Marines nommé Dennis McShane, qui souvent porte le frêle enfant sur ses épaules.

La présence de George allège l'atmosphère de toute la Casa Blanca. Il reçoit une telle quantité de jouets de la part de sympathisants qu'une bonne partie en est distribuée aux orphelinats et hôpitaux pour enfants de Washington, dons souvent remis par George en personne.

— Excellents sujets de photos, s'enthousiasme Pete Umbaugh.

Le garçon reçoit un enseignement particulier quatre jours par semaine et la Première dame l'emmène le plus souvent possible en promenade, lui fait visiter les bâtiments publics, les monuments et quelques bases militaires proches de la ville. Il rend également fréquemment visite à Frère Kristos dans son meublé de la 18e Rue Nord-Ouest.

C'est au cours d'une de ces visites, au début du mois de mars, que Frère Kristos offre à George un cadeau qui enchante celui-ci : un coffret de magicien.

Frère Kristos a ouvert en grand les lourds rideaux marron, et le séjour habituellement sombre est baigné d'une lueur pâle. Brenna O'Gara a monté une tasse de thé pour Mme Hawkins, un verre de lait pour George, et une assiette de gâteaux secs de fabrication maison. Puis elle est redescendue dans la cuisine tailler le bout de gras avec le sergent McShane.

La Première dame a pris place dans un fauteuil. Elle sirote son thé en observant George et Frère Kristos installés à la grande table. Elle s'émerveille de la relation qui s'est établie entre le gracile enfant à la tête blonde et ce grand gaillard à la barbe brune. Ils jouent ensemble, rient ensemble, George tire la barbe du prêcheur, et Kristos pince doucement le nez du petit.

Le frère du Christ montre au garçon comment fonctionne La Merveilleuse Planche à Billets qui fait partie du coffret. Il glisse une petite feuille de papier dans une presse miniature, donne un tour de la petite manivelle et, oh ! le beau dollar qui sort de l'autre côté ! George en reste bouche bée mais, une fois qu'il a compris le mécanisme, il écarte l'objet pour s'intéresser à un autre gadget : un assemblage de cinq anneaux métalliques.

Frère Kristos ébouriffe la tête blonde puis rejoint Helen. Il s'assoit sur un gros pouf au cuir craquelé tout près de la Première dame et enferme ses mains osseuses dans les siennes.

— Mère, vous êtes heureuse, dit-il en la regardant dans les yeux. Votre vie est comme illuminée avec le retour de George à la maison. Je le vois sur votre visage.

— Et c'est à vous que nous le devons, mon mari et moi, dit-elle. Comment vous remercier ?

— Vous m'avez déjà remercié de nombreuses fois. Votre générosité m'a permis de continuer à apporter la parole de Dieu à ceux qui en ont besoin, et pour cela c'est moi qui dois vous remercier. Je prie chaque nuit pour vous et votre famille.

— Merci, dit-elle, émue. Vous êtes vous-même dans toutes nos prières, Frère Kristos.

Il a un sourire poli.

— Et le président ? demande-t-il. J'espère qu'il va bien.

Elle soupire.

— Il est solide, Dieu merci, mais il travaille trop. Il est sollicité de tous côtés. Chacun a une idée différente de ce qui devrait être fait.

Frère Kristos opine gravement du bonnet.

— Il lui faut écouter chacun. Mais c'est lui qui, à la fin, doit décider en son âme et conscience. Il doit seulement écouter la voix qui est en lui, car c'est la voix de Dieu.

— Je le crois, dit-elle. Je le crois sincèrement. Mais Ab a tellement de responsabilités. Les décisions qu'il est amené à prendre sont si difficiles.

— Oui, oui, dit Kristos. Mais son pouvoir est grand.

— Voulez-vous dire qu'il devrait s'affirmer davantage ? Je l'ai moi-même souvent pensé.

Kristos lui lâche les mains.

— Le président a un immense pouvoir, dit-il. Mais le pouvoir est comme un muscle ; il faut l'exercer sans cesse si l'on ne veut pas le voir s'affaiblir. Votre mari mesure-t-il toute l'étendue de son pouvoir ?

— Non, dit-elle. Je ne pense pas qu'il le réalise. Et c'est pour cette raison que certaines personnes profitent de lui.

— Il y a tant de choses qu'il pourrait accomplir. Tant de choses !

— Par exemple ? demande-t-elle. Dites-moi, Frère Kristos, ce que vous, vous feriez si vous étiez président ?

Il secoue sa tête chevelue.

— Je n'entends rien à la politique ni au fonctionnement du gouvernement.

— Mais vous connaissez les gens, et c'est le plus important. Je vous en prie, j'aimerais savoir : si vous aviez le pouvoir du président, que feriez-vous ?

Il se redresse et fait quelques pas dans la pièce. Il s'arrête à côté de George, lui prend les anneaux des mains et, en un rien de temps, les sépare les uns des autres.

— Maintenant, imbrique-les de nouveau, dit-il au garçon en lui redonnant son jeu.

Il revient vers Mme Hawkins et se plante devant elle.

— Si j'étais président ? dit-il en baissant les yeux sur elle. Je ferais ce que je conjure votre mari de faire : obéir à la volonté de Dieu.

— Mais la politique est tellement compliquée ! se récrie-t-elle. Comment Ab pourrait-il être certain qu'il obéit à la volonté de Dieu ?

Les yeux de Kristos brillent d'une étrange ardeur.

— Je suis l'apôtre de Dieu sur la terre, dit-il.

Il se détourne d'elle et va s'asseoir à côté de George.

— Frère, as-tu reçu une lettre de mon chien ? demande-t-il au garçon.

George a un rire joyeux.

— Oui, bien sûr. C'est une lettre tellement drôle. C'est vraiment Nick qui dit tout ça ?

— Oui, c'est lui, avec des jappements, des aboiements, des petits cris. Je n'ai fait qu'écrire sous sa dictée. Ne crois-tu pas qu'un chien peut comprendre plein de choses et s'exprimer dans sa propre langue ?

— Oui, je suppose.

— Eh bien, il en est parfaitement capable. Et je le comprends. Tu me crois, n'est-ce pas ?

— Bien sûr.

— Bon, dit Kristos.

Puis, d'une voix plus forte pour être sûr que la Première dame entende :

— Si tu crois, si tu crois sincèrement, alors tout est possible.

8

Il y a quelques articles dans les journaux et les magazines, et une chaîne de télévision passe quelques images de Frère Kristos visitant le mémorial de Lincoln, mais dans l'ensemble les médias n'exploitent que brièvement et prudemment les relations entre le « prêcheur itinérant » et la famille présidentielle. Le vice-président, Samuel Trent, est furax.

— Ça pourrait être un scandale plus grand que le Watergate ou même l'Irangate, fulmine-t-il, et jamais de ma vie je ne comprendrai pourquoi les médias, qui sont là comme les vigilants cerbères de nos libertés les plus précieuses, n'ont pas mené une vigoureuse enquête sur ce scélérat !

— Peut-être, monsieur, avance, cauteleux, Oberfest, pensent-ils que les croyances religieuses du président ne les regardent pas vraiment. Après tout, Hawkins a droit à une vie privée.

— Foutaises ! tonne le vice-président. La vie d'un président, même sa religion, devrait être un livre ouvert. La mienne l'est, en tout cas. L'électorat le mérite bien. Eh bien, je ne vais pas laisser cette peste proliférer et mettre en péril le parti aux prochaines élections. J'ai l'intention de projeter tous les feux de la publicité sur cette affaire, même au risque de voir le président Hawkins perdre l'estime de l'opinion publique.

Comme d'habitude, Trent s'en va quérir le conseil de son épouse. Cette femme d'apparence austère a beaucoup lu, notamment Machiavel, et ses avis en politique se sont toujours révélés judicieux et précieux.

— Avant tout, mon chéri, dit-elle, son tricot à la main, les motifs de ton intervention doivent être irréprochables. Tu n'as confié à personne ce que tu penses de cette affaire, n'est-ce pas ?

— Pas vraiment, dit-il, pris d'une inquiétude soudaine. Je me souviens d'avoir dit à Mike Oberfest que l'amitié du président pour ce prêcheur risquait de nuire au parti...

— Mais Michael connaît-il tes intentions réelles ?

Trent est mal à l'aise. Il s'efforce de se rappeler sa conversation avec son secrétaire.

— Je lui ai dit que ce scandale risquait de mettre en danger le parti aux futures élections. C'est aussi sur ma suggestion qu'il a informé l'un de ses amis journalistes de la visite de Kristos à Camp David. Dans le seul but, évidemment, d'alerter la presse sur ce qui se passait et pour que l'opinion publique pousse Hawkins à se débarrasser de ce charlatan.

Matilda Trent soupire.

— Sam, tu joues à un jeu très dangereux. Il en vaut la peine, certes, mais il doit être mené avec ruse et discrétion. D'une part, tu veux donner aux liens noués par le président avec Frère Kristos la plus grande publicité possible, pensant, comme moi-même, que la présence de cet homme est un danger politique pour Hawkins. D'autre part, tu dis qu'un battage autour de cette affaire nuirait à votre parti.

— Je n'avais pas vu les choses sous cet angle, confesse-t-il, penaud. Que dois-je faire, Matilda ?

Elle reprend son tricot.

— Les deux politiques ne sont pas forcément incompatibles, lui dit-elle. Mais l'une doit être menée à découvert, et l'autre en coulisses. Dans tes entretiens avec des responsables du parti ou des lobbies, tu peux faire part discrètement de tes inquiétudes au sujet de Frère Kristos, parce qu'au cas où il se révélerait qu'il n'est qu'un escroc, cela nuirait au président et, par conséquent, au parti.

— Oui, je peux faire ça.

— Mais en secret, tu peux essayer de mobiliser l'attention des médias sur les relations de la famille présidentielle avec Kristos.

— Mais comment faire ? réplique Trent. Je ne peux tout de même pas appeler mon attaché de presse et lui dire : « Voilà ce que je veux ! »

— Non, naturellement, dit Matilda, tricoteuse sereine. Moins il y aura de gens connaissant tes menées secrètes, mieux cela vaudra. As-tu confiance en Michael Oberfest ?

— Oh, je lui fais confiance, mais ce n'est pas vraiment une lumière. Il sort d'une université d'Etat, tu sais, et je dois dire que ça se voit.

— Alors, il est peut-être l'homme qu'il te faut dans cette affaire. Tu ne voudrais pas de quelqu'un d'assez malin pour deviner tes intentions, n'est-ce pas ? Oberfest obéit-il aux ordres ?

— Oh, oui, il est très bien pour ça.

— Alors utilise-le. Dis-lui ce que tu veux, en privé, bien

entendu, et charge-le de la besogne. S'il réussit, tant mieux. S'il échoue, remplace-le.

— Oui, dit Trent. Cela me paraît sage.

— Par ailleurs, il te servira de paravent. Si Kristos fait l'objet d'un scandale, tu pourras toujours nier toute implication. Assure-toi qu'il n'y ait rien d'écrit ni d'enregistré.

— Excellent conseil, dit le vice-président. Décidément, tu as bien du talent pour l'intrigue, Matilda.

— Bien sûr, dit-elle, c'est un excellent exercice pour l'esprit. D'accord, Sam, joue ton rôle, et je jouerai le mien. Frère Kristos loge chez Lenore Mattingly. Je la connais depuis des années. Jamais pu la souffrir mais qu'importe. Je crois que je vais l'inviter à déjeuner et essayer d'en apprendre un peu plus sur son locataire. Peut-être me conviera-t-elle à le rencontrer. Je suis curieuse de voir cet homme de près.

— Fais-le, ma chérie, dit Trent, se levant. Ramasse toutes les informations que tu peux. Nous allons au lit, maintenant ?

— Non, pas tout de suite, répond sa femme. Je veux tricoter encore un peu.

Le lendemain matin, le vice-président mande Michael Oberfest à son bureau.

— Asseyez-vous, Mike, offre-t-il aimablement.

Le secrétaire est tellement surpris qu'il est persuadé d'être renvoyé.

— Mike, dit Trent, je sais que vous n'avez jamais répété à quiconque ce qui a pu se dire dans ces murs. Je vous fais totalement confiance. D'ailleurs, vous ne seriez pas là, assis en face de moi, si ce n'était pas le cas. Je ne doute absolument pas de votre loyauté.

— Je vous remercie, monsieur.

— Mais ce que je vais vous dire est si délicat que je dois vous demander le secret le plus absolu. Me donnez-vous votre parole ?

— Vous l'avez, monsieur.

— Parfait. Comme vous le savez, Mike, je suis très affecté par la relation du président avec Frère Kristos, ce charlatan de la foi, et inquiet du danger qu'elle fait courir au parti. Aussi m'apparaît-il de mon devoir de dénoncer ce scandale afin que le plus vite possible les responsables du parti fassent pression sur Hawkins et le persuadent que sa sympathie pour le prêcheur représente une grave menace politique. Est-ce que vous me suivez ?

— Oh oui, monsieur.

— Et vous êtes d'accord avec moi ?

— Absolument.

— Mon but est donc de déclencher un battage publicitaire tel qu'il mobilise toute l'attention du public. Puis, quand Kristos aura été rayé de la scène, le parti pourra entrer en campagne, libéré de toute entrave. Le bien du parti est notre seul souci. Partagez-vous cette opinion, Mike ?

— Totalement, monsieur, répond Oberfest, éberlué de tout ce pathos.

— Heureux de l'entendre, dit Trent avec chaleur. Parce que je veux que vous en soyez l'artisan. Vous seul, et personne d'autre. Ma position, vous le comprenez, m'oblige à rester en retrait. Mais je compte sur vous pour que la présence de ce charlatan au sein de la famille présidentielle des Etats-Unis d'Amérique soit connue du monde entier. Alors, quand Hawkins aura renvoyé le prêcheur à ses bouseux, le parti pourra affronter en toute confiance les prochaines élections. Quant à la manière de vous y prendre, vous avez carte blanche. Je vous ai choisi, Michael Oberfest, entre tous mes collaborateurs parce que je respecte votre jugement, admire votre intelligence et envie votre esprit d'initiative et votre enthousiasme. Alors... acceptez-vous cette importante mission ?

— Je ferai de mon mieux, monsieur, répond le secrétaire, qui commence à entrevoir ce que cache cette éloquence bon marché.

— Formidable ! dit Trent, se levant et tendant sa main. Je sais, Mike, que vous ne me décevrez pas.

Oberfest regagne son bureau et reste longtemps assis à réfléchir. Finalement, il lui importe peu que la manœuvre de Trent soit un mélange de grossièreté et de subtilité. Ce qu'il éprouve surtout, c'est de l'admiration pour l'incroyable ambition du vice-président. En voilà un qui veut bannir le préfixe « vice » de sa fonction.

Et puis il sourit à la pensée qu'il fait enfin partie d'une authentique conspiration.

9

La porte du couloir est verrouillée. Il a également fermé celle de sa chambre. Assis au bord du lit défait, il compte son argent. Par terre, à ses pieds, une bouteille de vodka qu'il vient d'ouvrir.

Il compte près de six mille dollars, la plus grande partie en petites coupures : dons faits à son église de Virginie, cadeaux du président, contributions récoltées auprès de ces dames chez Mme Mattingly lors de ce que cette dernière appelle ses « sermonettes ».

Les billets forment un tas épais, et il les serre dans un élastique puis les glisse dans une chaussette de laine qu'il range dans le tiroir du bas de la commode. Il tend la main vers la bouteille quand sonne son téléphone récemment installé. Il se rassoit sur le lit et décroche.

— Oui ?

— Frère Kristos ?

— Oui.

— Le président Hawkins va vous parler. Une seconde, je vous prie.

Il a le temps d'avaler une gorgée de vodka avant que le président soit en communication.

— Frère Kristos ?

— Oui, père, je suis là.

— Cela fait un moment que je veux vous appeler mais je n'en ai pas eu le temps.

— Je comprends.

— Je me rends en ce moment à l'anniversaire du porte-parole de la Maison. La fête se poursuivra tard, certainement, mais je prévois de rentrer tôt. Est-ce que onze heures du soir serait trop tard pour vous voir ?

— Onze heures serait parfait.

— Voilà ce que je suggère : je m'arrêterai chez vous sur le chemin du retour. Je n'entrerai pas car les services de sécurité insisteraient pour fouiller d'abord la maison. Il serait donc préférable que vous descendiez, et nous pourrions bavarder dans ma voiture. Voudriez-vous faire cela ?

— Bien sûr, père. Je vous attendrai sur le trottoir à onze heures.

— Merci. Je me réjouis de vous revoir.

Kristos emporte la vodka dans le salon, la pose au bout

de la grande table, puis revient dans sa chambre. Il a mis au frais sur le rebord de la fenêtre un paquet de harengs fumés. Il le prend et regagne le salon, cueillant au passage sur la commode une bible que lui a offerte Mme Cynthia Jorgensen. C'est un beau volume à la riche reliure, aux pages ornées d'enluminures.

Il se sert du ruban marqueur pour ouvrir la Bible à la page des Psaumes. Entre une gorgée de vodka et un morceau de hareng, Kristos lit avidement, emporté par les harmonies sublimes, la poésie divine. Rien ne l'émeut plus, pas même l'alcool ou la chère ou les corps offerts des femmes faciles.

Finalement, il referme le livre et sort un épais classeur rempli de courrier. Quand il limitait ses prêches à l'ancien séchoir à tabac, il recevait de temps à autre une lettre d'un fidèle lui demandant conseil sur des questions spirituelles, familiales, parfois même financières, ou sollicitant seulement sa bénédiction. Ces lettres contenaient toujours un chèque ou un billet, pas de grosses sommes, juste quelques dollars. Mais Kristos répondait à toutes.

A présent, depuis les articles de journaux et son passage à la télévision, il reçoit une abondante correspondance. Des lettres sont adressées à la Maison-Blanche, qui les lui fait suivre. D'autres parviennent directement chez les Mattingly. L'une d'elles, qu'il aime particulièrement, avait pour toute adresse : « Frère Kristos, Washington, DC », mais elle lui est cependant parvenue.

La plupart de ces lettres contiennent de l'argent, en espèces ou en chèques, parfois des pièces collées à un bout de carton par un adhésif. Beaucoup le conjurent de les guérir de leurs maux, qui vont de l'acné juvénile au cancer. Toutes le prient de croire à leur foi dans ses dons de guérisseur.

Il répond à leurs auteurs de placer leur foi en Dieu et de prier chaque jour. Il signe : « Vôtre dans le Christ, Frère Kristos. »

Il s'attelle à répondre aux dernières. Il a parlé de son volumineux courrier à Emily, et elle lui a suggéré de faire imprimer un modèle de libellé qu'il n'aurait plus qu'à signer. Elle s'est proposé d'écrire les adresses et de coller les timbres, et il pense maintenant qu'il va accepter son offre.

Il rédige quatorze réponses puis met de côté la correspondance. Il termine les harengs, s'envoie deux ou trois lampées de vodka. Enfin, il se lève, se rince la bouche avec une eau dentifrice, suce un Tic-Tac, se parfume la moustache et la barbe d'eau de Cologne. Il enfile un nouveau blouson de cuir et descend dans la rue pour attendre le président des Etats-Unis.

Quelques minutes après onze heures, un cortège de trois voitures s'arrête le long du trottoir. Kristos s'avance vers la Cadillac présidentielle mais l'un des agents de la sécurité s'interpose.

— Désolé, padre, dit-il. Les ordres.

Et il fouille le prêcheur avec une telle dextérité que Kristos s'en aperçoit à peine.

Puis il monte à l'arrière de la limousine et serre la main d'Abner Hawkins. Le président presse un bouton sur son accoudoir ; une cloison vitrée glisse silencieusement, isolant le chauffeur.

Kristos se penche vers Hawkins dans la pénombre.

— Père, vous avez l'air fatigué.

— Je le suis. Le travail et les soucis ne finissent jamais. Mme Hawkins et moi, nous parlons souvent de prendre un peu de vacances, mais il y a toujours un problème qui nous en empêche. Bon, cela fait partie de ma charge mais ce qui m'ennuie, c'est de devoir passer tant de temps à traiter de problèmes qui ne sont pas de ma compétence. J'attendais plus d'efficacité de la part de l'administration.

— Il n'empêche, vous pouvez beaucoup.

— Certes, et c'est de ça que je voulais vous parler. Ma femme m'a rapporté la conversation qu'elle a eue avec vous au sujet des pouvoirs du président. Intéressant, très intéressant.

— Père, comme je l'ai dit à Mme Hawkins, je connais peu la politique, mais il est certain qu'en ce moment vous semblez être prisonnier des événements et dans l'incapacité d'appliquer une politique qui pourrait bénéficier à vos enfants.

— Exactement ! s'exclame le président en tapant dans ses mains. Je voudrais être un président novateur. Mais j'ai tellement de dossiers à traiter que les questions de fond restent en attente.

— Déchargez-vous des affaires courantes, conseille Frère Kristos. Je sais que vous êtes entouré d'excellents collaborateurs. Confiez-leur une plus grande responsabilité ; il n'est pas nécessaire que vous vérifiiez chaque détail. Le devoir de décider en dernier vous incombe, bien entendu, mais réservez-vous un peu de temps pour rêver à l'avenir.

— Je ne saurais vous dire quel plaisir j'ai à parler avec vous, dit Hawkins. D'accord, en supposant que je parvienne à mieux répartir les tâches, et après ? Il y a beaucoup de choses que je veux entreprendre et je ne peux pas les aborder toutes à la fois. Il me faudra établir des priorités, analyser les politiques qui sont les plus importantes et qui ont quelque chance de réussir.

— Père, avec tout mon respect, vous avez besoin d'un guide, d'une étoile Polaire. Souciez-vous moins de savoir si telle ou telle politique a une chance de succès que si elle est fidèle et conforme à la lumière qui vous guide.

— Qui serait ?

— La Parole de Dieu. C'est à l'aune des commandements de Dieu que vous mesurerez la justesse et la valeur de vos entreprises.

— Il y a beaucoup d'incroyants de par le monde, Frère Kristos. Sans parler d'un bon nombre au Congrès...

— Je le sais. La voie que je suggère n'est pas facile. Mais je crois qu'il y a dans ce pays une grande faim de spiritualité. Je crois que les gens dans leur majorité ont soif d'une foi qui redonnerait du sens au présent et éclairerait l'avenir. Père, ce que je dis peut paraître insensé, mais je crois profondément que si vous entrepreniez une grande croisade religieuse afin que le gouvernement de ce pays soit conforme à la volonté de Dieu, vous verriez des millions de disciples vous soutenir avec ardeur.

Le président, la tête penchée, reste songeur pendant un moment. Enfin, il se tourne sur la banquette pour faire face à Frère Kristos.

— Vous demandez beaucoup, dit-il d'une voix basse. Les risques sont énormes.

— Vous ne courez aucun risque personnel, dit Kristos. Même si vous échouez, vous connaîtrez la béatitude de servir Dieu sur terre. Et ce n'est pas moi qui vous demande cela. Je ne fais que vous transmettre le message de Dieu.

— Admettons que j'entreprenne de remanier le gouvernement de la façon que vous préconisez, quel serait le premier pas à faire, selon vous ?

Frère Kristos parle abondamment pendant près de cinq minutes. Quand il a terminé, Hawkins inspire fortement.

— J'ignore comment cela peut se faire et même si c'est faisable, dit-il. Je ne peux vous donner de réponse maintenant. Ce serait une formidable entreprise, et il faut que j'en discute avec ma femme.

— Naturellement, dit Kristos. Ne prenez pas de décision à la légère, car Dieu exige une grande foi et un dévouement total.

Le président hoche la tête.

— La décision la plus importante de ma vie, dit-il, solennel. Avant que nous nous séparions, pouvons-nous prier ensemble, Frère Kristos ?

— Prions, dit le prêcheur en prenant les mains d'Hawkins dans les siennes. Louez le Seigneur ! Louez-Le, vous, les puissants de ce monde ! Vous, les rois et les dirigeants de la terre, louez le Seigneur ! Vous, les riches et les puissants, agenouillez-vous et louez le Seigneur !

« Le Seigneur soit loué ! » entonnent-ils à l'unisson.

10

— Ecoute, dit Tollinger, il n'y a jamais eu de Miracle de Camp David, et il n'y en aura jamais.

— Tu n'en sais rien, réplique sèchement Jennifer, tu n'étais pas là-bas.

— Mais je me suis un peu documenté sur l'hémophilie, et je crois me faire une idée assez juste de ce qui s'est passé.

— Je ne veux pas l'entendre.

— Voudrais-tu m'écouter une minute, pour l'amour de Dieu ? dit-il, en colère. Ce n'est pas vrai que les hémophiles meurent d'une simple coupure ou d'une égratignure. Leur peau se cicatrise normalement. Bien sûr, ils saignent, mais comme tout le monde. Avec un pansement et un coagulant externe, le saignement cesse, la blessure se cicatrise.

— George saignait, et il saignait abondamment. Je l'ai vu.

— Et ses parents ont paniqué, poursuit Tollinger. C'est compréhensible. Qui supporte de voir son enfant saigner ? Mais ils auraient dû savoir que le danger était minime avec ce type de coupure. Car le véritable danger pour un hémophile, c'est l'hémorragie interne ; dans ce cas-là, il n'a aucune défense. Mais George n'avait pas de blessure interne, juste une entaille superficielle. Alors, qu'on ne me parle pas de « Miracle de Camp David ». Frère Kristos a profité d'un accident sans gravité pour emballer et mettre dans sa poche le président et la Première dame.

— Je n'ai pas à te convaincre, dit-elle. Je crois, moi, qu'il s'est produit un miracle, les Hawkins le croient, ainsi que toute une foule de gens. Tu devrais voir le tas de courrier qui arrive chaque jour.

— Mais cela n'en fait pas une vérité. Bon Dieu, Jen, tu devrais être la première à connaître la différence entre la réalité et la perception. Notre travail, à toi et moi, consiste à présenter les événements au public sous le meilleur éclairage possible. En d'autres termes, nous maquillons la vérité. C'est peut-être de bonne guerre en politique, mais je n'aime pas te voir en faire autant dans ta vie privée. Fais-toi rentrer dans la tête qu'il n'y a jamais eu de Miracle de Camp David.

— Je ne m'attendais pas à ce que tu le croies, dit-elle avec dédain. Tu ne crois en rien.

— Je crois en une chose, dit Tollinger. C'est que quatre-vingt-dix-huit pour cent des gens sont des crétins, et tout ce ramdam autour de Kristos le prouve bien. J'en vois qui — décidément, ils ont perdu le sens du ridicule — le traitent comme s'il était le roi du pétrole. Je l'ai aperçu l'autre jour, notre saint homme, qui se rendait au Bureau Ovale, et des types du cabinet, des têtes supposées pensantes, l'arrêtaient dans le couloir pour lui demander un autographe. Ecœurant !

Elle le regarde, l'air songeur.

— Je pense que tu es jaloux, dit-elle.

— Jaloux ? Pourquoi serais-je jaloux de ce charlatan ?

— Justement parce que ce n'est pas un charlatan. Il croit sincèrement en ce qu'il dit. Et c'est cette foi qui te rend jaloux.

— N'importe quoi ! enrage Tollinger. Ce type n'est qu'un escroc, et il n'a qu'un but : s'en mettre plein les fouilles. Tu as vu comment il s'habille : cuir fin, soie, fourrure. On est loin de la bure de moine. Et avec quel argent il s'offre tout ça ? Avec l'argent des naïfs bienfaiteurs qu'il a embobinés avec ses beaux discours sur la foi. Tu as donné, toi-même ?

— J'ai fait une contribution à son église, dit-elle, sur la défensive.

— J'espère qu'il y avait assez pour une caisse de vodka, grince Tollinger, parce que ta contribution a dû servir à ça.

Puis il demande d'un ton dégagé :

— Tu l'as revu, dernièrement ?

— En quoi cela te regarde ?

— Nous avons été mariés... tu t'en souviens ? Et j'aime à croire que nous sommes toujours bons amis. Je sais ce que tu penses de Kristos, et je ne voudrais pas que tu ailles au-devant d'une désillusion.

— Voyez-vous ça, dit-elle en le regardant fixement. Non seulement tu es jaloux de la foi de Frère Kristos, mais aussi de son amitié avec ton ex. Il ne t'est jamais venu à l'esprit que je pourrais rencontrer un homme supérieur à toi ? Et supérieur dans tous les domaines.

Tollinger sent la pâleur envahir son visage. Il la regarde et découvre soudain une étrangère.

— Alors tu fais partie de ses converties. Tu ne sais donc pas qu'il a une réputation de satyre ?

— Je me fous des rumeurs. Les bruits qui courent n'affectent en rien ma relation avec lui. Tout ce que je sais, c'est qu'avec lui je me sens plus vivante que je ne l'ai jamais été dans ma vie. Ce qu'il dit de la foi est tout à fait vrai. Il me fait voir les choses différemment. Je n'ai jamais été aussi heureuse, aussi joyeuse de vivre et d'obéir à la volonté de Dieu. Et c'est à Frère Kristos que je le dois.

— Tu es fichue, dit John Tollinger, amer. Complètement fichue.

11

Dans les couloirs du Capitole, il y a de nombreuses portes marquées d'un chiffre ou d'une plaque menant aux bureaux des parlementaires. Il y en a quelques-unes sans aucun signe, qui donnent accès à de petits salons. Les congressistes assez heureux pour en posséder un par la vertu de l'ancienneté peuvent s'y reposer des fatigues de leurs charges, à l'abri des solliciteurs et autres importuns.

En vérité, une bonne part des affaires du gouvernement

se traite dans ces sanctuaires. On y colporte les rumeurs, on échange des potins, on négocie des compromis, on y noue des alliances, et on y consomme une grande quantité de bourbon et d'eau de Seltz.

C'est dans l'un de ces boudoirs que se tient une réunion dont ses participants diront pompeusement plus tard qu'elle portait sur les « perspectives d'avenir ».

Assis sur des fauteuils pliants autour d'une table de pin, il y a là le président de la Chambre des Représentants, le chef de la majorité au Sénat, Henry Folsom, et le chargé des relations de la présidence avec le Congrès, Luther Dunkirk, plus connu par le population de Capitol Hill sous le surnom du Vicaire.

Le président de la Chambre des Représentants, « propriétaire » des lieux, s'assure que chacun a son verre rempli et aborde le sujet.

— Hank, dit-il au chef du cabinet, que diable cherche le président en projetant de distribuer les surplus alimentaires ?

Folsom boit une gorgée de son bourbon puis secoue la tête.

— Je ne sais pas à quoi vous faites allusion, président, dit-il.

— Le Vicaire ?

— Je passe. Première nouvelle, pour moi.

Le chef de la majorité au Sénat, homme épais au triple menton et au nez comme une tomate, secoue le chef d'un air contrarié.

— Ne jouons pas les hypocrites, messieurs, dit-il d'une voix de basse. Je tiens de mon espion à l'Agriculture que le président leur a demandé de lui rapporter combien il y a de lait en poudre, de beurre, de fromage et autres produits alimentaires que le gouvernement garde en réserve, où ils sont entreposés, dans quel état de conservation ils sont, et combien de temps cela prendrait de les distribuer aux pauvres et aux affamés. Bref, il dresse un plan visant à distribuer les surplus alimentaires.

— Et j'ai appris, ajoute le président de la Chambre, qu'il aurait demandé au Conseil général de voir s'il pouvait distribuer la nourriture par édit présidentiel ou bien s'il lui fallait passer par la voie législative. Allez, vous deux, où en est-on ? On aimerait savoir ce qui va nous tomber sur la tête.

Les deux hommes du président échangent un regard.

— Vas-y, Le Vicaire, dit Folsom.

— D'accord, dit prudemment Dunkirk, le président en a vaguement parlé, mais ce n'est qu'un projet, aucune décision n'a été prise. A mon avis, ça ne dépassera pas les vœux pieux.

— Ça vaudrait mieux, grogne le sénateur. Savez-vous ce qu'une opération de ce genre provoquerait sur le marché ? L'effondrement immédiat.

— Et tous les fermiers du pays marcheraient sur Washington, ajoute le président de la Chambre. Bon sang, est-ce qu'il pense à ça, Hawkins... s'il lui arrive de penser ?

— Attendez un peu, intervient Folsom. Cela a déjà été fait, vous le savez bien. Sous Reagan.

— Oui, dit le sénateur, mais pas plus de quelques miettes. Hawkins parle de tout refiler, depuis l'apéritif jusqu'au pousse-café. Je ne veux même pas penser à ce qu'il s'ensuivra sur le marché agro-alimentaire. Et qui bénéficiera de cette manne ?

— Président, dit Folsom, il y a pas mal de gens qui ont faim, dans ce pays. Je ne dis pas qu'ils meurent de faim mais ils n'ont certainement pas assez à manger.

— Il y a toujours eu des gens affamés, dit rudement le président de la Chambre des Représentants, et il y en aura toujours. Et après ? Après que tous les surplus auront été mangés ? Vous retrouverez vos affamés. Ils auront eu le ventre bien rempli pendant deux jours. Ce n'est pas en distribuant des repas qu'on résoudra le problème de la misère et de la faim. C'est en créant des emplois.

— Folsom, qu'en pensez-vous ? demande le chef de la majorité au Sénat. Oubliez votre devoir de réserve et dites-nous votre opinion. Vous savez bien qu'elle ne franchira pas ces murs.

— Vous voulez savoir ce que je pense, personnellement ? s'écrie le chef de cabinet. C'est une idée complètement tordue.

— Je suis du même avis, dit Le Vicaire. C'est affligeant.

— Eh bien, dit le sénateur, ne pourriez-vous pas convaincre le président de renoncer à son projet ? S'il le présente ici, il perdra le peu d'appuis qu'il lui reste.

— Ça n'est pas certain, dit Dunkirk. Imaginez que le président persiste dans ses intentions et qu'à la télé on nous montre soudain ceux qui dorment sur les grilles du métro et qui font la queue aux soupes populaires ? Il aura le soutien de toutes les associations religieuses et de tous les démagogues de ce pays. Et il peut même démontrer que l'opération est avantageuse, économiquement. Vous savez combien nous coûte l'acquisition des excédents et leur conservation. Qu'on élimine ces dépenses, et le budget s'en portera mieux. Alors, que vous reste-t-il comme arguments ? Objecter à ce qu'on donne à manger à des Américains affamés, ce serait comme si vous crachiez sur le drapeau, maman et la tarte aux pommes. Vous vous livreriez vous-mêmes à la vindicte publique. C'est ça que vous voulez ?

Les deux présidents le fixent d'un regard sans expression. Folsom vide son verre et se penche en avant.

— Ecoutez, dit-il, ce que dit Le Vicaire est juste mais ça ne résout pas le vrai problème. Je sais que je ne devrais pas laver du linge sale en public, mais je vais vous affranchir : l'idée n'est pas de Hawkins mais de Frère Kristos. Vous avez entendu parler de lui ?

— Oui, j'en ai entendu parler, dit sombrement le sénateur. Le prétendu saint homme.

— Et vous nous dites, dit le président de la Chambre, le sourcil incrédule, que le président des Etats-Unis d'Amérique suit les conseils de ce prophète professionnel ?

Folsom hoche tristement la tête.

— Vous savez comme le patron est croyant. Lui et son épouse sont persuadés que le prêcheur a sauvé leur fils.

— Bon Dieu, Hank, dit le sénateur, ne pouvez-vous ramener Hawkins à un peu plus de bon sens ?

— J'ai essayé, répond Folsom en haussant les épaules. Mais il ne veut rien entendre. Il croit vraiment que Frère Kristos est le frère du Christ, descendu sur terre pour nous apporter la parole de Dieu.

— C'est inouï, dit le président de la Chambre. Ne pouvez-vous rien faire pour éliminer ce type ?

— J'ai un détective qui remonte son passé, et j'espère qu'il trouvera une preuve, quelque chose qui m'aide à convaincre le patron que le bonhomme n'est qu'un charlatan.

— Mais vous n'avez encore rien découvert ? demande le président de la Chambre.

Folsom secoue la tête.

— Pas encore.

— Hank, vous prenez ce type pour un escroc, n'est-ce pas ?

Folsom a une brève hésitation.

— Je ne sais plus que penser, dit-il d'une voix basse.

— Messieurs, je n'aime pas ça, tonne le sénateur en abattant une main potelée sur la table. La politique et la religion ne vont pas du tout ensemble. Oh, je sais bien qu'il est écrit sur notre monnaie qu'on croit en Dieu et qu'on ouvre les séances du Congrès par une brève prière. Mais si nous commençons à prendre des mesures parce que nous pensons qu'elles sont la volonté de Dieu, alors nous sommes dans une drôle de merde.

— Et le pays serait déchiré, ajoute le président de la Chambre. On compte plus de religions dans ce pays que d'équipes de base-ball, et la plupart professent des croyances opposées. Mêler la religion à la politique ne peut mener à rien.

— Vous croyez que je ne sais pas tout ça ? dit Folsom avec agacement. Je veux me débarrasser de ce Frère Kristos autant que vous. Mais comment ?

Personne n'a de réponse, et les quatre hommes restent silencieux pendant un moment, têtes basses, jusqu'à ce que le sénateur lâche avec un sourire aigre :

— Peut-être qu'il suffirait qu'on prie.

Sur la route qui les ramène à la Maison-Blanche, Folsom dit à Dunkirk :

— Ils étaient vraiment inquiets. Ma foi, il y a de quoi. Ça éclabousse beaucoup de ton côté, au sujet de Kristos ?

— Un max, dit Le Vicaire. Les appels n'arrêtent pas. Et de tous côtés : parlementaires, lobbies, supporters du parti...

— Qu'est-ce que tu leur réponds ?

— J'essaie d'en dire le moins possible. Oui, le président connaît Frère Kristos. Oui, il le reçoit de temps à autre dans le Bureau Ovale. Oui, il a fait quelques dons à l'église du prêcheur. Non, Frère Kristos n'appartient pas au cabinet. Non, ce n'est pas lui, le patron de la Maison-Blanche. Et non, la Première dame ne couche pas avec lui. Putain ! d'où peuvent venir toutes ces sales rumeurs ?

— Je te le dirai d'où elles viennent, siffle Folsom entre ses dents. Il y a quelque part dans la maison un petit salaud qui veut que cette histoire éclate comme un pétard bourré de merde. Mais je vais le retrouver, ce salopard, et je le lui ferai bouffer, son pétard.

— Allons, allons, dit Le Vicaire, pince-sans-rire, il y a la foi, l'espoir, la charité, ah, surtout la charité.

— Aux chiottes, la charité, grogne Folsom. Je veux du sang !

12

Brenna O'Gara, femme acariâtre et pieuse, fait quotidiennement le ménage chez Kristos et au moins une fois la semaine prépare la table pour l'une de ses sermonettes, adressée à la coterie réunie par Lenore Mattingly.

L'intendante a la langue acérée et la religion professée par Kristos en sainte horreur.

— Si vous êtes le frère du Christ, se moque-t-elle, alors je suis la reine du pétrole !

— Mais vous pourriez l'être, dit-il en la regardant.

Farouchement déterminée, elle lui rend son regard.

Les serviettes traînent par terre dans la salle de bains.

— Quel porc vous êtes ! lui dit-elle.

— Et vous, une vieille souillon, dit-il en tendant la main pour la toucher.

Elle s'écarte avec colère, mais il la provoque et rit de sa fureur.

— Combien avez-vous envoyé à votre cher pape, cette semaine ? ricane-t-il.

Il goûte au plat qu'elle lui a monté et repousse son assiette.

— Dégueulasse, votre cuisine !

Elle a appris à se tenir sur ses gardes avec lui car le bougre a les mains lestes.

— Ne me touchez pas avec vos sales pattes, lui crie-t-elle. Je vais le dire à Madame.

— Faites-le, la défie-t-il, elle ne vous croira pas.

Elle le fait, et il a raison : Madame ne conçoit même pas que l'on puisse avoir à se plaindre d'un homme qui a aidé tant de gens... et qui a donné un tel renom à la demeure des Mattingly.

— Etes-vous encore pucelle ? demande-t-il à Brenna O'Gara.

Elle se met à pleurer.

— Vous pleurez parce que vous ne l'êtes plus ou que vous l'êtes toujours ?

Elle prie jour et nuit pour qu'il soit foudroyé par un éclair lancé par Dieu du haut des cieux. Mais elle le voit se pavaner dans les chemises de soie que ces dames ont brodées pour lui, avec ses cheveux pommadés et sa barbe parfumée. Elle est convaincue qu'il a vendu son âme au diable.

Un matin, au début d'avril, elle le voit qui quitte la maison. Elle monte dans sa chambre pour changer les draps. Elle est penchée sur le lit quand deux mains agrippent fortement ses hanches minces. Il est revenu sans faire de bruit et maintenant il se frotte contre ses fesses maigres en lui grognant de telles obscénités que jamais elle n'osera les répéter à confesse.

Elle parvient à se dégager. Il bondit vers elle mais elle se précipite hors de la chambre et court vers l'escalier en sanglotant.

Quand il descend, plusieurs heures plus tard, il trouve Mme Mattingly et Emily assises dans le salon. Les deux femmes sont très agitées.

— Oh, Frère Kristos, gémit Lenore, il est arrivé une chose terrible. Brenna nous a quittées !

— Elle a fait ses valises et elle est partie sans nous donner de raison, dit Emily. Nous ne comprenons pas ce qu'il lui a pris.

— Que voulez-vous, cette malheureuse est dérangée, dit Kristos.

— Elle est restée chez nous pendant tant d'années, dit Mme Mattingly d'une voix triste. Qu'allons-nous faire, à présent ? Nous avons absolument besoin de quelqu'un pour le ménage et la cuisine.

Frère Kristos hoche la tête d'un air compatissant.

— Je crois avoir une solution, dit-il.

13

Michael Oberfest n'aurait jamais cru que conspirer pouvait être aussi amusant. Qui plus est, il se découvre un authentique talent d'intrigant. Appliquant les instructions du vice-président Trent, il a déclenché une campagne destinée à faire des relations entretenues par le président Hawkins et Frère Kristos un énorme scandale.

Il envoie des lettres anonymes à la presse. Il téléphone aux chaînes de télévision sous de fausses identités et de fausses adresses. Et il appelle tous ses contacts dans la capitale. « Tu connais la dernière ? Ne dis pas que c'est moi qui te l'ai racontée, mais je crois savoir que... »

Dans une ville où la fausse nouvelle est reine, la radio-ragots de Michael remporte un franc succès. Il s'étonne et s'amuse de la rapidité avec laquelle ses mensonges se répandent et reviennent à ses propres oreilles.

Un matin, à onze heures moins le quart, il appelle une connaissance au Pentagone.

— Vous connaissez la dernière, lieutenant ? demande Oberfest. Une copine qui travaille au Commerce vient de m'appeler. Il paraîtrait que la Première dame couche avec Frère Kristos.

— Sans blague ? dit le lieutenant.

A onze heures et demie et des poussières, Michael reçoit un coup de fil de Fred Hechett, du FBI.

— Tu connais la dernière ? demande Fred. Il semblerait que Frère Kristos et Helen Hawkins fassent leurs prières ensemble... au pieu !

— Sans blague ? dit Oberfest.

Cette fausse rumeur aura donc mis quarante-cinq minutes à lui revenir. Pas mal, comme vitesse de colportage.

Le vice-président est manifestement satisfait des progrès de son exécuteur des basses œuvres. Deux fois, il lui adresse un clin d'œil, en deux autres circonstances il lui tape sur l'épaule, et une fois il lui murmure à l'oreille : « Bien joué ! » Il y a de la promotion dans l'air, se dit Michael. Et si Trent réalise ses ambitions, alors c'est une voie royale qui s'ouvre pour lui.

Un mardi soir, à la fin avril, il appelle sa femme pour l'avertir qu'il a du travail et qu'il ne sera pas rentré avant minuit.

— Oh, Mike, dit Ruth. Encore ? Et c'est quoi, cette fois ?

— Organiser le voyage que Trent s'apprête à faire en Amérique du Sud.

— Il compte sur toi pour tout. Demande-lui d'embaucher quelqu'un pour t'aider.

— Bonne idée, dit Michael. Je le lui demanderai.

Il achète en route une grande pizza aux fruits de mer, une bouteille de chianti, et se rend chez sa maîtresse à Foggy Bottom. Il lui apporte aussi un bracelet serti de très petits diamants, bijou qu'il a rapporté de son dernier voyage à New York.

Oberfest, petit, rondouillard, les mains manucurées, n'est pas l'homme dont rêve une femme. Mais le manque de mâles disponibles dans la capitale du pays est tel que les hordes de fonctionnaires féminines doivent se contenter de ce qu'il y a.

« Quand on mendie, on ne choisit pas », faisait remarquer une fois Shirley Bowker, la petite amie de Michael, à une confidente. « Rappelle-toi, mieux vaut une demi-portion que rien du tout. Et si jamais tu voyais Michael à poil, tu saurais vraiment ce que c'est, une demi-portion. »

Shirley est plus grande que Michael, plus jeune, et infiniment plus attirante. Elle travaille comme secrétaire au Conseil des Experts en Economie et joue à merveille de la guitare, avec une préférence pour le folk song. Son affaire avec Oberfest dure depuis près d'un an mais, malgré ses cadeaux, elle envisage sérieusement de le quitter. Il y a un jeune étalon à son club de mise en forme qui est venu renifler autour d'elle, et s'il donne autant qu'il promet, c'est tintin pour Mike.

Ils mangent la pizza, boivent le vin, et hop ! dans les draps avec peu de cérémonie et encore moins de passion. Michael, gourmand de cassettes classées X, est enclin à se montrer cochon. Comme Shirley le dit à sa meilleure amie : « Il connaît les paroles mais pas la musique. »

Après quoi, Shirley lui joue, nue, de la guitare. Il aime ça parce qu'en jouant, un gros sein pèse sur l'instrument et vibre avec les accords. Il compte parmi les plus grands bonheurs de sa vie ces moments passés à contempler les tremblements de ce téton en l'écoutant chanter *Old Folks at Home.*

Le mini-concert terminé, Michael prend une douche, se rhabille, et donne le bracelet à Shirley. Elle ouvre de grands yeux à la vue des diamants, et se dit qu'elle fera patienter le jeune étalon encore un peu.

Oberfest s'en va, prend l'ascenseur et sort dans la nuit lugubre. Il se dirige vers le parking où il a garé sa voiture et il est en train de sortir son étui à cigares de la pochette de sa veste quand une imposante silhouette sort de l'ombre et le fait vivement tressaillir.

— Salut, Arnold, dit le commandant Leonid Y. Marchuk.

Il faut quelque temps avant que Michael puisse répondre.

— Qu'est-ce que vous faites ici ? parvient-il à articuler.

— Nous parlerons dans votre voiture, dit le Russe en posant une lourde main sur son bras. C'est l'Eldorado verte, n'est-ce pas ?

Oberfest en laisse tomber l'étui à cigares. Comme il se penche pour le ramasser, c'est l'étui de ses lunettes qui glisse de sa pochette et cliquette sur le pavé. Il les ramasse fébrilement. Quand ils arrivent à l'Eldorado, les clés glissent de sa main.

— Arnold ! Arnold ! s'exclame Marchuk en partant à rire. Du calme, du calme ! Ce n'est pas la fin du monde.

Il fait signe à Michael de monter dans la voiture puis s'installe à son tour, gêné par le paquet qu'il porte sous le bras. Il claque la portière.

— Belle troïka, dit-il en caressant le cuir de son siège. Je conduis une Lincoln mais elle appartient à l'ambassade.

Oberfest retrouve peu à peu son calme.

— Que faites-vous ici ? répète-t-il.

— J'ai été envoyé dans notre ambassade à Washington, voilà tout, dit Marchuk avec une grande satisfaction. C'est bien, non ? Comme ça, nous pourrons nous voir plus souvent.

— Mais comment saviez-vous que je serais ici ? A Foggy Bottom ? Dans ce parking ?

— Oh, Arnold, dit l'homme du KGB en posant une main épaisse sur la cuisse de Michael, j'aime tout savoir des garçons qui travaillent pour moi. Cette Shirley Bowker, elle a l'air bien gentille. De longues jambes. Elle est de Californie ?

— Non.

— Je la trouve très séduisante, je salue votre goût et envie votre bonne fortune. Mais je ne suis pas venu pour parler de votre petite chérie ; nous devons discuter ensemble d'un sujet plus sérieux.

— Elle n'est pas ma petite chérie.

— Si vous le dites. Arnold, cette histoire entre le président et ce prêcheur nous inquiète beaucoup. Nous admirons le président Hawkins et nous lui souhaitons de réussir. Nous n'aimerions pas qu'un scandale ébranle son administration et peut-être même réduise ses chances d'une réélection.

— Parce que vous le trouvez facile à manipuler, dit brutalement Oberfest.

— Oh, non, se défend Marchuk, comme choqué. Le président Hawkins est un homme sage ; nous pouvons discuter avec lui. Ce n'est pas comme votre vice-président Trent, un bigot à l'esprit étroit avec une phobie obsessionnelle de l'Union soviétique. Vous n'êtes pas d'accord avec moi ?

— Euh... on ne peut pas dire qu'il admire le communisme, c'est sûr, dit Michael.

— Alors, vous comprenez pourquoi nous voulons préserver Hawkins d'une chute qui donnerait l'occasion à Trent d'accéder à la présidence.

— De votre point de vue, cela me paraît normal.

— Pas seulement de notre point de vue. L'hostilité de Trent envers le peuple russe représente une menace pour la paix mondiale. Je vous dis ces choses parce que je sais que vous êtes un homme intelligent et que vous pouvez mesurer toutes les conséquences tragiques de cette amitié de votre président pour ce prétendu saint homme.

Oberfest reste silencieux.

— Maintenant, après ce que vous m'avez dit, Arnold, et avec ce que je lis dans vos journaux et vois à la télé, j'ai dans l'idée que cette histoire va secouer le pays. Quand vous m'en avez parlé la première fois, j'ai pensé que ce serait une... Ah, vous avez une expression pour dire beaucoup d'agitation pour pas grand-chose ?

— Une tempête dans un verre d'eau ?

— Oui, c'est ça, une tempête dans un verre d'eau. Mais aujourd'hui, tout le monde ne parle que de ça. Il y a même eu des commentaires dans la presse européenne. Dites-moi maintenant pourquoi toute cette publicité ?

— Je l'ignore, dit Michael.

Le commandant éclate de rire et pince douloureusement la cuisse de Michael.

— Mais non, vous le savez très bien. Quelqu'un mène campagne en coulisses pour... pour, encore une autre expression. Elle veut dire, faire grand cas d'un petit rien.

— Faire une montagne d'une motte de terre ?

— Exactement ! Quelqu'un est en train de faire une montagne d'une motte de terre. Et nous savons qui c'est, n'est-ce pas ?

Oberfest ne dit rien.

— Je ne vous en veux pas, Arnold, dit Marchuk, presque tendrement. Comme vous me l'avez déjà dit, vous ne faites pas de politique, vous obéissez seulement aux ordres. Je suis dans la même position. Mais sûrement, après ce que je viens de vous dire, vous devez comprendre que les ambitions de votre vice-président représentent une menace réelle, pas uniquement pour la sécurité de l'Union soviétique mais pour l'avenir du monde entier.

— Maintenant, c'est vous qui faites une montagne d'une motte de terre.

— Je pense que vous vous trompez. Les gens pour qui je travaille regardent... Ah ! comment vous dites déjà ?... Plus loin que le bout de leur nez !

Le commandant éclate de rire.

— Ce serait mauvais pour votre grand pays que Samuel Trent en devienne le président.

— Nous sommes une démocratie, dit Michael. Avec des élections libres. On n'y peut rien.

— Allons, dit le commandant d'un ton sévère, vous parlez comme un enfant. On peut toujours faire quelque chose. Il faut d'abord stopper ou au moins saboter cette campagne de diffamation dont Hawkins fait l'objet. Sa fréquentation de Frère Kristos ne doit pas devenir l'instrument de sa perte.

— Et que vous proposez-vous de faire ?

— Allons, Arnold, vous ne l'avez pas encore deviné ? C'est vous, mon garçon, qui allez être l'élément clé de nos efforts pour contrer la vicieuse campagne de Trent. Vous allez nous aider à empêcher votre patron de réaliser ses ambitions.

— Oh, non, dit Oberfest, je ne risque pas. D'abord, vous surestimez mon pouvoir. Je ne suis qu'un employé. Je ne peux en aucune façon influencer le vice-président.

— Vous n'êtes pas n'importe quel employé, dit Marchuk. Vous êtes le secrétaire particulier de Trent. Vous connaissez ses plans, sa tactique. Nous ne vous demandons pas d'essayer de l'influencer. Ce serait peine perdue. Mais vous êtes en position de contrecarrer ses projets. Et quand vous ne pourrez pas le faire, vous nous avertirez pour qu'on trouve un autre moyen d'intervenir.

— Non, dit Oberfest, je ne peux pas faire ça.

— Naturellement, votre salaire sera doublé, dit Marchuk.

— Non, persiste le secrétaire, c'est hors de question. C'est ma carrière que je risque, ma réputation, tout. Vraiment, c'est impossible.

L'homme du KGB pousse un long soupir.

— Dommage, dit-il, j'ai essayé de vous parler raison, mais la carotte n'a pas marché. Je dois appliquer le bâton. Avez-vous un magnétophone et un magnétoscope ?

— Oui, bien sûr, répond Oberfest, intrigué. Pourquoi ?

Le commandant pose son paquet sur les genoux de Michael.

— Quand vous rentrerez chez vous, tout à l'heure, défaites ce paquet. Ne le faites pas devant votre épouse. Je doute que... comment s'appelle-t-elle ? Ruth ?... Je doute que Ruth apprécie le contenu.

Oberfest soupèse le colis d'un air inquiet.

— Qu'est-ce que c'est ? demande-t-il.

— Quatre cassettes de nos conversations dans cette chambre d'hôtel à New York. Et deux cassettes vidéo où on vous voit entrer dans l'hôtel et en ressortir.

— Bon Dieu ! gémit Oberfest.

— Vous pouvez toujours les détruire, poursuit Marchuk plus rapidement, comme s'il délivrait là un message familier. Ce ne sont que des copies. Naturellement, nous gardons les originaux. Et cela nous ferait de la peine, si jamais vous persistiez dans votre refus de coopérer, de devoir envoyer d'autres copies de ces bandes à votre FBI. Moi, j'aurais déjà quitté votre beau pays avant que nous en venions à cette extrémité. Vous seriez le seul à en souffrir. Réfléchissez. Dans le paquet vous trouverez un numéro de téléphone où vous pouvez me joindre. Dites seulement Arnold, et raccrochez. Je vous rappellerai. J'attendrai votre coup de fil jusqu'à demain soir minuit. Passé ce délai...

Le commandant tapote l'épaule de Michael et descend de la voiture. Avant de refermer la portière, il se penche à l'intérieur.

— Je vous aime bien, Arnold, dit-il. Aussi j'espère que vous vous montrerez raisonnable. Ça me chagrinerait de vous perdre.

Puis il claque la portière et disparaît. Michael reste assis derrière son volant, à fixer le paquet sur ses genoux comme s'il s'agissait d'une bombe à retardement.

Soudain, conspirer n'est plus du tout amusant.

14

Matilda Trent invite Lenore Mattingly à déjeuner, et cette dernière se révèle tellement gonflée d'importance que c'en est à peine tenable. Tout ça parce que Frère Kristos réside chez elle, et que c'est elle encore qui établit les listes de tous les privilégiés invités aux sermonettes du prophète.

— C'est un grand homme, un très grand homme, proclame-t-elle. Si pétri de talents. Un véritable don du Ciel. Il m'a guérie de mes migraines, et jamais je n'ai vu Emily aussi épanouie. Si jamais vous souffrez quelque part, je suis certaine, ma chère, qu'il accomplirait des merveilles avec vous.

— Je vais très bien, je vous remercie, dit avec raideur Matilda. Mais j'aimerais le rencontrer et l'écouter prêcher.

— Mon Dieu, cela risque d'être difficile, dit Lenore. Il est tellement occupé, vous savez. J'ai la maison pleine cette semaine, mais je pourrais vous trouver une place mardi prochain.

— Je vous en serais reconnaissante, dit la femme du vice-président. Est-ce qu'il fait la quête ?

— Oh, non ! s'écrie Mme Mattingly, horrifiée. Mais il est de coutume de laisser quelque chose sous son assiette. Pour son église, vous comprenez. Maintenant, si vous désirez avoir un entretien privé, vous devrez vous arranger avec lui. Toutes les femmes dans la peine que je lui ai présentées se sont littéralement transformées après l'avoir vu. Cet homme accomplit des miracles.

Le mardi suivant, dernier jour d'avril, Matilda se joint à un groupe de matrones dans l'appartement de Frère Kristos. On a disposé dans le séjour des rangées de chaises pliantes. Il y a là plus d'une vingtaine d'invitées. Matilda connaît la plupart d'entre elles : hauts fonctionnaires du gouvernement, épouses de sénateurs, une journaliste, une conservatrice de musée, l'ambassadrice noire d'un petit pays d'Afrique occidentale.

Deux jeunes femmes en longues robes de soie blanche servent du thé et du cake à ces dames. Pearl Gibbs passe des assiettes en carton, et Agnes Brittlewaite verse un thé foncé dans des gobelets de plastique. Puis les deux acolytes prennent position de chaque côté de la porte fermée de la chambre du maître, dans une attitude de grande humilité, tête baissée, les mains jointes.

Matilda s'attend à une entrée théâtrale mais Frère Kristos pénètre d'une façon presque hésitante dans la pièce et promène lentement un regard aigu sur son auditoire. Hors les bottes noires, il est tout de blanc vêtu. La lourde croix en or pend sur sa poitrine, sous sa barbe fournie.

Il gagne le fauteuil vide en bout de table, mais il ne s'assied pas. Il s'offre debout à leurs regards, ses grandes mains serrant le dossier du siège. De nouveau, ses yeux vont de l'une à l'autre. Dans le silence, chacun retient son souffle.

Il est, décide Matilda, plus beau qu'elle ne l'avait précédemment pensé. Pas d'une beauté classique mais primitive, avec son visage buriné aux traits forts, les lèvres pleines. Elle ne peut nier son magnétisme animal. Il est tellement sûr de lui. Et ses yeux ont cette extraordinaire intensité qui l'avait frappée lors de cette prière du matin à la Maison-Blanche. Leur éclat vous pénètre et vous trouble.

Il commence à parler d'une voix monotone et, plus tard, Matilda se demandera comment une voix aussi plate peut transmettre tant de ferveur.

— Aujourd'hui, dit Frère Kristos, je vous parlerai de tous ceux et de toutes celles qui vivent dans le désespoir. Pas la désolation frappant les pauvres et les affamés mais le désespoir de personnes comme vous qui, malgré la sécurité et le confort, trouvent leurs vies sans joie et sans but.

« Quand je suis entré dans cette pièce, j'ai senti la présence de l'une d'entre vous, souffrant de ce mal de vivre dans sa forme la plus virulente. Cette femme s'est pourtant faite à cette misère et aujourd'hui elle ne conçoit même plus que la vie puisse nous réserver du bonheur. C'est à elle que je m'adresse, pour qu'elle sache qu'elle n'est pas seule et que sa vie n'est pas perdue. »

Il se tait alors et, de nouveau, porte son regard sur ses auditrices, l'une après l'autre. Chacune a la certitude qu'elle est celle qu'il a remarquée, celle à qui il dédie son prêche.

— Vous vous demandez, reprend-il, est-ce donc cela, la vie ? Car vos journées sont si vides que vous vous interrogez sur le sens même de votre existence. Etes-vous donc sur terre pour y périr lentement d'ennui, accablée par la petitesse de toutes choses ?

« Où est la passion ? Où est le grand amour ? Vous gâchez vos jours à des tâches sans intérêt. Votre sommeil est agité, vos rêves oubliés au matin. Disparaîtrez-vous sans avoir connu la passion, vous demandez-vous avec angoisse, sans avoir rencontré le grand amour qui éclairera vos jours et vos nuits ?

« Je dis que la passion et l'amour vous attendent. Je parle du bonheur de la foi, de la grâce que Dieu accorde à qui va vers Lui. »

A l'écouter attentivement, Matilda a le sentiment que c'est à elle qu'il s'adresse. Il connaît son secret, il la comprend, il lui offre le salut. Comme il poursuit, elle reconnaît la grandeur et la difficulté de ce qu'il demande et, comme s'il lisait dans ses pensées, il dit :

— Ce n'est pas rien, ce que je demande. Le risque est énorme car Dieu exige que vous refassiez votre vie, que vous la repensiez. L'obéissance à Dieu ne va pas sans de nouveaux devoirs. Mais en retour, il vous sera dispensé un bonheur qui fera chanter votre âme.

La voix de Kristos dégage un tel pouvoir, avec sa promesse de reconnaissance, qu'elle sent fondre sa réserve à l'égard de l'homme, et elle commence à croire qu'elle pourrait enfin, tel le ver à soie, sortir de sa chrysalide et, beau papillon devenue, s'en aller butiner au gré des fleurs et du vent.

Frère Kristos continue de parler pendant une dizaine de minutes devant un auditoire fasciné. Il conclut abruptement et, avant que les invitées se lèvent — certaines ont un cadeau à la main —, il se retire dans sa chambre et ferme la porte.

Matilda reste assise sur son inconfortable chaise tandis que les autres quittent lentement la pièce. Elle garde la tête baissée, contemplant ses mains, tournant et retournant l'alliance à son annulaire. Elle se demande si elle ose, redoute de le faire, redoute encore plus de le regretter toute sa vie si elle ne le fait pas.

Finalement, elle se lève et aborde l'une des jeunes femmes en robe blanche.

— Puis-je voir Frère Kristos ? demande-t-elle. En privé.
Agnes Brittlewaite la regarde un instant.
— Je vais demander, dit-elle.
Elle frappe un coup à la porte de la chambre, entre et referme doucement derrière elle.
— Une femme veut te voir, rapporte-t-elle. Cinquante-cinq, soixante. Des diamants. Des vrais.
— Une étole de vison ? demande Frère Kristos. Cheveux gris coupés court ? Tailleur noir ?
— Oui, c'est elle.
— La femme du vice-président. Lenore m'a dit qu'elle viendrait aujourd'hui. Fais-la entrer. Assure-toi que tout le monde est parti, et Pearl et toi allez faire une promenade.
Matilda entre d'un pas hésitant dans la chambre. Kristos, le dos appuyé à la commode, lisse lentement sa barbe de sa main.
— Merci de me recevoir, dit-elle d'une voix si faible qu'elle a du mal à la reconnaître comme la sienne. Je voulais vous dire combien votre sermon m'a touchée.
Il incline gravement la tête.
— Je suis la femme dont vous parliez, dit-elle avec conviction. N'est-ce pas ?
— Oui, dit-il. Vous êtes cette femme.
— Je le savais ! s'écrie-t-elle. Ces jours vides que vous avez décrits, c'est exactement mon existence.
Il lui désigne le seul siège de la pièce, une simple chaise en bois. Matilda s'assied, laisse glisser sur le sol son étole de vison. Elle examine, curieuse, la chambre pauvrement meublée. Sur la commode il y a une carafe remplie d'un liquide incolore et deux verres.
— Est-ce quelque chose à boire ? demande-t-elle avec un rire nerveux.
— De la vodka.
— Puis-je vous en demander un peu ? Votre sermon m'a secouée. J'ai besoin de me remonter les nerfs.
Il remplit deux verres à ras bord et lui en tend un.
— Mais c'est trop, proteste-t-elle. Je ne boirai jamais tout ça.
— Buvez ce qu'il vous plaira, dit-il, haussant les épaules.
Il s'assoit sur le lit, face à elle. Leurs genoux se touchent presque. Il attend qu'elle boive la première avant de porter son verre à ses lèvres.
Matilda prend une profonde inspiration.

— Ça va mieux, dit-elle. J'en avais besoin.

Elle se tait un moment, puis :

— Puis-je vous poser une question ?

— Oui, bien sûr.

— Vous parlez de refaire sa vie, mais vous ne dites pas comment s'y prendre. Petit à petit ? En lisant, en étudiant ? Ou bien par une soudaine conversion ?

Il lève les yeux sur elle, et elle ne peut détourner son regard. Elle s'imagine qu'elle voit du feu dans ces yeux, une flamme dansante.

— Dans votre vie, lui dit-il, vous avez toujours admiré ceux qui étaient capables de créer. Les peintres, les compositeurs, les poètes. Vous avez envié leur génie parce que vous vous sentez vous-même emplie d'une énergie créatrice mais en même temps incapable de l'exprimer par une œuvre d'art.

— Oui, oui, dit-elle avec passion, c'est exactement ça. Comment le savez-vous ?

— Votre vie aussi peut devenir une œuvre d'art, poursuit-il. Une œuvre d'art que vous êtes la seule à pouvoir créer. Si vous aimez Dieu et que vous en soyez aimée en retour, vous considérerez alors votre vie comme une création unique, aussi glorieuse qu'une symphonie, qu'un poème, qu'une peinture. Mais vous ne connaîtrez cette grâce infinie qu'en croyant de toutes vos forces. Et votre foi sera souvent mise à l'épreuve. Souvent.

Elle s'arrache enfin à son regard et avale une gorgée de vodka.

— Je ne sais si j'en ai le courage, avoue-t-elle.

— Laissez-moi vous guider. Croyez-vous à ce que j'ai dit aujourd'hui ?

— Oui. Oh, oui !

— Alors, vous avez foi en moi ?

— Oui, j'ai foi en vous, Frère Kristos. Je n'aurais jamais imaginé que je dirais ces mots, mais c'est la vérité.

— Je suis le frère du Christ et l'apôtre de Dieu sur la terre. Je suis moins que Lui, mais croire en moi c'est croire en Lui, me suivre c'est Le suivre. Laissez-moi vous conduire vers une vie nouvelle.

Il se lève, passe derrière elle, pose ses puissantes mains sur sa nuque et commence à la masser.

— Une vie nouvelle, répète-t-il. Un monde de foi et d'amour, un monde sans péché, un monde de lumière.

Donnez-vous à Dieu. En vous donnant à Lui, vous donnerez un sens à vos actes et vous éprouverez de la joie à les accomplir.

Sa litanie continue mais elle n'a conscience que de ses mains sur sa chair et du parfum de sa barbe tandis qu'il approche ses lèvres de son cou.

— Abandonnez-vous, entonne-t-il, car ce n'est qu'en vous rendant corps et âme que vous connaîtrez la grâce que la foi apporte aux enfants de Dieu.

Elle se déshabille avec des doigts fébriles, et quand elle est nue, il la laisse lui déboutonner sa chemise, lui enlever son pantalon, ses bottes, ses chaussettes, son caleçon. Il l'entraîne par la main jusqu'à la salle de bains, lui donne son sexe et ses pieds à laver avec un linge mouillé, lui disant qu'il s'agit d'une épreuve, qu'elle entre dans un monde sans péché et qu'en le lavant elle prouve la force de sa foi.

Il la reconduit vers le lit en continuant de lui parler tout bas de sacrifice, de devoir, d'obéissance et de soumission à la volonté de Dieu.

Il la couvre de son corps noueux, agrippe ses hanches à pleines mains ; sa peau rêche couverte de poils drus frotte contre la sienne. Elle se donne à lui et, à travers lui, à Dieu, pensant par là gagner le brillant royaume. La foi vire à la frénésie, et Matilda répond d'une passion égale à celle de Kristos. Le plaisir les emporte.

Plus tard, ils gisent assouvis, buvant de la vodka ; elle roule sur le côté et lui tire doucement la barbe.

— Laissez-moi vous faire un cadeau, Frère Kristos, murmure-t-elle. Pour vous remercier.

— D'accord.

— Qu'aimeriez-vous ?

— Une voiture, dit-il. Pour mon église.

15

« Tollinger,

Affaire : Frère Kristos.

Désolé de ne pas avoir écrit plus tôt mais j'ai été alité avec la grippe pendant quelque temps. Choper un refroidissement en Floride, un comble ! Enfin me revoilà d'aplomb et de nouveau sur la piste.

Je suis allé à Fort Myers interroger Lorna Burgoos, anciennement connue sous le nom de Madame Olga. C'est aujourd'hui une vieille dame, mais elle est plus solide que moi, et elle a gardé toutes ses billes. Je l'ai trouvée dans son jardin en train de planter je ne sais plus quelles fleurs. Je lui ai dit que j'aimerais parler avec elle de Jacob Christiansen, et elle m'a invité à entrer. Elle semble disposer de quelques revenus, et je suppose qu'elle a dû mettre de l'argent de côté du temps où elle disait la bonne aventure dans les foires.

Elle a débouché une bouteille d'un rhum aussi brun et épais que de la mélasse. J'ai poliment et courageusement refusé, et elle s'en est rempli un verre plein, et un verre à eau ! La vieille a une sacrée descente et tient si bien le coup qu'on aurait pu croire que c'était du thé qu'elle buvait là !

Elle m'a demandé pourquoi je voulais parler de Jacob, et je lui ai sorti mon histoire : je faisais une enquête pour le FBI après que Jacob eut postulé un emploi dans la maison. Elle a ri si fort qu'elle a manqué perdre son dentier.

— De la merde ! a-t-elle dit. Jake n'entrerait pas au FBI pour tout l'or du monde ! Quelle est la vraie raison ?

J'ai improvisé. Jake voulait épouser ma fille, et je voulais savoir à quoi m'en tenir avec mon futur beau-fils.

— Ça aussi, c'est un mensonge, m'a-t-elle dit. Jake ne s'est jamais marié et n'a jamais voulu l'être. Pourquoi acheter une vache quand le lait est gratuit ? Il ne s'est pas attiré d'ennuis, j'espère ?

Je lui ai répondu qu'à ma connaissance il n'avait d'ennuis ni avec la loi ni avec personne. Mais il était devenu le grand copain du président, et les opposants adversaires de Hawkins avaient très envie de savoir qui était le bonhomme. Bref, je lui ai presque dit la vérité.

— Oui, a-t-elle dit, je l'ai lu dans le journal. Jacob se fait appeler Frère Kristos, et il porte la barbe, mais je l'ai reconnu tout de suite. Il a l'air de bien se débrouiller. Notez, je n'ai jamais douté qu'il arriverait, un jour ; ce garçon a une chance de démon.

Je lui ai posé un tas de questions auxquelles elle m'a répondu spontanément. Je pense qu'elle m'a dit la vérité, pour autant qu'il lui en souvenait.

Jake et elle s'étaient liés d'amitié dès qu'il avait commencé à tourner avec le cirque.

— Je ne lui ai jamais connu que des femmes pour amis, m'a-t-elle dit.

Jake lui installait sa tente de cartomancienne et, quand le cirque fermait boutique pour la nuit, il allait la rejoindre dans sa caravane et ils passaient des heures à bavarder et à boire.

— Et si vous vous demandez s'il me baisait, m'a dit Madame Olga, je vous répondrai que oui, et d'abondance, Dieu le bénisse. Et je peux vous certifier qu'il est le meilleur amant du monde.

Pendant plusieurs années, elle a enseigné à Jake, à la demande de celui-ci, tous les trucs du métier de devin. Elle lui a d'abord appris à situer ses clients d'après leur aspect et leur façon de parler.

— Par exemple, m'a dit Lorna Burgoos, je vois en vous un alcoolique qui a cessé de boire pour le moment. Je suppose que vous êtes veuf ou divorcé et que vous avez été une espèce de policier. Et vous êtes né en Nouvelle-Angleterre, dans le Maine, probablement.

Dans le mille ! Je lui ai dit qu'elle avait tout juste et je lui ai demandé comment elle savait. Mais elle s'est contentée de sourire, de siroter son rhum et de dire :

— Secrets du métier.

Après que Jake eut appris à reconnaître ses clients, elle lui a enseigné l'art de prédire, qui consiste à dire à l'autre ce qu'il a envie d'entendre. Les hommes trouveraient un bon emploi, les femmes rencontreraient un nouvel amour, les gens malades recouvreraient la santé, les futures mamans auraient un beau garçon, les jeunes filles feraient un beau mariage avant la fin de l'année, et tout le monde hériterait une fortune d'un lointain parent. Jake ne mit pas longtemps à posséder parfaitement le métier et à tenir la boutique de Madame Olga, quand celle-ci avait envie d'un peu de temps libre.

— Il avait le don, m'a-t-elle dit. On faisait payer cinquante cents la consultation de cinq minutes, et un dollar celle de dix minutes. Mais Jake recevait des pourboires ! Vous imaginez ça ? Je n'avais jamais touché un pourliche de ma vie, et lui il s'en faisait à chaque client. Il était génial. Et, notez, il n'a jamais rien gardé pour lui ; il me retournait tout ce qu'il gagnait.

Puis Madame Olga m'a raconté qu'il s'était passé de drôles de choses par la suite : Jake commençait à dire aux gens des choses de leur passé qu'il ne pouvait pas deviner d'après leurs apparences. Il exhumait des secrets qu'ils juraient être les seuls à connaître. Et parfois il leur prédisait l'avenir d'une telle façon qu'ils prenaient peur. Mais quand il vit qu'on ne lui donnait plus de pourboires, il cessa ses prédictions.

J'ai demandé à Lorna quelle était sa méthode mais elle a secoué la tête.

— Il n'a jamais voulu me le dire, m'a-t-elle dit. J'avais beau le harceler, il partait à rire et me répondait : « Secrets du métier. »

Je lui ai demandé également s'il était possible que Jake eût des pouvoirs surnaturels. Mais elle s'est contentée d'un grand sourire pour toute réponse.

Elle m'a dit que pendant l'hiver précédant son départ du cirque, Jake lui avait dit qu'il comptait partir prêcher sa propre religion de place en place. Elle avait toujours su qu'il avait le feu sacré pour la Bible — « Je jure qu'il la connaissait par cœur » — mais elle voyait mal comment il pourrait gagner sa vie avec ça. Mais elle lui a souhaité bonne chance.

Je lui ai demandé si elle avait eu de ses nouvelles après son départ. Oui, pendant deux ou trois ans, il lui avait envoyé des cartes postales de petites villes du Sud profond, du Texas, de l'Oklahoma, de l'Arkansas, des villes dont elle n'avait jamais entendu parler.

— Il ne disait pas grand-chose dans ses cartes, a-t-elle dit. Simplement qu'il allait bien et qu'il espérait que moi aussi. Une fois, il m'a écrit quand le cirque passait à Bear Junction, dans le Dakota du Sud, pour m'avertir de ne pas ouvrir ma tente. J'ai pensé qu'il plaisantait et j'ai ouvert comme d'habitude. La veille de notre départ, un fou furieux a surgi dans ma tente en brandissant un fusil, et il m'a étendue raide d'un coup de crosse, le salaud !

Je lui ai demandé comment Jake pouvait savoir ce qui allait lui arriver à elle à Bear Junction. Elle a haussé les épaules et m'a dit :

— Comme ça, une intuition. J'aurais mieux fait de l'écouter.

Je lui ai demandé enfin si elle avait encore les cartes postales que Frère Kristos lui avait envoyées, et elle m'a dit, bien sûr, elle n'avait jamais rien jeté depuis cinquante ans. Naturellement il n'était pas question qu'elle me les donne mais elle m'a laissé relever les cachets de la poste. J'ai loué une voiture, et je suis présentement sur la route, traversant le pays fondamentaliste, à la suite de Jake, ce qui explique que je vous adresse la présente depuis un bled appelé Boaz, dans l'Alabama.

J'ai quitté la bonne Madame Olga, qui rêve encore du meilleur amant du monde.

Quant à moi, je suis désormais convaincu que Kristos est un charlatan, un escroc abusant de la confiance qu'il suscite chez les âmes simples.

Lindberg. »

16

Après sa troublante rencontre avec Marchuk et après avoir visionné et écouté les cassettes, Michael Oberfest s'apprête à passer une nuit blanche à broyer du noir.

Mais en moins d'une heure il décide qu'il n'a pas vraiment le choix. S'il sabote la campagne de Trent, Oberfest risque de perdre son travail et tous les précieux à-côtés que lui vaut son poste de secrétaire particulier du vice-président.

Par ailleurs, s'il dénonce publiquement les secrètes menées de Trent, l'homme peut faire une croix sur sa carrière politique. Aussi Trent et Oberfest se tiennent-ils chacun par le col. Si le vice-président brandit la menace du renvoi parce qu'il a appris que son homme de confiance est passé à l'ennemi, Oberfest a de quoi le faire taire sur-le-champ.

Marchuk, d'un autre côté, représente un plus grand danger encore. Michael ne doute pas une seule seconde que le Russe n'hésitera pas à le balancer au FBI. Dans ce cas, le secrétaire du vice-président ne perdrait pas seulement son poste mais sa réputation, ainsi que toute chance de retrouver du travail. Encore que le FBI risque de lui épargner ce dernier souci en le poursuivant en justice et en le faisant condamner à une lourde peine.

Michael Oberfest comprend donc qu'il n'a pas d'autre

choix que de coopérer avec l'agent russe. Il rassure sa conscience en se disant que son travail pour l'Union soviétique n'aura aucune incidence sur la sécurité nationale. Diable, il ne vend tout de même pas de secrets militaires. Et, après tout, il est possible qu'en aidant les Russes il finisse du côté des anges.

Il prend donc contact avec Marchuk, et les deux hommes conviennent d'un rendez-vous dans une galerie marchande très fréquentée quelque part dans Bowie, Maryland. Oberfest y reçoit ses ordres :

Il doit cesser immédiatement ses efforts personnels pour donner une mauvaise publicité à la relation du président Hawkins avec Frère Kristos.

Il doit s'opposer à toutes les tentatives de Trent de dénoncer la néfaste influence qu'aurait le prêcheur sur le président et la Première dame.

Il devra fournir un rapport hebdomadaire, plus, s'il le faut, sur tous les coups imaginés par Trent pour nuire au crédit et au prestige du président.

Il doit apporter son aide à tous ceux, individus ou groupes, qui cherchent à protéger la réputation de Hawkins en minimisant le rôle que jouerait Frère Kristos dans la politique du gouvernement.

— Voilà ! dit le commandant Marchuk avec un bon sourire. Vous voyez, Arnold, ce n'est pas si méchant que ça !

Michael Oberfest doit reconnaître que non, ce n'est pas bien méchant. Et puis, la paie est bonne.

Il appelle Tollinger le lendemain, avec l'intention de l'inviter à déjeuner. Ce n'est pas une rencontre qui le réjouit. Il a appris que Tollinger l'a qualifié une fois de « poids léger ». Et, quant à lui, il considère Tollinger comme un pisse-froid.

— Désolé, dit Tollinger, mais impossible aujourd'hui. J'ai un travail fou.

— Ecoutez, dit Michael. C'est important. Il vaudrait mieux qu'on se voie le plus tôt possible.

— Oh ? C'est à quel sujet ?

— Je ne devrais pas vous le dire au téléphone, mais ça concerne le prêcheur.

Silence du côté de Tollinger.

— Ecoutez, poursuit Oberfest, si vous ne pouvez pas déjeuner dehors, que diriez-vous de venir ici ? Je peux commander une pizza.

— Vous, vous venez ici, dit Tollinger. Et je commande une pizza. A treize heures ?

— Ça me va, dit Michael.

Tollinger raccroche en se demandant ce que cette fouine d'Oberfest peut bien avoir derrière la tête. Folsom et lui soupçonnent sérieusement le vice-président d'être l'âme de la sourde campagne de diffamation dont Hawkins est la cible. Et voilà que le secrétaire particulier de Samuel Trent veut partager une pizza. Tollinger se promet d'être prudent, très prudent.

Il appelle Domino's et commande une grande Extravaganza, reine des pizzas. Il a scrupule à demander à sa secrétaire d'aller chercher sa commande au poste de garde où le livreur de Domino's l'aura déposée. Aussi, à une heure moins le quart, se rend-il à pied de l'aile ouest jusqu'au poste situé dans Pennsylvania Avenue, où il récupère son bien dans son emballage isolant d'un rouge vif.

— Ça sent bon, dit le garde.

— Et c'est sans calories, lui dit Tollinger.

— Ouais, dit le garde. Comme les spaghettis et les boulettes de viande.

Oberfest arrive à l'heure avec un pack de six Coca basses calories. Ils étalent des serviettes en papier sur le bureau de Tollinger pour le protéger des taches et ils attaquent la pizza.

— Je n'ai pas beaucoup de temps, Mike, dit Tollinger. On pourrait aborder le sujet de votre visite.

— Votre bureau n'est pas sur écoutes, j'espère ? dit Oberfest avec un petit rire nerveux. C'est une affaire brûlante.

John le regarde.

— Ne soyez pas bête. Il n'y a pas de micros ici. Vous voulez fouiller ?

— Non, non, je vous crois sur parole. Voilà, je sais que vous vous inquiétez beaucoup au cabinet présidentiel au sujet de Frère Kristos.

— On s'inquiète ? Pourquoi s'inquiéterait-on ? Le président a le droit de chercher un secours spirituel où bon lui semble.

— Oui, je sais bien, mais toute cette publicité, toutes ces rumeurs qui circulent...

Tollinger hausse les épaules d'un air dégagé.

— Il y aura toujours des rumeurs, vous le savez bien.

Il n'y a rien d'autre à faire que de les ignorer. Démentez, et vous leur donnerez une importance qu'elles n'ont pas.

— Tout de même, il y a les articles dans la presse, proteste Oberfest. Et il est écrit que ce prêcheur de rien règne en coulisse.

— Des conneries, dit Tollinger en ouvrant une boîte de Coca. Croyez-moi, le patron dirige toujours le cirque. Il ne s'était jamais montré aussi actif et résolu.

— Si vous le dites. Mais on dit en ville qu'il prend conseil auprès de Kristos sur des problèmes politiques, et beaucoup de gens n'aiment pas ça.

— Qu'ils aillent se faire foutre, dit calmement l'assistant du chef de cabinet. Ils ne savent pas de quoi ils parlent. Est-ce pour ça que vous êtes venu me voir ? Pour me dire qu'il y a des ragots ?

— Pas exactement, dit Oberfest, qui réalise que cette conversation ne le mène nulle part. Je voulais seulement vous faire savoir que s'il y avait quelque chose que je puisse faire pour vous aider à étouffer un éventuel scandale, je serais heureux de...

— Quel scandale ? demande Tollinger, imperturbable.

Le calme froid de cet homme enrage Michael.

— Ecoutez, dit-il avec colère, vous croyez que je ne sais pas ce qui se passe ? Ce projet de distribuer les surplus alimentaires aux déshérités, ça commence à faire un sacré bruit au Capitole. Les retombées politiques pourraient être désastreuses.

— Et c'est pour cette dernière raison que vous vous portez volontaire pour nous aider ? Vous vous inquiétez au sujet des prochaines élections ?

— Bien sûr. Je ne veux pas voir le parti dégringoler à cause de ce bonimenteur d'église.

Tollinger se ressert une tranche de pizza.

— Quelle crapule vous faites, Mike, dit de son ton posé Tollinger. Votre patron serait probablement très content de voir le parti se ramasser aux prochaines élections. Ça lui mettrait le pied à l'étrier s'il décidait de courir pour la présidence. Est-ce lui qui vous a suggéré de déjeuner avec moi ?

— Non, il ne sait pas que je suis ici.

— Si vous dites vrai, alors c'est que vous agissez pour votre compte personnel. Et je me demande bien pour quelle raison.

— Je vous l'ai dit : je ne veux pas que le parti...

— Arrêtez avec ça ! aboie Tollinger. Vous insultez mon intelligence. Soit vous me dites ce que vous êtes venu chercher ici soit vous sortez. Je n'ai pas de temps à perdre.

— D'accord, dit Oberfest. Je vais vous dire la vérité. Je suis ici parce que je n'aime pas ce que fait Trent. Et ça m'écœure tellement que j'ai décidé de risquer ma place pour vous offrir toute l'aide que je peux.

Il conte ensuite par le menu le plan du vice-président pour discréditer Hawkins aux yeux de l'opinion et de son propre parti.

Tollinger l'écoute attentivement et il garde le silence pendant un moment après qu'Oberfest a terminé. Finalement...

— Et vous me racontez tout ça, Mike, parce que, soudainement, vous êtes devenu un homme scrupuleux et droit, c'est ça ? Vous ne pouvez supporter qu'une personne aussi digne de respect que le président Abner Hawkins soit victime d'une odieuse machination ? Exact ?

— Oui, c'est bien pour ça que je suis ici, dit Oberfest avec aplomb.

— Vous devrez trouver mieux que ça, dit Tollinger. Vous pourriez par exemple avouer le rôle que vous avez joué vous-même dans les plans du machiavélique Trent.

— Je ne faisais que suivre les ordres, dit le secrétaire d'une petite voix.

— D'autres ont employé cette phrase avant vous. Vous avez refilé des informations à la presse ?

— Quelques-unes.

— Répandu de sales rumeurs ?

— Deux ou trois.

— En réalité, vous avez mené avec ardeur la sale campagne de Trent jusqu'à ce que soudain la lumière vous soit apparue. C'est ça ?

— Vous n'imaginez même pas que je puisse être sincère, n'est-ce pas ?

— Oh, il doit vous arriver de l'être. Mais qui me dit que Trent ne vous envoie pas ici pour nous espionner ?

— Je jure que ce n'est pas vrai ! Je vous l'ai dit, il ignore tout de ma visite.

Tollinger le regarde d'un air sombre.

— Je ne sais pas pourquoi, mais là, tout de suite, je pense que vous dites la vérité. Pas toute la vérité. Je vous crois quand vous dites que Trent ne sait rien de votre visite ici, mais je ne crois pas que vous fassiez cela parce que vous vous êtes soudain découvert des scrupules. Vous devez avoir une autre raison.

— Alors, vous me laisserez vous aider ? demande, impatient, Oberfest. Je peux vous dire tout ce que concocte Trent.

— Je vais y réfléchir, dit Tollinger. Maintenant, laissez-moi retourner à mon travail. J'ai eu assez de mélodrame pour la journée.

Mais après le départ d'Oberfest (qui a emporté avec lui le reste des boîtes de Coca), Tollinger n'esquisse aucun geste vers la pile de dossiers sur sa table. Il quitte son bureau et part en quête du chef de cabinet pour l'informer de la louche offre de services que vient de leur faire le non moins louche Michael Oberfest.

17

George Hawkins a reçu la permission de veiller tard pour jouer avec Frère Kristos. Kristos est à quatre pattes, et George le chevauche, enfonçant ses talons dans les côtes du prêcheur. Le président et sa femme regardent, attendris.

— Allez, hue ! crie le garçon.

Et le cheval de se cabrer et de ruer tandis que son frêle cavalier s'agrippe à son col en hurlant de joie.

Puis tous deux s'écroulent sur le tapis, entremêlés et riant.

— J'espère qu'il n'est pas trop lourd pour vous, dit Helen Hawkins.

— Lourd, George ? dit Frère Kristos, se relevant. George est un sac de plumes.

Il se penche, soulève le garçon haut dans l'air et le balance d'un côté et de l'autre.

— Un sac de plumes, voilà ce que tu es !

Puis il dépose doucement l'enfant sur le canapé entre ses parents.

— Pour dire la vérité, dit le prêcheur avec un sourire, notre héros commence à prendre du poids. Nous ne pourrons plus jouer au cheval dans quelque temps. Allez, mon frère, montre-moi tes muscles.

George fléchit un petit bras maigre, et Kristos lui tâte le biceps.

— Oh, oh ! dit-il. Ça grossit drôlement. Je ne vais plus lutter avec toi.

— Je parie que je te fais toucher les épaules, le défie l'enfant.

— Tu en serais bien capable, dit Frère Kristos.

Il caresse la joue de George.

— Tu deviens trop fort pour moi.

Le président Hawkins jette un regard à la pendule en loupe d'orme sur le manteau de la cheminée.

— Il est temps d'aller au lit, mon garçon, dit-il à son fils. Helen, veux-tu appeler McShane ?

Le sergent, qui attend dans le couloir, arrive en souriant. Il porte son uniforme bleu marine, et George ne se lasse jamais d'entendre le nom des décorations du Marine et comment elles ont été gagnées.

Le garçon embrasse son père et sa mère puis offre gravement sa main à Kristos qui la serre avec la même gravité.

— N'oublie pas de dire tes prières, mon frère, dit-il, et dors bien.

Dennis McShane emmène l'enfant hors de la pièce et referme sans bruit la porte.

— C'est vrai qu'il a pris un peu de poids, dit le président, mais ce n'est pas assez. Je crains qu'il ne devienne jamais un grand gaillard.

— Il ne sera peut-être pas fort physiquement, dit le prêcheur, mais il le sera spirituellement. Vous serez fier de lui. Espérez-vous qu'il vous suive dans une carrière d'Etat ?

— C'est un parcours difficile, dit, sceptique, le président. Qu'en penses-tu, maman ?

— Oh, il est trop tôt pour décider, dit Helen. Des fois, il veut être pompier, ou pilote, ou policier. Aujourd'hui, il m'a dit qu'il voulait être sergent dans les Marines, tout comme Dennis McShane.

— Il pourrait choisir pire, dit son mari. En tout cas, ça prouve au moins qu'il pense à son avenir.

— Et c'est à Frère Kristos que nous le devons, dit la Première dame. C'est vrai, George a un avenir. Nous ne pourrons jamais assez vous remercier de ce que vous avez accompli à Camp David.

Le prêcheur secoue la tête avec humilité.
— C'était l'œuvre de Dieu, dit-il, pas la mienne.
— Amen, dit le président. Mais maintenant, j'ai besoin de votre conseil sur un sujet plus matériel. L'une des raisons pour lesquelles je vous ai demandé de passer ce soir était de vous entretenir de notre projet de distribution des surplus. Nos gens à l'Agriculture dressent un programme de distribution qui ferait appel à tous ceux qui œuvrent déjà dans les églises, les organisations de charité et autres bonnes œuvres. Qu'en pensez-vous ?
— Je pense que cela est sage.
— J'ai également demandé au bureau du Conseil général de me dire si je peux déclencher cette campagne par décret présidentiel ou bien si je dois passer par la voie législative.
— Je suis heureux d'apprendre que le projet avance.
— Mais si lentement ! se plaint Hawkins. Vous savez, c'est facile pour un président de donner un ordre, mais pour qu'il soit exécuté, il faut le suivre, veiller à ce que les gens concernés s'y attellent sans tarder. J'ai pensé que vous pourriez peut-être me suggérer un moyen de donner à ce projet l'importance qu'il mérite.
Frère Kristos réfléchit un instant.
— Comme je vous l'ai dit, père, je connais peu de chose à la politique. Mais il me semble que vous feriez mieux de renoncer à convaincre l'administration de ce pays et de vous adresser directement au pays lui-même. Je suis persuadé que vos enfants approuveraient votre projet. Peut-être pourriez-vous apparaître vous-même à la télé et leur expliquer de vive voix ce que vous voulez entreprendre. Montrez-leur les files de miséreux dans les soupes populaires, les mendiants dans les rues, leur fierté vaincue par la faim.
Le président se tourne vers sa femme.
— Qu'en penses-tu, maman ?
— Oh, oui, dit-elle. Tu es tellement beau à la télé.
— Et pas au naturel ? plaisante-t-il. Ma foi, l'idée me paraît bonne, Frère Kristos, mais il faut que j'y réfléchisse.
— En vous adressant directement au peuple, dit Kristos, et en obtenant son approbation et son appui, vous disposerez d'un moyen de pression sur les bureaucrates qui musardent et rechignent à exécuter vos ordres.
Hawkins sourit.
— Je crois que vous en connaissez plus en politique que vous voulez bien l'admettre.

— Ce n'est pas la politique que je connais, mais les gens. Je sais qu'il est difficile de les faire agir, surtout quand l'action implique un changement. C'est pourquoi je vous suggère de lancer un appel télévisé.

— C'est possible, après tout, dit, songeur, le président. Je pense que nous pourrions obtenir, disons, une demi-heure à l'heure de grande écoute sur les principales chaînes si je leur dis qu'il s'agit d'un sujet d'importance nationale. Voudriez-vous apparaître également, Frère Kristos ? Je suis sûr que vous trouveriez les mots allant au cœur des gens.

— Oh, non, père, c'est impossible. D'abord, je ne désire pas de publicité. La distribution doit passer pour votre idée. Et je ne voudrais pas donner des munitions à vos ennemis en partageant votre passage à la télé. On les entendrait beugler que je vous ai influencé.

Abner Hawkins le considère avec acuité.

— Rien ne vous échappe, n'est-ce pas ? Vous savez donc quelles rumeurs courent à notre sujet. Mais si vous refusez de vous montrer au petit écran, accepterez-vous de collaborer avec mes rédacteurs pour donner à mon discours toute l'éloquence religieuse possible ? Je voudrais que chacun mesure toute la portée morale du projet.

— Bien sûr, je vous aiderai de mon mieux.

Le président réfléchit pendant un moment.

— Je pense, dit-il enfin, qu'avant de solliciter mon passage sur les chaînes, je ferai procéder à un sondage d'opinions. Nous verrons ainsi quel est le pourcentage du public en faveur d'une distribution des surplus. Après tout, les réserves alimentaires appartiennent aux citoyens américains.

Frère Kristos fixe le président Hawkins d'un regard brillant de ferveur.

— Je vais vous le dire tout de suite, dit-il de sa voix plate. Plus de deux tiers de vos enfants approuveront votre projet.

— Deux tiers ? dit la Première dame. Mais c'est formidable !

— Voyons d'abord si le pronostic de Kristos se confirme. Le sondage ne devrait pas prendre plus d'un jour ou deux. Et si les résultats sont aussi favorables que nous l'espérons, alors nous lancerons notre appel télévisé.

Ils passent près de deux heures à plancher sur le passage du président au petit écran : quelles images présenter pour illustrer le discours de Hawkins, à quel comédien faire appel pour commenter ces images, et de l'opportunité de montrer de riches buffets et de grands restaurants en contraste avec les affamés... cela ne serait-il pas trop grossier ?

Finalement, à minuit passé, Hawkins déclare :

— Nous ferions mieux d'arrêter là. J'ai une journée chargée, demain, et je veux que l'on fasse ce sondage sans traîner. Frère Kristos, une fois de plus, je vous remercie de votre secours. Comme toujours, tous vos conseils sont emplis de raison et en même temps conformes à l'esprit du Christ.

— Je n'aime pas voir Frère Kristos rentrer seul en pleine nuit, dit Helen.

Le président se tourne en souriant vers le prêcheur.

— Que diriez-vous de dormir dans la chambre de Lincoln ? demande-t-il.

18

Henry Folsom lève des yeux stupéfaits vers son collaborateur.

— Il a prédit que deux tiers des personnes interrogées approuveraient, et le sondage indique 65,4 % d'avis favorables. Comment diable pouvait-il savoir ça ?

— Je ne sais pas, répond Tollinger.

— Je vous le dis, John, en dépit de ce que Lindberg écrit dans sa dernière lettre, je commence à croire que ce type n'est pas un simple charlatan. Ne pensez-vous pas qu'il pourrait avoir une espèce de pouvoir surnaturel ?

— J'ai arrêté de me le demander.

— Non, c'est faux, dit Folsom. C'est tout à fait le genre d'énigme intellectuelle dont vous raffolez. En tout cas, dès la parution du sondage, le patron a décidé de foncer plein pot à la lucarne.

— Une idée de Frère Kristos ?

— Qui sait ? Il est difficile aujourd'hui de savoir où finit Hawkins et où commence Kristos. Le mécontentement bouillonne. J'ai eu une longue conversation avec les principaux représentants du parti, hier au soir. Heggerman est venu de Minneapolis, Olson de Kansas City, Planey de

Denver, et Leibowitz de Los Angeles. La réunion, qu'on a tenue dans un motel à Baltimore, a duré six heures.

— Et ?

— Et c'est là que vous intervenez.

— Oh, oh !

— Oui. On est tombés d'accord là-dessus : Hawkins aura peut-être l'approbation de toutes les âmes charitables mais les producteurs alimentaires vont lui faire la peau. Et ça représente les agriculteurs, les conditionneurs, les distributeurs, les grossistes et tout ce que le pays compte de surfaces commerciales, des géantes aux épiceries de villages. Si son projet de surplus du cœur passe, on peut courir pour que les régions agricoles votent pour nous.

— Vous avez dit que c'est là que j'interviens.

— Bon, tout le monde a été également d'accord pour dire que le nœud du problème, c'était Frère Kristos. Si nous pouvions nous débarrasser de ce bâtard sanctifié, il n'y aurait pas de problème, pas de projet insensé. Alors, on m'a autorisé à vous demander si vous ne pourriez pas vous charger de la besogne. Nous sommes disposés à offrir à Frère Kristos un beau paquet de fric, le tout en petites coupures usagées, s'il veut bien mettre les voiles. L'idéal serait qu'il dégage le plus loin possible — qu'il aille dorer son cul béni sur la Riviera française, bordel ! Enfin, qu'il s'engage à ne plus revoir le président.

— Combien lui offrez-vous ?

— Nous avons fixé un maximum d'un million de dollars, mais nous espérons qu'il se contentera de moins. Ce type en est encore à racler une pièce par-ci une pièce par-là pour son église. Nous lui offrons plus qu'il n'en verra jamais dans sa vie. Il serait le dernier des couillons s'il ne sautait pas dessus, et couillon il ne l'est pas.

— Je ne suis pas aussi sûr que vous qu'il saute sur l'occase, dit lentement Tollinger.

— Mais vous essaierez de le persuader, n'est-ce pas ? Il n'y a que vous qui puissiez mener ça à bien.

— D'accord, d'accord, je ferai ce que je peux.

— Merci, John. Je savais que je pouvais compter sur vous. Allez-y le plus tôt possible... d'accord ?

— D'accord. Je l'inviterai chez moi ; ce sera plus discret.

— Bonne idée. Ah, vous avez d'autres nouvelles de Mike Oberfest ?

— Oui, il continue de m'informer, mais rien que nous ne

sachions déjà. Trent appellerait toutes ses relations au parti pour leur dire que Hawkins est devenu un zombie.

— Ah ! cette salope ! Si nous arrivons à nous défaire de Kristos, je m'en occuperai personnellement, de ce Trent. Il aura de la chance s'il se retrouve employé à la fourrière municipale. Bonne chance, John. Et essayez de rester en dessous du million.

L'assistant du chef de cabinet regagne son bureau, beaucoup moins optimiste que Folsom quant à l'issue de la transaction, mais décidé cependant à la mener du mieux possible. Il appelle Audrey Robertson pour avoir le numéro de téléphone de Kristos.

— Pourquoi voulez-vous son numéro de téléphone, mon cher John ? demande la secrétaire de la Première dame. Un besoin subit de confesser vos péchés ?

— Quels péchés ? dit John. Je suis blanc comme neige !

— Et moi, une blanche colombe, réplique-t-elle.

Mais il n'obtient pas de réponse à ses appels répétés avant quatre heures de l'après-midi. Enfin, il a Kristos au bout du fil, et il se présente.

— Oui, je me souviens de vous, dit le prêcheur. Le cynique.

— Pas exactement. Plus sceptique que cynique. La dernière fois que nous nous sommes croisés, à la Maison-Blanche, vous m'avez dit qu'on devrait avoir un jour une longue conversation tous les deux.

— Je m'en souviens.

— Si on l'avait ce soir ? Pourriez-vous venir chez moi, à Spring Valley ? Nous boirons quelques verres et ferons plus ample connaissance.

— Pourquoi pas ? dit Kristos. Quelle heure ?

— Disons vers neuf heures.

Puis Tollinger donne son adresse au prêcheur et lui indique comment s'y rendre.

— A moins que vous n'ayez pas de voiture, ajoute-t-il. Dans ce cas, je serais heureux de passer vous prendre.

— J'ai une voiture, dit Frère Kristos. Toute neuve.

— Oh ! Qu'avez-vous acheté ?

— Une Scorpio. Argent métallisé, quatre portières.

En rentrant chez lui ce soir-là. Tollinger s'arrête pour acheter une bouteille de Glenfiddich pour lui-même et un litre de vodka Absolut pour Kristos. Amusé, il achète également une bouteille de vodka au piment. Il est curieux de vérifier si le prêcheur est le soûlard que décrit la rumeur. Il espère aussi qu'après quelques verres, Frère Kristos sera plus facile à convaincre.

— Merci d'être venu si promptement, dit-il. Je voulais avoir une conversation avec vous.

Frère Kristos sourit mais ne répond pas.

— J'ai de la bière, du vin, du scotch, de la vodka, du gin, et je peux vous faire un martini-gin, si vous aimez. Que préférez-vous ?

— De la vodka, s'il vous plaît.

— Avec de la glace ? De l'eau ?

— Nature.

— Je suis tombé là-dessus par hasard, dit Tollinger en tendant à Kristos la bouteille de vodka au piment. J'ai goûté. C'est très poivré. Vous voulez essayer ?

Le prêcheur inspecte la bouteille, la débouche, la porte à ses lèvres et en boit une gorgée.

— Très bon, dit-il.

Tollinger lui donne un verre, et Kristos le remplit pendant que John se verse deux doigts de pur malt.

— A votre santé, dit-il, levant son verre.

Il boit une petite gorgée. Quand il reporte son regard sur le prêcheur, il remarque que celui-ci a vidé son verre.

— Quelle descente ! dit-il, admiratif. Mais resservez-vous, la nuit est encore jeune.

— Pourquoi m'avez-vous demandé de venir ? demande Kristos en se versant une deuxième rasade.

— Oh, pour faire davantage connaissance. Je ne pensais pas que vous accepteriez. Je sais que vous êtes très occupé avec toutes les... comment appellent-ils ça... les sermonettes que vous donnez.

— Certaines personnes les appellent comme ça, mais pas moi. Un sermon est un sermon. Le sermon le plus beau dans les Ecritures consiste en deux mots : « Jésus pleura. »

— L'Evangile selon saint Jean, dit Tollinger.

— Vous avez lu la Bible ?

— Seulement ce que je viens de citer, dit John en riant. Parce que c'est mon prénom. Le vôtre est Jacob, n'est-ce pas ?

— Oui.

— Eh bien, c'est un beau nom biblique.

— Et c'est pour ça que vous m'avez invité, ce soir ? demande Frère Kristos. Pour parler de prénoms ?

— Pas vraiment. Je voulais savoir ce que vous pensiez des relations entre l'Etat et la religion.

— Elles sont définies par la Constitution : « Une seule nation sous un seul Dieu ».

— Je sais cela, dit Tollinger, et il n'y a que les athées pour s'élever contre la reconnaissance officielle de l'Etre Suprême. Mais quelle influence pensez-vous que la religion doit avoir sur les affaires du gouvernement ?

— Je crois que l'observation des commandements de Dieu devrait être le guide de toutes les activités gouvernementales.

— Ah ? Mais c'est là que vous rencontrez des problèmes. Il existe dans ce pays des douzaines de religions et des centaines de sectes. Leurs interprétations des commandements de Dieu sont souvent contradictoires. Comment un chef de l'Exécutif pourrait-il prétendre à la bonne interprétation de la volonté divine ? Ce serait possible si nous avions une religion d'Etat, mais les sages qui ont élaboré notre constitution en ont mesuré tout le danger et ont proscrit la chose.

— La foi ne peut être proscrite, et vous voyez des problèmes là où il n'y en a pas. La croyance en un Dieu bienfaiteur est universelle. Les contradictions et les querelles entre les différentes Eglises n'ont que des causes mineures, des désaccords concernant les rituels.

— Des « causes mineures », comme vous dites, qui ont provoqué de sanglantes guerres de religion.

Frère Kristos regarde longuement Tollinger, puis il avale une gorgée de vodka, à la bouteille.

— Il y a de nombreux faux prophètes, dit-il. Tuer ne fait pas partie des commandements de Dieu.

— Alors si nos dirigeants croyaient fermement au message divin de paix sur la terre, ils devraient adopter le désarmement unilatéral, si je vous ai bien compris.

— Vous m'avez mal compris. Dans un monde pacifique le désarmement va de soi. Mais dans un monde agressif et dangereux, il est normal d'assurer sa défense.

Tollinger se verse un autre whisky.

— Je suis heureux de vous l'entendre dire. Dans le monde tel qu'il est, les armes de guerre sont une nécessité, même si elles vont à l'encontre des souhaits de Dieu. La foi religieuse seule ne pourra jamais guider les hommes d'Etat. Le monde est trop complexe. Il n'y a pas de solution unique. Il ne peut y avoir que débats, arguments, arrangements et compromis. Transiger est la seule façon de parvenir à quelque chose.

— Vous parlez avec la tête, dit le prêcheur, et je parle avec le cœur. Les compromis sont acceptables dans le domaine matériel mais pas dans celui de la foi. La foi est un roc qu'on ne peut fendre en deux.

John est éberlué de voir que la bouteille de vodka au piment est vide. Pourtant, Frère Kristos est toujours assis bien droit dans son fauteuil et il parle d'une voix claire, éloquente. Tollinger lui apporte la bouteille d'Absolut tout en se disant que si lui-même avait bu autant, il serait déjà en salle de réanimation.

— Frère Kristos, dit-il, laissez-moi vous donner un exemple de projet gouvernemental qui est en accord avec le message de Dieu mais complètement en porte à faux avec les réalités politiques. Je suis sûr que vous avez eu connaissance de l'intention du président de distribuer nos surplus alimentaires aux citoyens défavorisés.

Kristos sourit, ouvre la bouteille d'Absolut et s'en envoie une lampée.

— Ah, dit-il, maintenant je sais pourquoi vous m'avez invité ce soir.

Tollinger ignore sa remarque.

— Le but de ce projet est certainement conforme à la volonté de Dieu, mais il risque d'avoir des résultats catastrophiques. Je pense aux dommages que subiraient les agriculteurs et toute la chaîne alimentaire. Pensez-vous sincèrement qu'ils accepteront sans réagir qu'on les plume uniquement parce que cela est conforme à l'esprit chrétien ?

— S'ils ont la foi, dit Kristos, ils accepteront avec joie, sachant que leurs sacrifices bénéficieront à la multitude des affamés.

John Tollinger soupire.

— Ce projet de distribution des surplus est une idée du président, demande-t-il abruptement, ou une idée à vous ?

— Elle nous est venue au cours d'une discussion sur ce que pouvait entreprendre le gouvernement pour être plus fidèle à la parole de Dieu.

— Hum ! Mais vous reconnaissez avec moi que ce projet pourrait avoir de funestes conséquences ?

Frère Kristos sourit.

— Funestes pour le parti du président ?

— Naturellement, dit Tollinger. Cela va sans dire. Il se

trouve que c'est un parti qui, selon moi, a remarquablement servi le pays jusqu'ici et qu'il est appelé à le servir encore mieux s'il se maintient à la Maison-Blanche. Et voilà qu'il est menacé de perdre le pouvoir parce que la religion vient se mêler des affaires de l'Etat. Vous vous rendez compte de ce que vous avez fait ?

— Dites-moi, qu'ai-je donc fait ?

— Vous avez provoqué la colère et suscité des divisions à la veille des élections législatives. Si vous continuez comme ça, le parti court à la défaite.

— Et alors ?

— Alors les responsables du parti désirent que vous vous retiriez, que vous quittiez Washington et cessiez toute relation avec la famille présidentielle.

Frère Kristos le regarde avec toute la ruse d'un maquignon.

— Vous aussi vous souhaitez mon départ ?

— Oui, répond fermement Tollinger. Je le souhaite. Et pour des raisons plus philosophiques que politiques. Je pense que votre relation avec le président représente une intrusion dangereuse de la religion dans l'Etat.

Le prêcheur reste silencieux pendant un long moment, couvrant Tollinger d'un regard songeur en tétant la bouteille d'Absolut.

— Combien ? demande-t-il à la fin.

— Beaucoup d'argent, dit John. Un quart de million. En espèces. Petites coupures.

Kristos a un sourire moqueur.

— Ils pourraient peut-être monter un peu plus, admet Tollinger.

— Jusqu'à combien ?

— Un demi-million.

Le prêcheur secoue la tête.

Humilié par ce honteux marchandage, Tollinger s'empresse d'ajouter :

— Je suis autorisé de vous offrir jusqu'à un million. Pas plus. Voilà.

— Non, dit Kristos.

Ses yeux sont presque fermés.

— Ni un million, ni cinq, ni cent, ni mille !

John termine son verre, s'en verse un autre, le vide, et ne se ressert pas.

— Pas d'argent ? dit-il. Alors que voulez-vous ?

L'autre homme ne répond pas.

Tollinger se penche en avant.

— Je sais ce que vous voulez, dit-il d'une voix vibrante de colère. Vous voulez le pouvoir.

Frère Kristos se lève soudain, brandit la bouteille de vodka au-dessus de sa tête.

— Le pouvoir de Dieu ! rugit-il. LE POUVOIR DE DIEU !

TROISIEME PARTIE

1

— Et maintenant... le président des Etats-Unis.

Le sceau présidentiel s'efface sur l'écran. Abner Hawkins apparaît, assis à sa table de travail dans le Bureau Ovale, flanqué de drapeaux. Il est sobrement vêtu d'un complet sombre. Il a les mains posées au bord de son bureau et il parle d'une voix ferme avec son accent du Middle West.

— Mes chers compatriotes, commence-t-il, je vous remercie de m'accueillir chez vous. Ce soir, je veux vous parler d'un problème qui affecte chacun de nos concitoyens. Je veux vous parler de la faim en Amérique.

Le président fait alors état du nombre estimé d'enfants, d'hommes et de femmes venant chercher pitance dans les soupes populaires et autres centres d'aide tenus par les organisations religieuses et les associations de charité.

— Elles font de leur mieux mais leurs fonds sont limités, et le nombre des nécessiteux grandit chaque jour. Ceux auxquels va cette aide sont de braves gens — ils peuvent être vos frères, vos sœurs, vos pères, vos mères — mais que l'infortune a forcés contre leur dignité à tendre la main à des restes pour ne pas mourir de faim.

« Laissez-moi vous montrer quelques-uns de ces centres qui s'efforcent du mieux qu'ils peuvent, malgré leurs faibles moyens, de fournir des repas aux nécessiteux. Je vous préviens, ce sont des images pénibles, choquantes, mais je vous demande de ne pas vous détourner ou éteindre votre poste. Car c'est un devoir, envers vous-mêmes comme envers votre pays, que de voir dans quelles conditions certains d'entre nous sont contraints de vivre. »

A l'écran apparaît une longue file de gens dans une rue de New York, avançant lentement pour recevoir un mince sandwich et une pomme. Puis l'on voit le sous-sol d'une église de Los Angeles, où l'on distribue des marchandises périmées provenant de supermarchés ; et encore un entrepôt dans Chicago où ce sont des boîtes de conserve cabossées que l'on donne deux fois par semaine.

— Et maintenant, continue Hawkins, j'aimerais vous présenter quelques-uns de nos compatriotes qui connaissent la faim ou sont menacés de la connaître.

Passe alors une série de brèves interviews d'un ouvrier de Pittsburgh au chômage, d'un charpentier de l'Ohio qui ne peut plus travailler à cause de l'arthrite, d'une jeune femme en Floride abandonnée avec ses trois enfants par son mari, d'un vieux couple dans le Colorado dont la retraite-vieillesse est insuffisante pour payer leur loyer, leurs frais médicaux, et de quoi manger.

— Les tickets d'alimentation ne sont pas une solution, reprend le président Hawkins. Certes, ils apportent une aide précieuse mais le problème de la faim en Amérique a pris de telles proportions que nos structures actuelles ne peuvent affronter la crise, et j'emploie délibérément ce mot, car c'est une crise.

« Alors, que doit-on faire ? Pourquoi y aurait-il des affamés sur cette terre d'abondance ? Le problème ne se situe pas à la production mais à la distribution.

« Et où se trouvent les produits qui pourraient nourrir tous ces Américains affamés ? Ils se trouvent dans des entrepôts du gouvernement. Et qui possède tout cela ? Mais vous-mêmes ! Je vais vous montrer. »

Tandis que des chiffres apparaissent à l'écran, la voix du président énumère la quantité et la variété des surplus alimentaires dont l'Etat est propriétaire. Des images suivent, montrant des silos, des entrepôts frigorifiques et autres lieux de conditionnement où s'entassent des tonnes de blé, de beurre, de lait en poudre, de sucre, de conserves, de fruits, de légumes, de tout.

— C'est votre garde-manger, dit Hawkins, votre garde-manger national. Et il est là, bien rempli, alors que des Américains en sont réduits à fouiller dans les poubelles ou à mendier une méchante soupe.

Le président propose ensuite que l'on donne les surplus alimentaires que possède l'Etat. La distribution se fera par tous les organismes de charité publics et privés. Personne ne tirera un profit financier de l'opération ; seuls les affamés en profiteront.

— En donnant nos surplus aux nécessiteux, dit-il avec ardeur, nous nous affirmons en tant que nation, une et indivisible, et comme une famille dont les membres seraient responsables les uns des autres. Nous montrerons au monde entier que nous ne laisserons pas nos enfants mourir de faim quand nos greniers et nos entrepôts regorgent de nourriture.

Le président respire alors profondément, joint les mains et se penche en avant.

— Mais il y a une autre raison de nourrir ceux qui ont faim, dit-il, grave et solennel, une autre raison que la fierté nationale.

Il délivre ensuite une conclusion écrite avec le secours de Frère Kristos.

— Cette nation a été créée par des hommes et des femmes emplis d'une foi inébranlable en l'Etre Suprême. Toute notre histoire illustre notre croyance et notre fidélité à Dieu et à Ses commandements.

« C'est pourquoi nous ne devons pas hésiter à réaliser ce plan d'aide aux nécessiteux, car il est dit dans la Bible : Comment pourrait-il être habité par l'amour de Dieu celui qui, ayant des biens en ce monde, refuse sa compassion à son frère dans le besoin ?

« Je crois que l'amour de Dieu est dans les cœurs de tous les Américains. Ce soir, je vous demande de prouver cet amour en approuvant ce don à vos frères et sœurs dans le besoin que je vous exhorte à faire avec moi.

« Bonne nuit et que Dieu vous bénisse. »

L'image du président n'a pas plus tôt disparu des écrans que les téléphones au standard de la Maison-Blanche se mettent à sonner.

2

La vie a changé pour Lenore Mattingly. Elle est devenue la maîtresse de ce qu'un échotier mondain a surnommé la Petite Maison-Blanche. Son téléphone n'arrête pas de sonner. Elle est assiégée par des reporters, des photographes, voire des religieux.

Les sermonettes se donnent à raison de quatre par semaine dans les appartements de Frère Kristos, et la demande pour écouter le prêcheur est devenue telle que les réservations doivent se faire des semaines à l'avance.

Mme Mattingly se trouve elle-même conviée de tous côtés à des déjeuners, des thés. Tout le monde veut en savoir plus sur Frère Kristos. Quel genre d'homme est-il vraiment ? Est-il capable, comme on le dit, de lire dans le passé des gens, de prédire l'avenir, de guérir les malades ? Est-il vrai qu'il boit beaucoup et fornique fréquemment sans le moindre sentiment de culpabilité ?

Mme Mattingly défend Frère Kristos avec une ferme résolution. Il est, dit-elle aux curieux et aux indiscrets, un homme de Dieu, un authentique homme de foi, et assurément doté de rares pouvoirs.

Bien entendu, il y a quelques servitudes à héberger chez soi un grand homme, bien que Lenore jamais ne les mentionne, pas même à Emily. Par exemple :

Ce chien pouilleux dort sous l'évier de la cuisine et on doit sans cesse lui ouvrir la porte pour qu'il sorte dans le petit jardin de derrière dont il a déjà tué tous les rhododendrons.

Les deux jeunes femmes qui servent comme cuisinière et femme de ménage sont décemment vêtues, certes, mais elles ont toutes deux bien des défauts. Pearl Gibbs est une femme de ménage très négligée ; elle ne sait tout simplement pas balayer. Quant aux plats préparés par Agnes Brittlewaite, ils vous emportent le palais, tellement ils sont poivrés.

Mais son ressentiment le plus sourd, le plus profond, jamais formulé, va à Frère Kristos lui-même. L'homme est devenu une bête mondaine. Non seulement il se rend fréquemment à la Maison-Blanche mais il est invité à des dîners d'ambassade, des représentations artistiques à Kennedy Center, des inaugurations et des vernissages à l'institut Smithsonian

Et pas une fois, une seule, il n'a invité Lenore à l'accompagner. Elle éprouve un grand dépit de cette inattention et de cette apparente ingratitude, après tout ce qu'elle a fait pour lui. Mais elle se réconforte elle-même de la pensée qu'il ne fait que protéger sa réputation en n'invitant pas une femme chez qui, après tout, il vit. Le grand homme de Dieu qu'il est se doit de donner au public une image de célibat et de spiritualité.

L'un des événements mondains que Lenore ne voudrait pour rien au monde manquer, mais auquel elle n'est pas invitée, est un cocktail à l'ambassade italienne en l'honneur de Marcello Mastroianni. Frère Kristos est là, et il attire l'attention presque autant que la star de cinéma.

Kristos, entièrement vêtu de noir, est entouré de politiciens fort désireux de discuter avec lui du projet d'aide alimentaire et de découvrir quel rôle le prêcheur a pu jouer dans sa préparation.

Il répond à leurs questions aussi brièvement que possible, déclarant que sa seule contribution a été d'inspirer la conclusion d'esprit religieux prononcée par le président lors de son passage télévisé.

Quelqu'un à côté de lui dit :

— Tirée de l'Evangile selon saint Jean.

Puis elle cite :

— « Mes enfants, n'aimons pas avec des discours mais avec des actes. »

Il se tourne lentement pour la regarder. C'est une mince femme noire avec une boule de cheveux gris. Elle porte des lunettes à monture d'acier et un tailleur mauve sans forme.

— Oui, lui dit Kristos, c'est exact.

— Et aimez-vous avec des actes, Frère Kristos ? demande-t-elle d'une voix claire.

— Dieu jugera, dit-il.

— Mais pas en ce monde, rétorque-t-elle, provoquant des rires.

Le papotage politique se poursuit, et au bout d'un moment Kristos s'excuse et se rend aux toilettes. Il s'attarde un instant, se peigne les cheveux, la moustache et la barbe. Quand il sort, la femme noire l'attend dans le couloir. Elle tient un verre de champagne dans une main et une pâtisserie dans l'autre.

— Vous en voulez ? demande-t-elle.

— Non, merci.

— Pourrions-nous bavarder un moment ?

Il la regarde. Elle a des manières vives, franches, comme si elle avait plus l'habitude de parler que d'écouter, et surtout que de s'en laisser conter.

— J'allais partir, lui dit-il.

— Ça ne prendra qu'une minute, dit-elle avec assurance. Et elle l'entraîne dans le couloir jusqu'à deux fauteuils capitonnés.

— Je m'appelle Lu-Anne Schlossel, dit-elle quand ils se sont assis. Représentant la Georgie, douzième circonscription. J'en suis à mon quatrième mandat, et j'espère être réélue en novembre. Je m'active dans plusieurs comités, mais c'est la faim, mon cheval de bataille. Jusqu'ici je n'ai jamais reçu la plus petite aide de la part de l'administration, et je ne m'attendais pas à en recevoir de Hawkins. Et puis le voilà qui, soudain, adresse ce discours à la nation. Ça fait des années que je me bagarre pour ça au Congrès. Maintenant que la Maison-Blanche semble décidée à nous soutenir, nous pensons que nous allons enfin parvenir à quelque chose. Je voulais vous remercier personnellement.

— L'idée est du président seul, dit Frère Kristos.

— C'est une très bonne réponse, dit-elle. Et gardez-la, car ça n'arrangerait pas nos affaires si le bruit courait qu'un marabout conseillait le président.

— Un marabout ?

— C'est comme ça qu'on appelle les types comme vous dans l'arrière-pays, en Georgie. Ecoutez, je ne sais pas ce que vous cherchez, et je ne veux pas le savoir. Peut-être que vous êtes totalement sincère, mais j'ai assez roulé ma bosse dans cette ville pour me garder de croire à tout ce qu'on raconte. L'important est que vous soyez de mon côté. Je crois que nous pouvons nous aider mutuellement. Vous avez l'oreille du président, et moi j'ai pas mal d'appuis au Comité de la Faim et dans la communauté noire. On m'a surnommée l'« Emmerdeuse d'Ebène », ce que je prends pour un compliment. Alors, qu'en dites-vous ? Avoir une alliée au Capitole, ça vous intéresse ?

— Oui.

— Alors nous pouvons travailler ensemble ?

Il acquiesce d'un signe de tête.

— Bien. Nous nous verrons aussi souvent que possible pour échanger des idées. Si Hawkins soumet son projet au

Congrès, nous allons assister à une sacrée bagarre. Il nous en faudra du travail et du temps d'ici que les premiers surplus soient effectivement distribués.

— Pourquoi y aurait-il des objections à ce qu'on nourrisse ceux qui ont faim ?

— Mon ami, vous vous y connaissez peut-être en prêches, mais vous ne savez rien de la politique. Et d'abord, ne parlez plus de « distribution ». Les gens n'aiment pas trop cette idée de distribuer les biens de l'Etat. Appelez ça « partage » des surplus, et ça passera mieux dans l'opinion publique.

— Oui, dit-il avec sérieux, vous avez raison.

— Bien, dit-elle en se levant, nous voilà donc associés. Je suis heureuse que vous ayez l'esprit pratique.

Elle enfourne son dernier morceau de gâteau, s'essuie les doigts sur la jupe de son tailleur et lui tend la main.

— Merci de m'avoir écoutée, Frère Kristos. A bientôt.

Il lui serre la main mais ne la relâche pas tout de suite. Il la regarde dans les yeux, et elle est consciente de la brûlante intensité de son regard.

— Allons bon, dit-elle, moqueuse, voilà que vous me faites des yeux de marabout.

— Ce n'est pas parce que celui que vous aimiez en a épousé une autre, dit-il, que vous devez renoncer à tous les hommes.

Elle dégage vivement sa main comme sous l'effet d'une brûlure.

— Espèce de salopard ! siffle-t-elle, furieuse.

3

« Tollinger,

Affaire : Frère Kristos.

Fichue balade au pays des bouseux que je viens de faire là. J'ai traversé huit Etats et plus de villes, de villages et de trous perdus que ma mémoire pourra jamais en retenir. Je pense avoir maintenant une assez bonne idée du parcours de Kristos avant qu'il n'atterrisse dans cet ancien séchoir à tabac, en Virginie, et je suis prêt à boucler ma valise et à rentrer à Washington.

Il appert qu'il s'en est tenu au pays profond pour fourguer sa potion religieuse, s'arrêtant dans les bleds paumés plutôt que dans les agglomérations où il risquait de tomber sur des moins naïfs.

Il plantait sa tente, placardait des affichettes sur les poteaux télégraphiques et les clôtures. Il y avait sa photo et l'annonce que le révérend Jacob Christiansen prêcherait chaque soir sur le thème du péché, de la tentation et de l'amour de Dieu. Mais il était assez malin pour aller d'abord serrer la pince du shérif et celle du pasteur de la paroisse. Naturellement, je n'ai trouvé personne pour me dire qu'il partageait sa recette avec l'un ou l'autre de ces nobles représentants de la loi et du Seigneur, ce qu'il devait pourtant faire pour avoir la paix.

Tout le monde se souvient encore de ses sermons. C'est que leur thème était intéressant : on pouvait s'envoyer en l'air jusqu'à l'épuisement et avec n'importe qui sans commettre de péché car Dieu avait créé l'homme à Son image, et on sait bien que Dieu est pur de tout péché. De quoi leur donner des émotions de caleçons, à tous ces petits fermiers, pour la plupart austères luthériens.

Avant son sermon, afin d'attirer l'attention de son auditoire, il choisissait au hasard quelques bigots et leur disait des choses de leur passé que lui, un étranger, ne pouvait pas connaître. Tous ceux à qui j'ai parlé m'ont affirmé qu'il accomplissait également des miracles avec les bêtes malades.

Tous les témoins m'ont avoué avoir été impressionnés par le prêcheur, tout en admettant que c'était un homme bien étrange. Son regard hypnotique est encore dans toutes les mémoires. Quant aux femmes, plus d'une s'est émue à son évocation, ce qui indique qu'il a beaucoup donné dans le style « Prends ton pied et tire-toi ».

Environ deux ans avant qu'il abandonne la route et s'installe en Virginie, il a pris le nom de Frère Kristos et s'est laissé pousser le poil. C'est aussi à la même époque qu'il a enrichi son répertoire de sermons en se proclamant le frère du Christ et l'apôtre de Dieu sur terre. Un prêtre baptiste de l'Arkansas, avec lequel j'ai parlé, ne manquait jamais ses sermons quand il passait dans sa paroisse. D'après lui, Frère Kristos aurait pu « soulever la tempête » avec ses prêches. Son charisme était très grand, et ses fidèles convaincus qu'il était un saint homme. Ce prêtre m'a encore dit que Kristos avait reçu de Dieu le don de la parole et le pouvoir de guérir. Ne l'avait-il pas guéri lui-même d'une impuissance sexuelle ?

Dans le Tennessee, il a recueilli un chien malade, du nom de Nick, il l'a soigné et emmené avec lui. C'est à Traviston, dans le Missouri, que F.K. a rencontré les demi-sœurs Agnes Brittlewaite et Pearl Gibbs.

Agnes travaillait comme aide-cuistot dans un restaurant, l'*Aldorf* (« Le restaurant de l'élite »), et Pearl tenait la caisse de l'unique cinéma. Mais il est notoire qu'elles se prostituaient après le boulot. Quand Frère Kristos a quitté la ville, elles l'ont suivi et sont devenues ses aides.

Désolé de n'avoir pas trouvé la moindre trace de délit dans le C.V. de notre homme. Manifestement, il n'a jamais eu le moindre ennui avec la loi. Il faut dire que les flics n'aiment pas arrêter les « hommes d'Eglise », même quand ceux-ci tiennent plutôt un fonds de commerce qu'une paroisse.

Mais en suivant la piste de F.K., je suis arrivé à la conclusion qu'il n'en était pas moins coupable, même si légalement on ne peut rien lui reprocher de précis. Il est comme ces évangélistes à la télé qui sucent les maigres rentes de personnes âgées et qui roulent en BMW et ont des bottes en croco aux pieds. Frère Kristos fait la même chose : empocher du fric en exploitant la foi religieuse de ces gens et leur amour de Dieu. Ça fait chier. J'aurais davantage de respect pour lui s'il braquait une banque ou cassait un coffre-fort. Je commence à détester ce type.

Je voudrais qu'on en parle à mon retour à Washingon.

Lindberg. »

4

Après avoir décliné plusieurs invitations, Jennifer Raye accepte enfin de dîner avec John Tollinger. Il est si content qu'il réserve une table dans un restaurant français, le *Maison-Blanche*, situé près de son célèbre homonyme. Il imagine une table dans un coin intime, des chandelles, du champagne pour apéritif, peut-être un veau cordon-bleu, un vieux cognac au dessert, et puis en route pour Spring Valley et une bonne partie de jambes en l'air.

Mais quand Jennifer arrive, avec seulement vingt minutes de retard, elle porte une robe informe de lin noir qui dissimule complètement son corps pulpeux. A son cou pend un crucifix en argent.

— C'est quoi, cet accoutrement ? dit Tollinger en lui tenant sa chaise. Tu joues les bonnes sœurs, maintenant ?

— Ne commence pas avec ça, réplique-t-elle sèchement.

— Commencer quoi ? Je n'ai fait qu'un commentaire sans méchanceté sur ta mise virginale. Une coupe de champagne avec moi ?

— Je préfère un Perrier avec une tranche de citron.

Sa vision d'une soirée sybaritique s'estompe lentement.

— Alors, dit-il, s'asseyant en face d'elle, quoi de neuf ? Toujours beaucoup de travail ?

— Beaucoup, dit-elle.

— A cause du projet de distribution des surplus ?

— En partie.

— Tu as le droit de me faire des réponses de plus de deux mots, tu sais.

— Excuse-moi, dit-elle avec une ombre de sourire, mais j'ai tellement de choses en tête.

— Justement, j'aimerais bien savoir ce que tu as en tête, dit-il, patient.

— Eh bien, il y a ce plan d'aide alimentaire, pour commencer. Mais il ne faut pas dire « distribution », nous préférons employer l'expression « partage ».

— La sémantique est une chose merveilleuse. C'est une trouvaille à toi, ce mot de « partage » ?

— Non.

— Attends, laisse-moi deviner : Frère Kristos !

— Et quel mal y aurait-il à ça ? dit-elle, s'emportant.

Il lève une main apaisante.

— Mais rien du tout ! Le mot « accroche » bien, comme disent les gens de pub. Quel est ton travail, au juste ?

— On essaie d'organiser la tournée que veut entreprendre la Première dame à travers tout le pays. Elle tient à visiter les centres d'aide, elle veut rencontrer des pauvres, bref, tout faire pour accélérer le programme.

— Excellente idée. La télé sera là. Images émouvantes de la Première dame assise à côté d'un affamé lapant une soupe de gruau.

— Toujours aussi cynique, dit Jennifer.

— Déformation professionnelle, rétorque-t-il. J'ai trop longtemps fréquenté les politiciens pour ne pas renifler la merde que cache toute fleur.

Le veau est servi.

— Ça m'a l'air terriblement riche, dit-elle en jetant un coup d'œil méfiant à son assiette. Je suis au régime.

— Robe monacale et carême, dit-il.

Et elle lui jette un regard furieux.

Ils mangent lentement, en silence.

— Tu crois à ce partage des surplus, n'est-ce pas ? demande-t-elle finalement.

— Je n'aimerais pas partager ce veau, dit-il en portant une bouchée à sa bouche. C'est trop bon. Mais oui, je crois que l'idée est bonne... à la base. Se débarrasser des surplus qui nous coûtent une fortune en stockage et conditionnement. Mais le concept est un peu simpliste. Les résultats ne seront pas tous positifs. Les fermiers souffriront, ainsi que les fabricants de produits alimentaires.

— Et après ? dit-elle avec colère. Qui est le plus dans le besoin ? Ceux qui ont faim ou les producteurs ? De quel bord es-tu donc ?

— Du tien, répond-il. J'essaie seulement de dire que la générosité peut avoir parfois des conséquences imprévisibles et désastreuses.

— Faut-il que tu analyses toujours tout ? Si tu donnes un dollar à un clochard, c'est un geste charitable, non ? S'il a envie de s'acheter une bouteille de piquette avec, c'est son problème. Mais ça n'empêche pas que tu aies eu un bon geste.

— Je n'en suis pas certain, dit-il. Par exemple, si tu soupçonnes ce type d'être un camé, est-ce que lui donner de l'argent est un acte de charité ?

— Ceux qui crèvent de faim ne sont pas des drogués ; ils sont en manque de nourriture, pas de dope. Alors ne t'inquiète pas des horribles conséquences qu'il pourrait y avoir à leur donner de quoi manger.

— J'aimerais que ce soit aussi simple, dit-il, mais ça ne l'est pas. Ce projet va provoquer une de ces empoignades au Congrès, comme tu n'en as encore jamais vu.

— Tu devrais arrêter de penser, et essayer plutôt de ressentir les choses.

— Tiens, où est-ce que j'ai déjà entendu ça ? dit-il. Ne serait-ce pas de la sainte bouche de Frère Kristos ? Lors de cette prière du matin à la Maison-Blanche ?

— Tu devrais essayer, en tout cas, dit-elle. Si tu te laissais aller au moins une fois à sentir les choses, tu découvrirais qu'il y a mieux à faire dans la vie que de jouer sur les mots.

— C'est quoi, ça, dit-il, l'Evangile selon saint Kristos ?

— Tu me fais pitié, dit-elle. Tu te crois tellement supérieur aux autres, alors que tu n'es qu'un tout petit, tout petit homme. Je me demande comment j'ai pu gâcher trois ans de ma vie avec toi.

— Tu as la mémoire courte, il n'y a pas eu que des mauvais moments.

— Peut-être, mais les bons étaient si rares, concède-t-elle sèchement.

— Oh, et puis va au diable, grogne-t-il. Ou pire, va retrouver cet arnaqueur de bénitier pour qui le péché n'existe pas.

— Tu es méprisable ! crache-t-elle, se levant de table. Elle ramasse son sac et ses gants et s'en va d'un pas raide comme la justice divine.

— Dois-je servir les cognacs maintenant, monsieur ? demande le serveur.

— Oui, répond Tollinger. Les deux.

Plus tard, rentrant seul au volant de sa Jaguar, il a honte de sa conduite avec Jennifer, honte de tout ce qu'il lui a dit. Il en conçoit également de la stupeur, car il a toujours été fier jusqu'ici de tenir ses passions d'une main ferme.

Ce qui vient de se passer, s'avoue-t-il piteusement, est le triomphe des glandes sur le bon sens. Ce n'est pas tant la soudaine bigoterie de Jennifer qui le fait enrager mais la pensée qu'elle se donne à cet escroc prophétisant. Aussi était-il à prévoir que sa rancœur éclate et qu'il agresse Jennifer avec une méchanceté qu'elle ne lui pardonnera jamais.

Il gémit de douleur et de frustration. Il n'a jamais craint de rival potentiel dans le cœur de Jennifer. Mais comment faire le poids face à un adversaire qui s'est proclamé l'envoyé de Dieu sur la terre ?

5

Début juin, le président soumet au Capitole un projet de loi qui, s'il est approuvé, autorisera le chef de l'Exécutif « ou ceux qu'il peut déléguer » à disposer de tous les surplus alimentaires qui sont présentement la propriété des Etats-Unis.

La présentation d'une disposition législative visant au « partage des ressources alimentaires » provoque un choc politique bien plus grand que la prestation télévisée du président. Les membres du Congrès sont prompts à réagir et les opinions, favorables ou pas, sont passionnées.

A la Chambre des Représentants, le projet est transmis à la commission restreinte sur la Faim, où se livre la première escarmouche. Le député Lu-Anne Schlossel se fait la championne de la nouvelle législation. Elle organise sur-le-champ des auditions de témoins qui iront de membres du clergé à des agriculteurs en passant par les dirigeants d'organismes de charité, des diététiciens, et des hommes et des femmes clamant qu'ils ont faim. Le député Schlossel se fait également fort de l'appui de la communauté noire pour faire passer une résolution approuvant le partage des ressources alimentaires.

Au Sénat, le projet est renvoyé à la Commission de l'Agriculture, de l'Alimentation et des Forêts, faute d'un meilleur placard où s'en débarrasser. Le président du Sénat, par ailleurs sénateur du Kansas, se jure d'enterrer le projet ou de le réduire en bouillie sur le ring même du Sénat. Alors que les clans se forment au Congrès, un débat public encore plus mouvementé se développe. Une coalition de groupes libéraux se forme pour soutenir le projet de loi du président et pour organiser une campagne de publicité destinée à persuader les citoyens que le partage des surplus avec les plus défavorisés de la nation est à la fois une bonne opération fiscale et une noble action.

Bien que l'opposition démarre sur un terrain strictement légal, les mobiles religieux du président et l'influence de Frère Kristos ne tardent pas à faire l'objet de vives critiques publiques.

C'est de cette contestation que parlent Michael Oberfest et le commandant Marchuk lors d'une de leurs rencontres dans cette galerie marchande du Maryland.

— Ecoutez, dit Oberfest, j'ai fait ce que vous m'avez demandé de faire, non ? J'ai vraiment essayé d'étouffer tous les bruits courant sur le président et Kristos. Mais c'est sans espoir. Hier au soir, j'ai vu à la télé un comique qui imitait Frère Kristos. Il disait que l'idée d'aider les pauvres était venue au prêcheur alors qu'il dormait dans la chambre de Lincoln et mangeait à la table présidentielle. Si les comédiens s'emparent du personnage, alors c'est qu'il est trop tard.

— Oui, dit le commandant d'un ton de regret, vous avez raison, il n'est plus possible de minimiser l'affaire. Je suppose que le vice-président doit être content de ce qui se passe ?

— Ça, il l'est. Il est convaincu que même si Hawkins réussit à faire passer son projet, il se sera fait tellement d'ennemis que le parti le rejettera.

— Et c'est possible ?

— Oui. Vous avez vu que certaines organisations agricoles préparent une marche de contestation sur Washington ? Quand je pense que c'est grâce aux fermiers du Middle West que Hawkins a été élu à la présidence ! Ça ne risque pas de se reproduire.

— Alors ils se tourneront vers Trent ?

— C'est très possible.

Le commandant tire pensivement sur sa lèvre.

— Nous avons peut-être perdu une bataille, dit-il, mais pas la guerre.

— En tout cas, ça ne me regarde plus, dit Michael. J'ai fait mon travail, et du mieux que j'ai pu. A présent, il ne me reste plus qu'à vous laisser.

— Oh, non, Arnold, dit Marchuk, vous nous êtes trop précieux. Nous avons toujours besoin d'informations sur Trent et ses manigances. Et vous êtes très bien placé pour nous les fournir.

— Non, mais combien de temps ce petit jeu va durer ? proteste Oberfest.

— Aussi longtemps que nécessaire. Mon garçon, vous êtes en train de faire l'histoire. Vous jouez un rôle très important dans les affaires de votre gouvernement. Vous devriez en tirer de la fierté.

— Eh bien, ce n'est pas le cas. A vrai dire, ça me fout la trouille. Je ne suis pas un héros. Si le vice-président découvrait ce que je fais, il me tuerait.

— Si vous jouez finement, il n'en saura jamais rien, dit l'homme du KGB.

Puis il ajoute de façon significative :

— Ni lui ni personne d'autre.

— D'accord, dit Michael avec un soupir. J'ai compris le message.

6

Pearl conduit, et Agnes est assise à côté d'elle. Kristos somnole à l'arrière, le chien couché à ses pieds. Les deux femmes chantent de vieilles ballades. Elles sont contentes d'aller passer le week-end dans leur ancien séchoir à tabac. Ça leur rappelle l'époque où elles tournaient avec Frère Kristos dans le Ford déglingué, sauf qu'aujourd'hui elles roulent dans une belle auto neuve aux sièges en cuir.

C'est la fin juin, il fait chaud, et l'air conditionné ronronne. Ils se passent une bouteille de vodka glacée, et ils sont heureux, sachant qu'après tant de vaches maigres ils méritaient bien cette embellie.

Le samedi soir, la foule commence à se rassembler bien avant l'heure du prêche, fixée à huit heures. Il y a maintenant de luxueuses voitures sur le parking et même un autocar qui a amené un groupe de Richmond. Tous les bancs sont occupés, ceux qui n'ont pas trouvé de place assise se tiennent debout le long des murs, et les retardataires doivent se contenter d'écouter depuis la porte ou les fenêtres.

Frère Kristos porte sa vieille robe de bure, il est pieds nus, et sa barbe et ses cheveux sont savamment en désordre. Il a insisté pour que le séchoir reste tel quel, éclairé par des lampes à pétrole et vide de tout ornement de culte.

— Ce soir, dit-il à ses fidèles, je vous parlerai de la divinité de l'amour, de cet amour infini qui fait tant plaisir à Dieu. Il nous commande de nous aimer les uns les autres car c'est ainsi que nous apprenons à L'aimer, Lui, et à recevoir Son amour en retour.

« L'amour peut s'exprimer de bien des façons, par la dévotion, le sacrifice, le devoir, l'affection, l'obéissance, le patriotisme, la tendresse, la passion. Toutes les formes d'amour sont divines mais le plaisir charnel qui emporte l'homme et la femme est une sainte prière que l'on adresse à l'Etre Suprême. »

Frère Kristos développe ce thème pendant une vingtaine de minutes. Sa parole est éloquente mais son auditoire sait parfaitement qu'il parle de baise, et tous se penchent avec une extrême attention, ne perdant pas un seul mot.

Agnes et Pearl ne font pas la quête pour rien ce soir-là : les billets débordent de leurs boîtes à cigares.

La foule se disperse quand Pearl Gibbs est abordée par un petit homme rondouillard. Il ne lui reste que trois poils sur le crâne, et il serre entre ses dents jaunies un gros cigare non allumé.

— Je voudrais voir le révérend, dit-il.

Pearl l'inspecte de la tête aux pieds : costume sur mesures, mocassins de cuir fin bien cirés, pochette de chemise marquée aux initiales LBT.

— C'est à quel sujet ? demande-t-elle.

— Affaire privée, répond l'homme d'une voix râpeuse. Dites-lui que je connais Billy Feinschmecker, qui habite en Floride.

Pearl disparaît dans l'arrière-chambre et fait son rapport.

— Billy Feinschmecker ? dit Frère Kristos, souriant. Il est encore en vie ? A quoi ressemble cet homme ?

— A un arnaqueur professionnel, dit-elle. Mais un qui a l'air de réussir. Il porte une Rolex en or massif.

— Bon, dit Kristos, fais-le entrer. S'il n'est pas ressorti d'ici un quart d'heure, reviens et rappelle-moi que j'ai un rendez-vous urgent.

— D'accord, j'ai compris, dit-elle.

Le petit gros au crâne chauve est introduit. Il tend sa carte au prêcheur.

— Lamar B. Tumulty, se présente-t-il. Représentant personnel.

— Qu'est-ce qu'un représentant personnel ? demande Frère Kristos. Un imprésario ? Un agent ?

— Oui, c'est à peu près ça, révérend, mais avec quelque chose de plus.

— Vous connaissez Billy Feinschmecker ?

— Bien sûr. Chaque fois que je passe dans le coin, on se fait une partie de dames et on taille une bavette.

— Comment va-t-il ?

— Il tient encore le coup. Il boite, il a la tremblote mais il est toujours aussi loquace.

— Oui, c'est bien lui, ça, dit Kristos. Que puis-je faire pour vous, monsieur Tumulty ?

— Non, qu'est-ce que moi, je peux faire pour vous ? Pourrions-nous nous asseoir une minute ?

— D'accord, mais pas longtemps. J'ai un rendez-vous.

— Ça vous ennuie si j'allume mon cigare ?

— Oui, dit Kristos, je préfère pas.

— Pas de problème, dit Tumulty en glissant son barreau de chaise dans la pochette de sa veste. Vous n'auriez pas quelque chose à boire ?

— Vodka au piment.

— Jamais bu mais je veux bien goûter.

Frère Kristos lui tend la bouteille ouverte. Tumulty avale une gorgée, grimace et cligne les yeux.

— Vous êtes sûr que ce n'est pas de l'acide de batterie ? dit-il.

Mais il s'envoie une deuxième lampée avant de reposer la bouteille sur la table.

— Voilà l'affaire, révérend : je représente des clients, pour la plupart dans le show biz, et je leur apprends à se faire de l'argent, beaucoup d'argent. En ce moment, j'ai trois chanteurs, un groupe de rock punk, deux danseuses exotiques, un illusionniste, et un gymnaste olympique. Je ne prends sous mon aile que des gens prometteurs et je ne les quitte pas d'une semelle. Je prends trente pour cent de leurs cachets, ce qui n'est pas aussi énorme que ça le paraît parce que chacun des contrats que je leur décroche représente le double de ce qu'ils toucheraient s'ils ne m'avaient pas. Je peux en faire autant pour vous.

Frère Kristos boit un coup avant de répondre.

— Merci, dit-il, mais je ne suis pas intéressé.

— Vous devriez l'être, révérend. Je peux faire de vous un millionnaire.

— Et comment vous y prendriez-vous ?

— Je commencerais par cette bauge à cochons que vous appelez une église. Peut-être pensez-vous que c'est très bien comme ça, que c'est comme l'étable où Jésus est né, pas vrai ? Vous vous trompez. Si l'aspect est misérable, la quête risque de l'être. Quand les gens vont à la cathédrale Saint-Patrick, qu'ils voient toute cette richesse, toutes ces dorures, ils n'hésitent pas à allonger de gros biftons. Je ne dis pas qu'il vous faut une cathédrale mais un endroit qui soit beau, agréable, confortable, avec l'air conditionné. Il faisait une chaleur à crever, ce soir, dans votre mosquée. A propos, votre sermon était du tonnerre de Dieu, si vous pardonnez l'expression. Les gens buvaient vos paroles. Je peux vous dire que vous les avez tués.

— Merci, dit Kristos.

— De rien. Mais passez-moi encore l'expression, quel bordel en arrivant ! Il y avait des bagnoles garées n'importe où et n'importe comment. Si vous aménagiez un parking payant, vous en feriez, de la thune. Et pourquoi n'écrivez-vous pas un bouquin ? Un truc comme *Les Sermons de Frère Kristos ?* Pas un gros bouquin mais quelque chose en format de poche avec une jolie reliure rouge en faux cuir, un machin qui pourrait se vendre au porte-à-porte pour cinq dollars, peut-être plus.

— Vous avez de bonnes idées, dit le prêcheur, marquant son assentiment d'un léger mouvement de tête.

— C'est comme ça que je travaille, dit Tumulty en tendant la main vers la bouteille. Et ça, ce ne sont que des détails. Le plus important, c'est que vous donniez un nom à votre église. Le nom que vous voudrez, pourvu qu'il y ait le mot « Saint » dedans. Ça plaît aux gens, voyez-vous. A partir de là, vous pouvez faire enregistrer votre église comme association à but non lucratif, et vous ne payez pas d'impôts. Voilà comment on devient un millionnaire. Vous avez un diplôme quelconque d'un établissement religieux ? Non ? C'est pas grave, je connais une douzaine d'endroits en Californie où vous pouvez en avoir un tout encadré pour cinquante tickets.

— Je vois que vous avez beaucoup réfléchi à la question.

— Révérend, je ne suis ni un tricheur ni un profiteur. Je ne vole pas mes trente pour cent. Mais attendez, je n'ai pas fini. Une fois installé confortablement, que vous êtes en règle avec l'Etat, le comté, que votre association a son permis fédéral, alors vous commencez avec la station de radio locale. Gratuitement. Disons une fois par semaine, le dimanche matin. Vous appelez votre émission *La Voix de Frère Kristos,* par exemple. Je suis prêt à parier gros que vous vous ferez rapidement une foule d'auditeurs. A partir de là, une voie royale s'ouvre : la télévision ! Je n'ai pas besoin de vous dire ce qu'empochent tous ces clowns d'évangélistes qui soutanisent la lucarne. Après, vous n'avez plus qu'à embaucher une petite équipe pour ouvrir votre courrier et porter vos chèques à la banque. Alors, qu'est-ce que vous en dites ?

— Buvez donc encore, dit Kristos en poussant la bouteille de vodka vers Tumulty, qui ne se fait pas prier pour la porter goulûment à sa bouche.

— Alors ? redemande l'imprésario, s'essuyant les lèvres du revers de la main. Voulez-vous que je vous mette sur la voie de la fortune et de la gloire ?

— Monsieur Tumulty, dit lentement, prudemment, Frère Kristos, je ne doute absolument pas que vous puissiez accomplir tout ce que vous proposez. Vous avez de remarquables idées, et elles me paraissent toutes applicables, mais...

— Mais ?

Le prêcheur se penche en avant et plonge son regard dans les yeux de son vis-à-vis.

— Vous ne me croirez peut-être pas, mais je n'ai aucun désir de devenir riche. Je suis parfaitement heureux comme je suis. Oui, mon église est misérable mais les gens qui viennent m'écouter ne s'attendent pas à un beau décor et, d'ailleurs, ils n'en voudraient pas. Ils viennent pour entendre l'apôtre de Dieu sur cette terre. Je m'efforce de leur enseigner la parole divine, de leur faire découvrir l'amour et la foi. Mes fidèles ne sont pas nombreux mais je n'ai pas envie qu'ils deviennent foule pour en tirer un profit matériel. L'argent ne signifie rien pour moi. J'ai de quoi manger, boire, me vêtir. Chaque matin, je me réveille heureux qu'il me soit accordé un jour de plus à œuvrer pour le Seigneur. Non, monsieur Tumulty, je ne cherche ni la gloire ni la fortune. Etre digne de l'amour de Dieu est tout ce qui compte pour moi.

L'imprésario se lève brusquement.

— Vous êtes excellent, dit-il. Vraiment excellent. Oh, Billy Feinschmecker me l'avait bien dit, et maintenant je le crois. Vous avez ma carte, révérend. Si jamais vous changiez d'avis, faites-moi signe. Vous et moi on pourrait accomplir de grandes choses ensemble.

Après qu'il est parti, Agnes et Pearl entrent, et tous trois finissent la bouteille et en ouvrent une deuxième pendant qu'ils comptent l'argent de la quête. Il y en a pour un peu plus de six cents dollars.

Puis ils sortent de leurs emballages d'aluminium les trois

poulets rôtis qu'ils ont emportés avec eux et bâfrent, picolent et forniquent jusqu'au petit matin. Ils repartent pour Washington au début de l'après-midi d'un dimanche ensoleillé. Frère Kristos est au volant, Nick couché sur le siège du passager, les deux femmes ronflant à l'arrière.

Ce soir-là, dans son salon, Frère Kristos est assis dans son fauteuil, les jambes écartées. Emily est agenouillée devant lui, la tête baissée entre ses cuisses.

— Chérie, dit-il en lui caressant doucement les cheveux, en rentrant aujourd'hui de mon église, je me suis demandé comment je pourrais rester auprès de mes fidèles en dehors des prêches que je leur adresse. J'ai pensé à écrire un livre. Oh, un petit livre que je pourrais intituler *Les Sermons de Frère Kristos*. En format de poche avec une couverture rouge en faux cuir et peut-être une tranche dorée. Voudrais-tu prendre contact avec un imprimeur demain et te renseigner sur le prix que ça coûterait ?

Emily a un hochement de tête qui arrache un hoquet à Kristos.

— Et puis, ajoute-t-il, vois s'il n'y a pas une société qui installe des parkings payants.

7

Durant l'été, le débat soulevé par le projet d'aide alimentaire du président Hawkins devient de plus en plus houleux. Rien, s'accordent à constater les observateurs étrangers, n'a autant divisé l'opinion publique américaine depuis la guerre du Viêt-nam.

Comme prévu, la plupart des partisans du programme présidentiel sont les Noirs, la communauté hispanique, les immigrants asiatiques, les syndicalistes, les associations caritatives et un nombre croissant d'électeurs de conviction libérale. Mais, à la surprise générale, les rangs de la gauche se renforcent de millions de fondamentalistes.

Ces derniers sont d'ordinaire à droite de la droite et professent des opinions conservatrices, contre l'avortement et pour la prière dans les écoles laïques. Mais l'appel de Hawkins à partager avec les plus démunis a galvanisé les cagots.

Nombreux sont les observateurs politiques à relever l'étrange alliance provoquée par le fameux projet. Il est même envisagé que si la coalition libéraux-fondamentalistes persiste, elle aura probablement un effet profond sur les prochaines élections.

Cette perspective inquiète le vice-président Trent.

— Les gauchistes main dans la main avec les bigots, dit-il, écœuré, à sa femme. Il ne manquait plus que ça à ce pauvre pays.

— Oui, chéri, dit placidement Matilda sans lever la tête de son ouvrage, mais je suis sûre que leur union est purement circonstancielle.

— Eh bien, moi, je n'en suis pas certain. Ils pourraient bien constituer un bloc électoral avec lequel il faudra compter.

Il la regarde avec un froncement de sourcils.

— Que tricotes-tu là ? demande-t-il.

— Un cache-nez en cachemire, dit-elle en soulevant son tricot. Tu aimes ?

— Très joli, mais tu sais que je ne porte jamais de cache-nez. C'est bon pour les douillets ou les personnes âgées.

— Eh bien, j'en ferai présent à quelqu'un pour la Noël, dit-elle, souriant secrètement. Samuel, je boirais volontiers quelque chose.

— Bonne idée. Cognac ?

— Oh, j'ai oublié de te dire ; il y avait une promotion à l'épicerie sur une boisson nouvelle : de la vodka au piment. J'en ai acheté une bouteille.

— De la vodka ? se récrie-t-il. De Russie ?

— Il y a de fortes chances, chéri, mais c'est très savoureux. Tu veux y goûter ?

— Non, merci, dit-il d'un ton ferme. Je m'en tiendrai à mon bon vieux cognac de Californie.

Il apporte leurs verres et s'accote debout au manteau de la cheminée dans une pose pleine de dignité.

— Matilda, dit-il avec une solennelle gravité, j'ai longuement réfléchi à mon avenir politique.

— C'est très bien, Samuel, dit Matilda, l'air distrait.

— Je pense que mes efforts pour attirer l'attention du pays sur la liaison de la famille présidentielle avec Kristos ont été couronnés de succès.

— Certainement.

— Il est vrai qu'Oberfest a remarquablement fait son travail — je sais rendre à César ce qui appartient à César — mais j'ai cependant été le cerveau de cette manœuvre qui a heureusement abouti. A ce jour, l'Amérique tout entière — que dis-je, le monde ! — connaît l'influence pernicieuse et perverse que ce religieux fanatique a sur la politique de la Maison-Blanche.

— Samuel, dit Matilda, levant les yeux, je ne serais pas étonnée que le projet de loi du président soit voté.

— Matilda, dit-il, sévère, je dois te dire en toute sincérité qu'en cette affaire ton jugement est faux. Le projet de loi destiné à vider les greniers de l'Amérique ne passera jamais. Les fermiers et tous ceux qui les soutiennent s'y opposeront.

— Il n'empêche, je ne pense pas qu'il soit sage de ta part de t'y opposer.

— Je n'en ai pas l'intention, dit-il. Tu auras remarqué que je n'ai encore fait aucune déclaration publique sur ce sujet. Mais ce qui m'inquiète le plus, c'est l'effet que cette triste histoire risque d'avoir sur l'avenir du parti. Souviens-toi, « Que tous les hommes de bonne volonté accourent à l'aide du parti est une urgence aujourd'hui comme elle le fut hier. »

— Je ne crois pas que quelqu'un ait jamais prononcé ces paroles, dit Matilda, sirotant sa vodka. Ce n'est qu'une phrase employée dans les cours de dactylographie.

— Enfin, tu vois ce que je veux dire. J'ai prévu de rencontrer quelques responsables politiques ainsi que les représentants de nos lobbies pour discuter du problème. Il y a encore des hommes de bon sens qui mesurent tout le danger qu'incarne Frère Kristos.

— A mon humble avis, tu exagères son influence.

— Je n'exagère pas, réplique vivement le vice-président. Je n'exagère jamais. Je te dis que ce mal rasé tient pratiquement dans ses mains la politique intérieure de ce pays. Hawkins est littéralement à ses ordres. Si nous laissons durer cette situation, nous perdrons les élections, et le parti en souffrira tellement qu'il lui faudra vingt ans pour s'en remettre. Et tout ça à cause de cet imposteur qui se prend pour le Messie.

Elle le regarde longuement.

— Je t'ai dit que je l'avais rencontré chez Lenore

Mattingly, et il m'a paru être un homme parfaitement sincère.

— Tu parles ! Jack l'Eventreur aussi était sincère en voulant débarrasser le monde des prostituées.

Elle pose son ouvrage, se lève et va au bar se resservir de la vodka.

— Je ne te comprends pas, dit-elle d'un ton sec. Au départ, ton but était de rendre publiques les activités de Frère Kristos afin de jeter le discrédit sur Hawkins. Tu as certainement réussi à attirer l'attention sur Kristos, et maintenant tu sembles redouter que son association avec le président fasse courir un danger au parti. Si cela se révèle être le cas, une défaite aux élections législatives ne servirait-elle pas ta carrière par la suite ?

— Pas si le parti tombe aux mains de ces fous dangereux. Jamais je ne resterai sans bouger alors que notre grand parti républicain devient l'otage de va-nu-pieds emmenés par un infâme escroc qui peut fort bien recevoir ses ordres du Kremlin.

— Décidément, mon pauvre ami, tu dis n'importe quoi, dit-elle.

Ils se regardent avec une certaine stupeur. Tous deux ont beaucoup d'éducation et ils n'ont jamais élevé la voix. La conscience brutale d'être en désaccord, voire de se disputer, les choque et les excite à la fois.

— Laisse-moi te dire encore une fois, dit-il d'un ton glacé, afin que tu cesses de te méprendre, quelles sont mes intentions. J'ai passé toute ma carrière dans la plus totale fidélité aux croyances et objectifs d'un parti que je juge le plus capable de gouverner cette grande nation. Et voilà qu'aujourd'hui ce parti est menacé d'une invasion de dégénérés conduits par un dangereux charlatan. Je n'accepterai jamais cela sans combattre. Je ne permettrai pas qu'un parti auquel j'ai consacré ma vie, ma fortune et mon honneur sacré puisse devenir le refuge des vauriens, des sans-scrupules et de tous les rebuts de la société qui n'ont ni la qualité ni le savoir ni le noble courage de mener à bon port le navire de l'Etat à travers les redoutables récifs d'un monde complexe et trop souvent hostile.

Matilda secoue la tête de dépit à cette pitoyable tirade.

— Tu n'es qu'un gros plein de vent, dit-elle, déclenchant officiellement les hostilités.

Au cours de son prochain cinq-à-sept dans la couche de

Frère Kristos, Mme Trent fait part à ce dernier des intentions de son mari.

8

Le soleil brille dans un ciel de cellophane, mais le vent souffle une fraîcheur marine, et un pull-over n'est pas de trop, même à midi. Cette bande côtière du Maine est un chaos rocheux que la mer blanchit d'écume. Au large, elle semble étale, se fondant dans un horizon brumeux.

La grande maison grise est bâtie au bord de la falaise, rêve aérien de tourelles, de minarets, de baies vitrées, et d'une terrasse en surplomb assez large pour y recevoir des chaises, une grande table, des transats et un petit parterre planté de géraniums.

Cette résidence d'été appartient à l'ambassadeur des Etats-Unis en Grande-Bretagne, qui la prête à la famille présidentielle pour les deux semaines de vacances qu'elle s'octroie en été à partir du premier lundi de septembre, jour de la Fête du Travail. La sécurité du président et de ses proches est assurée par une équipe des services secrets et un détachement de gardes nationaux.

Abner et Helen Hawkins occupent la chambre du maître de maison. George en partage une plus petite avec le sergent Dennis McShane. D'autres sont logés par deux dans des pièces plus exiguës encore. Mais la majorité de l'entourage présidentiel, en même temps que les journalistes et les photographes de presse, ont réquisitionné le seul motel de Bear's Head, l'agglomération la plus proche.

Un mardi matin, une heure avant que le déjeuner soit servi sur la pelouse, du côté abrité du vent, George et son garde du corps partent en promenade. La propriété est entourée de bois, et le garçon est fasciné par cette végétation sauvage d'épais fourrés, d'arbres tordus par le vent, de buissons de baies et d'herbes drues.

Le sergent McShane porte une tenue de camouflage, un large ceinturon et des bottes de combat. George est vêtu d'une version miniature du même uniforme, plus un casque en plastique de couleur vert olive. Il a aussi un couteau de chasse en caoutchouc glissé sous le ceinturon et un pistolet d'enfant d'où jaillissent des étincelles à chaque pression de la détente.

Ils progressent lentement sur un étroit sentier, et le Marine explique à l'enfant comment reconnaître un terrain boisé : éviter de marcher sur les brindilles, veiller à ne pas accrocher sa tenue aux branches basses, ouvrir l'œil et s'arrêter de temps à autre pour écouter les bruits suspects.

George ouvre la voie, son pistolet pointé devant lui. Ils avancent ainsi à pas prudents pendant près de dix minutes, la forêt se refermant sur eux, la maison invisible, le bruit de la mer étouffé. Soudain, un gros écureuil déboule sur le sentier. Le garçon actionne son arme, les étincelles jaillissent dans un bruit de crécelle.

L'animal disparaît d'un bond dans les fourrés et, avant que McShane puisse l'en empêcher, George s'élance après lui. Il disparaît hors de sa vue en quelques secondes, et le sergent, surpris, court sur sa trace en criant :

— George ! George, reviens !

Il fonce à travers les buissons, trébuche sur des souches, les branches basses des arbres fouettent et entaillent son visage.

— George ! George ! hurle Dennis avec une angoisse grandissante.

Impossible de savoir où est passé le gosse. Il s'arrête brusquement, tend l'oreille. Rien. Il reprend ses frénétiques recherches, redoutant le pire, se voyant devant une cour martiale pour négligence dans ses devoirs au cas où le « pire » deviendrait une réalité.

Toujours criant le nom du garçon, il traverse au pas de course un bosquet de jeunes érables et se retient de justesse à une branche pour ne pas tomber. Il est au bord d'une profonde ravine. Au fond, cinq à six mètres plus bas, le fils du président gît immobile sur le dos.

Jurant méchamment, McShane, s'agrippant à des racines, descend jusqu'au fond de la ravine et se penche sur le corps du garçon. Il ne voit pas de sang mais George a les yeux fermés et il ne bouge plus. Il respire cependant et ses jambes et ses bras ne présentent pas de fracture.

— George ? appelle le Marine.

Mais il n'obtient pas de réponse.

Sans toucher le corps, Dennis remonte de la ravine et court jusqu'au sentier. Là, il se défait de son ceinturon et l'accroche à une branche comme repère. Il repart ensuite en courant dans la direction de la maison afin de donner l'alerte.

Après quoi, les choses vont vite.

Une ambulance est appelée de Bear's Head.

L'hélicoptère du président, posé sur l'aérodrome de Bangor, reçoit l'ordre de se rendre à Bear's Head et de se poser sur le terrain de football du collège.

Le sergent McShane retourne à la ravine avec le médecin privé du président et deux agents des services secrets.

Les journalistes sont informés que le fils du président a fait une chute mais que l'étendue de ses blessures n'est pas connue.

George n'a pas repris connaissance mais du sang sourd de façon continue du coin de sa bouche. Le médecin redoute une hémorragie interne et procède à une injection de coagulants.

McShane forme une équipe avec les hommes les plus forts qu'il peut trouver. Equipés de haches, de pelles et de machettes, ils entreprennent de tailler un passage à travers bois depuis le fond de la ravine jusqu'au sentier.

Un hôpital de Bangor est averti de l'arrivée imminente d'une « personnalité très importante » victime d'une chute grave.

Le médecin personnel de George ainsi que son infirmière attitrée de Walter Reed à Washington sont emmenés à la base aérienne d'Andrews et embarqués à bord d'un avion militaire pour Bangor.

Le fils du président, toujours sans connaissance, est placé sur une civière, couvert d'une épaisse couverture et transporté avec précaution depuis la ravine jusqu'à l'ambulance. Son père et sa mère prennent l'hélicoptère avec lui.

Sur l'aérodrome de Bangor, une ambulance est là quand l'hélicoptère présidentiel arrive. George est emmené sirènes hurlantes à l'hôpital.

Un examen plus approfondi confirme le diagnostic initial : George ne souffre d'aucune fracture mais il a vraisemblablement des blessures internes et il saigne dangereusement. Les médecins envisagent une intervention chirurgicale.

A vingt et une heures quarante-six, le président appelle au téléphone Frère Kristos.

Quand le téléphone sonne, le prêcheur est étendu nu sur le lit en bataille dans une demi-stupeur éthylique. Une bouteille de vodka vide traîne par terre. La chambre sent la sueur et le sexe. Il se lève d'un pas chancelant, décroche le combiné.

— Frère Kristos ?

— Oui.

— Un moment, je vous prie, le président veut vous parler.

— Frère Kristos ?

— Oui, père, je suis là.

Hawkins lui raconte ce qui s'est passé.

— Ils ne peuvent pas me donner l'assurance que l'hémorragie cessera. Ils se demandent s'ils ne vont pas l'opérer.

— Non, dit Kristos, ne les laissez pas faire ça.

— Est-ce que George s'en sortira sans opération ?

— Oui, répond Kristos. L'hémorragie s'arrêtera et George s'en tirera.

— Merci, dit le président d'une voix altérée par l'émotion. Nous avons la plus grande confiance en vous. Ma femme vous transmet ses remerciements éternels.

Frère Kristos raccroche. Il reste là, tremblant, titube jusqu'au miroir de la commode, examine son visage. Ses cheveux, sa moustache et sa barbe sont poisseux, les lèvres sont gercées, des marques de morsures rougissent sa poitrine ainsi que le plat de ses cuisses.

Il trouve son pantalon et enlève avec des mains tremblantes le large ceinturon de cuir. Il en enroule l'extrémité autour de sa main, laissant pendre le reste avec la boucle d'argent.

Il se place de nouveau devant le miroir, fixe son reflet d'un regard fiévreux. Il commence à se fouetter, balançant le ceinturon par-dessus chaque épaule. La boucle fait un bruit mat sur son dos. Les coups sont d'abord lents, appuyés, puis ils se multiplient, plus rapides, plus forts. Le cuir cingle, le métal coupe. Le sang finit par couler, et c'est presque avec joie qu'il poursuit sa flagellation. Son bras se lève, retombe, se relève et retombe encore. La boucle mord dans la chair. Il connaît la douleur extatique des flagellants.

Il se fouette en silence, les lèvres retroussées en un rictus sauvage. Il ne gémit ni ne crie mais continue sans relâche : épaule droite, gauche, droite, gauche. Son dos lacéré suinte rouge. Il ne s'arrête que lorsqu'il n'a plus la force de lever son bras et que ses jambes ne le soutiennent plus.

Il se laisse choir à genoux au pied du lit, agrippe les draps maculés et baisse la tête. Il prie, ne demandant ni pardon ni pitié ni rien d'autre à Dieu que la guérison du jeune George.

9

Tollinger n'a jamais vu son supérieur d'une humeur plus sombre.

— Ça fait vraiment chier, grince-t-il. Bien sûr, je suis heureux que George se rétablisse. Tout le monde l'est. Mais le patron jure que c'est grâce à Frère Kristos, même si George était dans le Maine, et l'autre pingouin à Washington. Qu'est-ce que vous en dites de ce miracle à longue distance ?

— Si on croit aux vertus miraculeuses de la foi, dit John, alors je suppose que la distance ne compte pas.

— Mais vous n'y croyez pas ?

— Pas un instant. Je pense que George a eu de la chance de ne pas se blesser plus sérieusement et qu'il se serait rétabli sans chirurgie et sans les prières de Frère Kristos.

— Eh bien, je ne vous conseille pas de dire ça au patron, dit Folsom, amer. Il vous écorcherait vif. Il est viscéralement convaincu, et sa femme avec lui, que leur fils doit une nouvelle fois la vie à Kristos. Et il est fortement recommandé de ne pas essayer de les persuader du contraire. Aussi la seule chose à faire pour le moment est d'essayer d'ignorer Frère Kristos et de saboter sans trop causer de dégâts cette connerie de surplus du cœur.

— Le projet ne passera pas, n'est-ce pas ?

— Non, il ne passera pas, dit le chef de cabinet avec un air de dégoût. Je suis allé au Capitole avec Le Vicaire cet après-midi, histoire de compter nos alliés. Les Etats agricoles vont le descendre en flammes. Plutôt que de subir les inconvénients d'une défaite, le patron ferait mieux de laisser son projet de loi s'enliser doucement en commission. Mais il veut au contraire le proposer au vote. Peut-être pense-t-il qu'avec le secours des prières de l'autre enflure, la loi passera comme une lettre à la poste. Il peut toujours courir !

Tollinger regagne son bureau en pensant à ce qu'il vient d'entendre. Lui qui a toujours été un homme de réflexion se découvre incapable d'ordonner ses pensées à l'égard de

Frère Kristos. Ce qui a commencé par de la rage à l'idée que le prêcheur ait « converti » Jennifer, s'est mué en une émotion infiniment complexe dont l'une des composantes, il le reconnaît avec honte, est la peur.

Un message l'attend sur son bureau. Marvin Lindberg l'a appelé et a laissé un numéro à Alexandria. Tollinger considère le mot laissé par sa secrétaire en se demandant quelle urgence a poussé l'ex-agent fédéral à lui téléphoner à la Maison-Blanche. Mais quand il a Lindberg au bout du fil, l'homme semble tranquille et détendu.

— Ça fait déjà quelque temps que je suis rentré, dit-il. Je me demandais si nous ne pouvions pas nous voir. A votre convenance. Rien d'important, juste pour bavarder.

— Oui, c'est faisable, dit Tollinger. Ecoutez, ils annoncent une douce et belle soirée. Vous pourriez peut-être faire un saut jusque chez moi. Je ferai griller des steaks au barbecue. Je ne suis pas un cordon-bleu mais je ne brûle jamais la viande.

— Ça me semble parfait, dit Lindberg. Vers huit heures ?

— Oui, très bien. Vous buvez quoi, maintenant ?

— Perrier.

— Je vous félicite, dit Tollinger.

En rentrant chez lui, il s'arrête pour acheter deux belles tranches dans le filet, une salade de pommes de terre et de la laitue prête à consommer, un pack de six petites bouteilles de Perrier pour Lindberg et un de bière rousse pour lui-même. Il éprouve du plaisir à faire ses emplettes et se réjouit d'avoir un invité.

La première chose qu'il fait en arrivant à Spring Valley est de se concocter un double martini-gin, ce qui accroît sa bonne humeur. Il enlève son costume, enfile un pantalon de toile et un polo noir. Puis il commence ses préparatifs.

Il y a un petit patio couvert donnant sur un bout de pelouse derrière la maison. John ouvre le couvercle du barbecue, le remplit de briquettes de charbon de bois, les allume et les laisse crépiter doucement. Il parfume la viande avec de l'ail et des herbes en poudre, assaisonne la salade et la dispose avec les pommes de terre dans deux petits saladiers de verre et met la table. A ce moment, il a fini son martini mais il n'en prépare pas d'autre.

Lindberg arrive avec juste quelques minutes de retard. Le détective a le teint grisâtre et les joues creuses, mais son regard est vif, sa démarche alerte et il se laisse choir dans l'un des fauteuils de jardin avec un soupir de contentement. Il observe Tollinger qui pose les steaks sur le grill.

— Bon Dieu, vous ne pouvez pas savoir ce que j'ai mal bouffé dans le Sud ! J'en avais jusqu'aux yeux de leurs côtes de porc frites. Rien qu'au souvenir, j'ai envie de gerber.

— Qu'est-il arrivé à la bonne vieille cuisine sudiste ?

— Elle a dû disparaître en même temps que l'esclavage.

— Bleue, à point, bien cuite, votre viande ?

— A point, s'il vous plaît. Ça ne vous dérange pas que je picore dans les pommes de terre ?

— Mais pas du tout, commencez donc en attendant que la viande soit cuite. Les bouteilles de Perrier sont dans le seau à glace. Belle nuit, hein ?

Oui, c'est une belle nuit. Etoilée, avec juste ce qu'il faut de brise pour chasser les mouches, et une lune grasse dans son dernier quartier. L'odeur de viande grillée parfumée aux herbes et à l'ail n'est pas désagréable non plus.

— A propos, vous avez bien reçu votre argent ? demande Tollinger.

— Pas de problème. J'ai fait une sacrée balade, et je dois dire que ça m'a plu.

— On va en parler en s'attaquant à cette viande rouge. Je vais me chercher une bière. Ça ne vous dérange pas trop ?

— Bien sûr que ça me dérange, dit Lindberg, de voir quelqu'un boire et de me rappeler quel goût ça a. Mais j'ai appris à vivre avec. Chaque chose en son temps. Allez donc chercher votre bière mais ne claquez pas trop la langue de plaisir.

John se souvient d'apporter les assiettes aux steaks et non le contraire. Une magnifique côte de bœuf lui a glissé un jour de la fourchette alors qu'il la portait à table. Il sert Lindberg, se sert, et décapsule sa bière rousse.

— Vous voyez toujours les Alcooliques Anonymes ? demande-t-il en s'asseyant.

— Oh, oui, dit son invité en découpant un morceau de sa viande. Pendant mon voyage, à chaque fois que j'arrivais dans une ville où il y avait un groupe, j'allais les voir. Hé ! cette viande est succulente.

— Pas trop saignante ?

— Non, elle est parfaite. Vous savez, je suis désolé de ne pas avoir pu alpaguer Frère Kristos. Pourtant ce n'est pas faute d'avoir essayé, mais comme je vous l'ai dit dans ma dernière lettre, le bonhomme est blanc-bleu vis-à-vis de la loi. Je crains que vous n'ayez dépensé de l'argent pour rien.

— Je ne le pense pas, dit Tollinger. Vos rapports nous ont beaucoup appris sur lui. Vous avez fait un beau travail. Ça nous a aidé à mieux comprendre comment ce type fonctionne.

— Ouais, dit Lindberg d'un ton sceptique. Il se débrouille pas mal, hein ?

— C'est le moins qu'on puisse dire.

— J'ai appris qu'il était cul et chemise avec le président, qu'il se rendait régulièrement au Bureau Ovale, dormait dans la chambre de Lincoln et jouait les conseillers en politique intérieure. Ouais, vraiment pas mal pour un petit arnaqueur qui a commencé à dire la bonne aventure dans la tente de Madame Olga !

— C'est vrai, il a fait du chemin.

— Beaucoup trop, si vous voulez mon avis, dit Lindberg. Quelqu'un devrait lui fermer le caquet, à celui-là.

— Oui, mais qui ? Et comment ?

— Il doit y avoir un moyen. Je suppose que je ne suis plus dans le coup ?

— Je crains que non. Vous nous avez été très utile, mais il n'y a plus de raison de poursuivre l'enquête. Il a assez de journalistes après lui, maintenant. Difficile d'ouvrir un journal ou un magazine sans tomber sur sa tronche.

— Oui, dit Lindberg. Mais j'ai quand même envie de continuer à le surveiller.

Tollinger le considère d'un air intrigué.

— Et pourquoi feriez-vous ça ?

— Oh... juste pour le pied.

Ils terminent leur repas et s'écartent de la table.

— J'ai de la crème glacée, dit John. A la noix de coco. Ça vous dit ?

— Non, merci, mais je boirais bien un café.

— Un instantané ?

— Je n'en ai jamais bu d'autre.

— Glacé, vous aimeriez ?

— Tiens, bonne idée. Bien noir.

Tollinger se rend à la cuisine, dissout une cuiller à soupe de café instantané avec un peu d'eau chaude dans deux grands verres, qu'il remplit de glaçons et d'eau froide. A la dernière minute, il goûte le sien, et y ajoute un peu de cognac. Il apporte les cafés au patio.

Lindberg avale une gorgée.

— Extra ! dit-il. Ça va mettre un tigre dans mon moteur. Vous avez mis du cognac dans le vôtre, pas vrai ?

— Comment le savez-vous ?

— Je le sens. Le cognac dégage, et depuis que j'ai arrêté l'alcool et le tabac, mon odorat s'est amélioré de cent pour cent.

Ils restent sans parler pendant un moment, savourant la nuit douce. Il y a un brusque éclat de rire dans le jardin d'un voisin ; la vie continue et il y en a qui en profitent.

— Ça m'intéresse de savoir pourquoi vous voulez garder l'œil sur Frère Kristos, dit Tollinger.

— Attention, ne vous méprenez pas, c'est pas un travail que je cherche, dit Lindberg. Je veux le faire pour moi-même.

— Mais pourquoi ?

— Longue histoire.

— J'ai toute la nuit.

— Ça remonte à des années. A cette époque, je travaillais sur le terrain à Wichita. Un jour, un type enlève une fillette de six ans. Il traverse quatre Etats avec elle, la viole en chemin, puis il l'étrangle, la découpe en morceaux qu'il enveloppe dans des journaux et qu'il balance dans des poubelles à Little Rock. On réussit à le coincer dans une grange abandonnée pas loin de Memphis. On lui dit de sortir sans arme — il était armé d'un Lüger — en levant bien haut les bras au-dessus de sa tête...

Lindberg sirote une gorgée de café.

— ... Il a fait comme on lui disait, et je l'ai descendu. Joli tir. Je lui en ai mis trois groupées dans la poitrine, trois points que vous auriez pu couvrir avec l'as de pique. Les gars, au FBI comme à la police, ont tous juré que j'étais en légitime défense, que le type avait pointé son Lüger sur moi.

Tollinger remue nerveusement sur son siège.

— Jamais eu de regrets ? demande-t-il.

— Jamais, dit Marvin Lindberg. Il y a eu d'autres cas après ça, certains pires. J'en suis arrivé à la conclusion qu'on avait beau être tous égaux devant la loi, il y en avait quand même qui étaient d'infects salauds. Et l'hérédité et l'environnement n'y étaient pour rien. Ces types-là naissent pourris, vivent comme des pourris et crèvent comme tels.

— Le péché originel ?

— Peut-être. Enfin voilà, j'ai décidé qu'il y avait des gens qui ne méritaient pas de vivre ; c'est aussi simple que ça.

— C'est à ce moment-là que vous avez commencé à boire ? demande doucement John.

Lindberg le regarde, étonné.

— Je vous trouve un peu trop futé, parfois, dit-il. En fait, j'ai commencé à picoler sec après la mort de ma femme. Mais c'est une autre histoire. Alors, à la fin, le FBI m'a fichu dehors. Une nuit, à Baltimore, je me suis réveillé dans le caniveau. Evidemment, on m'avait fait les poches. Ils m'avaient même pris mes chaussures. Je savais que j'étais en train de me tuer en buvant comme ça, et soudain j'ai eu la trouille. Le lendemain soir, je suis allé chez les Alcooliques Anonymes, et depuis je suis à l'eau. Romantique histoire ?

— Pas très, dit Tollinger. Plus tragique que romantique.

— Vous connaissez un peu les A.A. ?

— Non, pas grand-chose.

— Eh bien, c'est une institution qui, en fait, est très fortement religieuse. Vous devez croire à une Force plus grande que vous si vous voulez vraiment vaincre l'alcool. Les A.A. n'ont aucun lien avec une quelconque religion ou secte, mais on vous demande néanmoins de croire en Dieu, mais comme vous le concevez. Ce que je dis doit vous paraître complètement fumeux mais, en tout cas, ça a marché pour moi.

— C'est l'essentiel, dit Tollinger.

Lindberg termine son café et croque un glaçon.

— Si je vous ennuie avec cette confession, dit-il, c'est pour vous faire comprendre ce que je ressens vis-à-vis de Frère Kristos. Pour moi, c'est Dieu qui m'a sauvé la vie, aussi j'encaisse mal qu'un salopard fasse de la foi un sale petit commerce.

— Avant que vous continuiez, dit John, je dois vous dire que je suis athée corps et âme.

— Mais à chacun sa croyance, approuve Lindberg. Quand j'ai terminé mon enquête sur Kristos, je me suis dit que ce type était tout de même une belle ordure. Il prend cette chose incroyablement précieuse qu'est la foi, et s'en sert pour se faire du fric, des femmes et se saouler la gueule. Pour lui, la religion n'est qu'un attrape-couillon, un jeu de bonneteau au coin d'une foire.

— Oh, vous ne l'aimez pas, dit Tollinger, esquissant un sourire.

— Je le hais. Et c'est pourquoi je ne vais pas lui lâcher les talons jusqu'à ce que je puisse le dénoncer comme l'escroc et l'imposteur qu'il est.

— Oh ? Et comment comptez-vous vous y prendre ?

Le détective garde le silence pendant si longtemps que Tollinger se demande s'il va lui répondre. Finalement, Lindberg décapsule une autre bouteille de Perrier, boit une gorgée, puis se penche en avant, les coudes appuyés sur ses cuisses.

— Vous m'avez fait crédit pour ce qui concerne la discrétion, dit-il, aussi je veux bien croire à mon tour que vous saurez garder tout ça pour vous. Mais d'abord une autre petite histoire. Je n'ai pas été personnellement impliqué dedans ; je la tiens d'un collègue qui travaillait à San Diego. Nos héros étaient un escroc et sa femme, ils allaient tous les deux vers quarante ans. Beaux, bien sapés. Ils se débrouillaient assez bien en trichant aux cartes sur des bateaux de croisière.

« Ils avaient une fille, un vrai canon, d'après le collègue. Elle n'avait que quinze ans mais elle était grande, roulée comme une vamp, et avec du maquillage et une belle robe du soir, on pouvait lui donner vingt et un ans. Ils décidèrent d'exploiter le filon.

« La famille débarquait dans un grand hôtel où il y avait un congrès, et la fille essayait de racoler au bar quelque quinquagénaire qui avait envie de prouver quel démon d'amour il était encore. Dès qu'elle avait féré un poisson, la fille faisait un petit signal à sa mère avant de suivre le type dans sa chambre.

« Ses parents lui donnaient peut-être dix minutes pour qu'elle soit déshabillée et que le type ait enlevé son froc. Alors ils tambourinaient sur la porte en menaçant de la défoncer. Une fois entrés, maman brandissait le certificat de naissance de la donzelle, et papa jouait les flics avec une fausse plaque de police. Notre Casanova ne couperait pas à un détournement de mineur aggravé d'attentat à la pudeur, et j'en passe.

« Après quoi, le pigeon était bien content de s'en tirer en leur refilant toutes les espèces qu'il avait avec lui ou qu'il pouvait emprunter. Leur stratagème marchait comme sur des roulettes, leur prise par victime allant de deux cents à plus de trois mille dollars selon les cas. La famille allait et venait sur la côte ouest, suivant le circuit des divers congrès. Le coup a bien marché pendant plus d'un an. »

— Mais ils se sont fait prendre ? dit Tollinger.

— Tout a une fin, dit Lindberg. Il y en a eu parmi les plumés qui, revenus de leurs émotions, ont déposé plainte. Petit à petit les signalements se sont recoupés, et le Bureau a fini par les localiser. La fois suivante où ils sont arrivés à San Diego, l'homme que la fille a levé au bar du *Grand Hotel*, c'était le collègue du FBI qui m'a raconté l'histoire.

— Passionnant, dit Tollinger, mais quel rapport avec Frère Kristos ?

Lindberg le regarde intensément.

— C'est comme ça que je vais lui scier les pattes, dit-il. Je vais escroquer l'escroc. Vous savez, j'ai beaucoup réfléchi à ça. Kristos a trois faiblesses : la cupidité, la vodka et les femmes. Il n'y a rien à tirer des deux premières, mais je pense que je peux l'épingler avec la troisième. D'après ce que j'ai pu entendre à son sujet, il est incapable de garder sa braguette fermée. Alors je vais le piéger avec une appétissante mineure. A mon avis, il mordra à l'hameçon. Seulement, il ne s'en sortira pas en mettant la main à la poche comme le congressiste lambda. La mère le poursuivra pour tentative de viol et en informera la presse. Frère Kristos ne s'en relèvera jamais.

Lindberg se radosse à son fauteuil et vide son verre de Perrier.

— Alors, demande-t-il, qu'en pensez-vous ?

— Sale, dit John, mais efficace... si ça marche.

— Oh, ça marchera, dit Lindberg, confiant. Il y a quelques détails à peaufiner, mais j'ai déjà trouvé une mère et sa fille pour jouer le jeu. Elles sont parfaites. Il n'y a pas un seul casting qui aurait trouvé mieux.

— Elles entendent se faire payer pour ça ?

— Naturellement.

— Voilà pourquoi vous m'avez parlé de tout ça. Vous voulez que je finance l'opération ?

— Pas vous personnellement. Les gens que vous représentez.

— Combien ça coûtera ?

— Deux mille d'avance. Que la mère et la fille garderont même si le coup foire. Cinq mille de plus si c'est un succès. Rien pour moi, si ce n'est la satisfaction.

— Je crois que j'ai besoin d'un cognac, dit Tollinger en se levant.

Il se rend à la cuisine, se verse une bonne dose de cognac dans le verre où il a bu son café, avale cul sec. Sa bonne humeur de tout à l'heure a disparu. Il se demande si sa mélancolie n'est pas due au fait qu'il glisse insidieusement de l'homme de pensée à l'homme d'action.

Il regagne le patio.

— D'accord, dit-il. Faisons-le.

10

Ils tiennent réunion dans le salon de Mme Mattingly. Frère Kristos, assis dans un grand fauteuil en cuir, regarde ses vis-à-vis d'un regard implacable.

La Première dame est là, avec Jennifer Raye à sa droite. Lu-Anne Schlossel partage un canapé recouvert de velours grenat avec Lenore Mattingly. Emily a pris place sur une chauffeuse recouverte d'un épais coussin à fleurs.

Kristos ne mange ni ne boit, tandis qu'Agnes Brittlewaite sert à ces dames avec une totale indifférence du thé et des biscuits au gingembre.

Lu-Anne attend qu'Agnes quitte la pièce avant de reprendre son discours.

— Je n'aime pas être porteuse de mauvaises nouvelles, madame Hawkins, dit-elle, mais vous pouvez dire au président que le projet de partage des surplus est en grand péril. Il sera approuvé en comité mais sera repoussé s'il est présenté au Congrès. Au Sénat, d'après ce que je sais, il ne ressortira jamais de la commission censée l'examiner.

— Mon mari sera très déçu, dit tristement Mme Hawkins. Comme je le suis moi-même. N'y a-t-il aucun moyen de sauver ce projet ? Tant de gens sont dans le besoin.

— Certainement, dit Schlossel, mais les lobbies agricoles nous sont tombés dessus.

— Ils ont monté une gigantesque campagne de publicité,

et ils n'ont pas lésiné sur les moyens, ajoute Raye. Vous avez dû voir ça à la télé et dans les journaux. L'agriculture de ce pays, à les entendre, courrait à la catastrophe si l'on ouvrait les entrepôts aux nécessiteux. Bien entendu, ils ne disent pas qu'aujourd'hui la plus grande partie des produits alimentaires est fabriquée par des sociétés multinationales qui ont peur que le partage des surplus n'entame leurs profits.

— C'est injuste ! s'indigne Emily. J'ai vu à la télé ces terribles images de femmes et d'enfants attendant dans un centre qu'on leur donne un bol de soupe et un morceau de pain. Ça me donne envie de pleurer.

— Nous faisons ce que nous pouvons, de notre côté, dit sa mère, et je suis sûre que tous nos amis en font autant. Mais que peut la charité individuelle face à un tel phénomène ? J'ai lu l'autre jour qu'il y a vingt millions de gens qui ne mangent pas à leur faim dans notre pays. Vous imaginez ? Vingt millions !

— Frère Kristos, dit la Première dame, n'auriez-vous pas une suggestion qui pourrait contribuer à l'approbation du projet ? Après tout, les sondages ont montré que plus de soixante pour cent de la population était pour.

Cinq têtes de femmes se tournent vers lui, et il ferme lentement les yeux. Elles attendent, muettes, pensant que peut-être il prie. Quand il rouvre les yeux, son regard est encore plus intense.

— Le projet passera, mes sœurs, annonce-t-il de sa voix monocorde. Ceux qui ont faim mangeront. C'est la promesse que je vous fais.

L'atmosphère se détend ; les dames se regardent l'une l'autre avec des sourires de soulagement.

— Puis-je le dire à mon mari ? demande Mme Hawkins.

— Oui, dit Frère Kristos. Dites à père que son projet passera, et que son geste de bonté sera récompensé.

Il se lève abruptement. Il porte sa chemise noire en soie, sa croix en or, un diamant au doigt et un bracelet de médailles en or gravées de symboles égyptiens.

— C'est la Divine Volonté, dit-il, et l'Eternel nourrira toujours ses enfants. Ayez foi en Dieu, et vous serez récompensées. Maintenant, je dois vous quitter car j'ai beaucoup à faire pour propager la parole de Dieu. Député Schlossel, voulez-vous m'accompagner, s'il vous plaît ?

Surprise, Lu-Anne se lève, prend son manteau et son sac

et se hâte derrière le prêcheur. Elle le suit jusqu'à son appartement à l'étage. Il lui fait signe de s'asseoir à la grande table du salon puis ferme la porte au verrou. Il va dans sa chambre, revient avec la carafe de vodka et deux verres.

— Est-ce ainsi que vous propagez la parole de Dieu, prêcheur ? demande-t-elle, moqueuse.

— Ça aide, dit-il, sans sourire.

— Juste un peu pour moi, dit-elle. Il y a une séance de nuit au Congrès.

Il en verse un peu dans un verre et à ras bord dans un autre. Puis il rapproche sa chaise.

— Ce que vous avez annoncé en bas, dit-elle, que le projet passerait, est-ce que vous le croyez sincèrement ou bien n'est-ce qu'une pommade pour nous donner courage ?

— Le projet passera.

Elle boit une gorgée de son verre.

— Et après que vous l'aurez fait passer, vous irez faire un pèlerinage au mont Rushmore ?

Il ne répond pas à cela.

— Je veux vous parler de quelque chose d'autre, dit-il. Vous avez beaucoup travaillé au projet du président, et vous méritez de savoir. Le vice-président Trent est mon pire ennemi. Il pense que j'ai une influence diabolique sur Hawkins.

— Ce n'est un secret pour personne ce que Trent pense de vous.

— Ce que vous ne savez pas, c'est que Trent va rencontrer les principaux responsables du parti dans le but de m'éliminer.

— Oui, dit-elle en le regardant avec curiosité. Et comment avez-vous appris ça... une voix dans le ciel ?

Il avale une grande gorgée de vodka.

— Par ce que les journalistes appellent une « source confidentielle ». Trent n'aime pas ce qui se passe dans le parti. Il craint qu'il ne tombe aux mains des minorités et de ceux qu'il appelle les « rebuts de la société ».

— Oh, pour lui, les rebuts sont tous ceux qui doivent travailler pour vivre. Trent est né riche.

— Le but de cette réunion est de persuader les grosses légumes du parti d'abandonner Hawkins et de le soutenir, lui, Trent, comme candidat à la présidence lors des prochaines présidentielles.

Schlossel vide son verre d'un coup.
— Il a plus d'ambition que de cervelle, dit-elle. Mais cette fois, je dois reconnaître qu'il dispose d'atouts. Si le parti boit la tasse aux législatives, et tous les experts s'accordent à le prédire, tout le monde cherchera un bouc émissaire, et Abner Hawkins est tout désigné.
— Ce n'est pas fini, dit Frère Kristos, remplissant de nouveau son propre verre. Si Trent obtient des assurances des gros bonnets, il se peut qu'il démissionne sur-le-champ. Il aura ainsi les coudées plus franches pour clamer que Hawkins est mon pantin et qu'il a trahi le parti en cédant à des groupes d'intérêts particuliers.
Schlossel le regarde avec stupeur.
— Vous êtes vraiment un sorcier, dit-elle. Trent, démissionner ? Vous en êtes sûr ?
— C'est tout à fait possible.
Elle réfléchit un moment.
— Oui, dit-elle finalement, ça se tient du point de vue de Trent. Il se servira de vous comme d'un épouvantail. Et après que le projet aura été rejeté, il se trouvera dans une position plus favorable encore.
— Mais le projet ne sera pas repoussé.
— C'est vous qui le dites. Comment pensez-vous qu'il pourra passer ?
— Après les élections législatives, j'attendrai quelques mois puis je conseillerai au président de retirer son projet de partage des surplus et d'en soumettre un autre au Congrès. Ce deuxième projet visera au même but que le premier mais il comportera également une augmentation des aides et des compensations allouées aux agriculteurs.
Schlossel écarquille les yeux. Puis elle bondit sur ses pieds et, prenant la tête de Frère Kristos entre ses mains, l'embrasse sur la bouche.
— Vous êtes un génie ! s'écrie-t-elle. Ça, c'est une idée ! Je comprends maintenant que vous soyez aussi sûr que le projet passera. Comment les agriculteurs pourraient-ils s'opposer à des mesures dont ils seront au bout du compte bénéficiaires ?
— Je viens d'une famille de fermiers, dit le prêcheur. Je suis en faveur du partage des surplus alimentaires avec ceux qui souffrent de la faim mais cela ne doit pas affecter ce que les agriculteurs gagnent à la sueur de leur front. Ce ne serait pas juste.

— Je suis entièrement d'accord, dit Lu-Anne. Dites, si jamais vous vous présentez à la députation, avertissez-moi, voulez-vous ? Génial, prêcheur ! Génial ! Mais pourquoi voulez-vous attendre que les élections soient passées pour que Hawkins présente un nouveau projet ? S'il le fait tout de suite, le parti aurait une meilleure chance aux législatives.

— Parce que le destin du parti ne me concerne pas, dit froidement Frère Kristos. Je veux qu'il perde les élections. Parce que je veux que Samuel Trent démissionne de la vice-présidence. Alors Hawkins soumettra son projet remanié, et celui-ci passera. Hawkins redeviendra le leader du parti.

— En d'autres mots, vous voulez écraser Trent ?

— Oui, l'homme est impur.

Elle a un rire joyeux.

— Impur ? Ça, c'est la meilleure raison que j'aie jamais entendue pour démolir un politicien. Je suis heureuse de vous avoir comme ami et pas comme ennemi. Car je suis votre amie, n'est-ce pas ?

— Oui, dit-il avec son sourire carnassier. Une amie de valeur.

— Alors qu'est-ce qu'on attend ? dit-elle en se levant et en le prenant par la main pour l'entraîner vers la chambre. Scellons notre amitié. J'ai entendu dire que vous étiez une vraie terreur au lit.

Elle a un corps tout en os, muscles, tendons. Elle a de la force, sa peau est une velours noir.

— Pas de seins, pas de fesses, lui dit-elle, mais j'ai du jus. N'ayez pas peur d'y aller, je plie mais ne romps pas.

Elle se colle à lui, explore sa peau.

— C'est quoi, ça ? demande-t-elle en touchant la cicatrice qui lui barre le ventre.

— Un coup de couteau dans une bagarre.

— Et ça ? demande-t-elle en passant un doigt sur les croûtes de sang séché dans son dos. Vous vous êtes flagellé ?

— Oui.

— Quel drôle de prêcheur vous faites, dit-elle. Allez, viens, sorcier, montre-moi quelques tours de magie.

Leur étreinte est sauvage. Elle tient du combat. Ils roulent par terre. Elle supporte son poids avec des grognements de joie, tire sur ses cheveux, sa barbe, ses épaules poilues pour le serrer contre elle, plus fort.

— Dieu ! lâche-t-elle une seule fois en encaissant ses coups de boutoir, les dents serrées, les yeux clos.

Jusqu'à ce que, vidés, brisés, ils gisent immobiles sur le tapis.

— Le Seigneur est mon berger, murmure-t-elle. Je n'en veux pas d'autre.

— Amen, dit Frère Kristos.

11

Dans l'avion pour New York, Trent demande pour la troisième fois :

— Est-ce que tout est arrangé ?

— Oui, monsieur, répond patiemment Oberfest. Une voiture nous attend à l'aéroport pour nous emmener directement au *Bedlington*. Une suite a été réservée à mon nom. Elle sera pourvue d'alcools, de glaçons, de cigares et de cigarettes.

— On aurait peut-être dû prévoir quelque chose à manger, dit Trent, soucieux.

— Je ne le pense pas, monsieur, dit son secrétaire personnel. Manger vous distrairait, et vous avez dit vous-même que la réunion ne devrait pas durer plus de deux ou trois heures.

— Oui, c'est vrai. Ce devrait être suffisant pour les convaincre, n'est-ce pas ?

— Oui, monsieur.

— Pourrez-vous jouer les barmen ? Ces hommes sont habitués à être servis.

— Oui, monsieur.

— Et n'intervenez que si l'on vous pose une question.

— Bien, monsieur.

La suite de l'hôtel *Bedlington* est assez triste mais elle a tout le confort. Trent trouve qu'il y fait trop chaud et il demande à Oberfest d'ouvrir une fenêtre. Il inspecte le bar roulant, et la variété des boissons le satisfait. En plus, la vodka est made in USA. Il s'assure également qu'il y a un rouleau neuf de papier-toilette dans les WC.

— Ce sont les petites choses qui comptent, dit-il à Michael.

Les quatre hommes qui arrivent séparément durant la demi-heure qui suit ne sont peut-être pas les membres les plus éminents du parti, mais ils sont riches, actifs dans les affaires du parti, et ils exercent sur la politique et l'organisation de ce dernier une grande influence. Tous self-made men, ils ont appris depuis longtemps que pour garder le pouvoir, il faut en user.

Ils se connaissent tous, naturellement, et après que Michael les a pourvus de verres et de cigares, ils échangent entre eux quelques blagues et histoires drôles que Trent trouve plus appropriées au vestiaire d'un club de foot qu'à une importante réunion politique.

Les quatre hommes s'appellent Weisbard, Nugent, Packinhouse et Whitman. Tous dirigent de grandes entreprises. Quand ils ont fini de se gondoler comme des collégiens, le vice-président se lève et attend d'avoir leur attention. Puis il se lance dans un discours qu'il a répété deux fois, dont une première en présence de Matilda, dont la réaction a été :

« Tu es sûr de savoir ce que tu fais ? »

— Laissez-moi tout d'abord vous remercier d'être venus, dit-il. Je sais parfaitement que vous avez tous de nombreuses occupations et que votre temps est compté. Mais la question que je veux examiner avec vous est d'une telle importance qu'il m'a semblé qu'une réunion privée était indispensable.

Il rapporte ensuite ce qu'ils savent déjà : les plus récents sondages indiquent qu'aux prochaines élections en novembre le parti perdra le contrôle du Sénat et la majorité au Congrès. Il est prédit en outre que le parti perdra quatre postes de gouverneurs parmi les Etats les plus riches et une quantité d'autres positions secondaires.

— Cette triste situation, dit Trent en enflant la voix, est la faute d'un seul homme : Abner Randolph Hawkins, le prétendu président des Etats-Unis.

— Holà ! Sam, dit Nugent, tu y vas fort.

— La situation l'exige, dit Trent, solennel. Je dis tout haut ce que les autres pensent tout bas : Abner Hawkins est en train de ruiner le parti. A moins de prendre sans tarder les plus énergiques dispositions, nous allons au-devant d'une débâcle dont il nous faudra vingt ans pour nous remettre.

Son auditoire ne manifeste aucune réaction ; les visages

ont ces masques impénétrables des joueurs de poker ayant une paire de deux.

— Y a-t-il des gens ne mangeant pas à leur faim dans cette grande nation ? poursuit Trent. Bien sûr qu'il y en a. Il y en a toujours eu. Mais ce projet insensé ne résoudra pas le problème. Une augmentation des tickets alimentaires aurait eu à long terme des effets plus bénéfiques sans de désastreuses retombées politiques.

Trent fait alors état qu'il est de notoriété publique que le président est devenu une marionnette manipulée par un charlatan mystique, qui se prétend l'apôtre de Dieu sur terre, et qui passe communément pour un ivrogne et un fornicateur. Voilà l'individu qui dirige en ce moment même la politique intérieure du pays !

— Ce Frère Kristos, dit Trent d'une voix emportée, est un escroc, une canaille, un voleur ! Et pourtant, il a porte ouverte au Bureau Ovale. Il a même dormi dans la chambre de Lincoln ! Il est temps que le pays tout entier sache que ce diable occupe la Maison-Blanche.

— Là, je vous suis, Sam, dit Packinhouse, rallumant son cigare éteint. A mon club, il n'est question que de savoir si Frère Kristos saute la Première dame.

— Et des ragots de cette nature continueront, dit Trent, jusqu'à ce que le gouvernement tout entier devienne la risée du public. Je sais que mon premier devoir de vice-président est de soutenir avec ferveur la politique du chef de l'Exécutif. Mais si, entre autres raisons, je vous ai appelés ici aujourd'hui, c'est pour vous dire que je ne peux plus fournir ce soutien.

Il se fait une pause tandis qu'Oberfest remplit les verres et passe à la ronde une boîte de cigares. Trent prend son premier verre, un cognac-orange, mais il n'en boit qu'une gorgée.

— Sam, dit Nugent en le regardant pensivement, le tableau que tu dresses me paraît bien sombre. Je ne dis pas que tu te trompes mais je ne pense pas que la situation soit aussi dramatique que tu la dépeins. Peut-être devrions-nous parler avec Hawkins et le ramener à un peu plus de bon sens vis-à-vis de ce Frère Kristos.

— Impossible, affirme le vice-président. Lui et sa femme sont convaincus que le type a sauvé deux fois la vie de leur fils. Ils ne supportent pas la moindre critique à l'égard de leur héros.

— Bon, intervient Packinhouse, je crois qu'on est tous d'accord ici pour reconnaître qu'on a un sérieux problème sur les bras. Quelle est votre solution ?

Samuel Trent prend une profonde respiration. Le moment est venu.

— Quand on souffre d'une tumeur maligne, dit-il, le seul espoir de guérir est l'ablation. Je suggère que le parti se coupe d'Abner Hawkins le plus vite et le moins douloureusement possible. Nous devons avoir le courage d'affronter les faits, messieurs : Hawkins n'exercera jamais qu'un seul mandat. Il n'est pas trop tôt pour commencer à chercher un candidat de poids en vue des élections présidentielles qui se tiendront dans deux ans.

— Vous, par exemple ? dit Weisbard.

— Oui, moi, dit Samuel Trent, très digne. Je ne pécherai pas par fausse modestie. Je me considère moi-même comme un homme de raison qui a de nombreuses années d'expérience à tous les échelons du service public. Par ailleurs, j'ai toujours été un membre fidèle du parti depuis que j'ai eu le droit de vote. J'ai fait beaucoup pour le parti, lui consacrant sans compter mon argent, mon temps et mon énergie. Je suis entouré d'une équipe capable et loyale, surtout à Boston. Et je n'ai pas besoin de vous rappeler que j'ai assez de ressources pour financer une partie de ma campagne électorale.

Les quatre hommes échangent des regards.

— Tout ce que je vous demande, continue Trent, c'est une approbation tacite de la direction que j'entends prendre. Je reconnais bien volontiers que je ne peux réussir sans votre feu vert. Mais je dois également ajouter que mon intention est de persévérer quoi qu'il arrive. Ma détermination est telle que j'envisage même sérieusement de démissionner de ma charge de vice-président des Etats-Unis.

Ses paroles ont l'effet dramatique souhaité. Avec un ensemble comique les quatre hommes vident leurs verres.

— Tu es sérieux, Sam ? demande Nugent.

— Je n'ai jamais été aussi sérieux de ma vie. Mes ennemis m'ont accusé de bien des choses mais jamais d'être un hypocrite. Je ne peux continuer de défendre et de soutenir un gouvernement vis-à-vis duquel je n'ai plus que désaccord et mépris.

— Qui est au courant de ça ? demande Packinhouse.

— Seulement ma femme. Et maintenant, vous, messieurs, ainsi que mon secrétaire.

— Sam, dit Weisbard avec un sourire aimable, en entrant dans l'hôtel, tout à l'heure, j'ai remarqué un petit salon à côté de la réception. Nous pardonnerez-vous si nous vous demandons d'y descendre avec votre secrétaire et de nous accorder une demi-heure de discussion entre nous avant de prendre une décision ? J'espère que cela ne vous offense pas ?

— Pas le moins du monde, dit Samuel Trent, vexé jusqu'à la moelle. Je comprends parfaitement. Michael, venez, je vous prie.

Après qu'ils sont partis, les quatre hommes se lèvent, ouvrent en grand la fenêtre pour chasser la fumée des cigares.

— Dans le genre ampoulé, difficile de faire mieux, dit Weisbard, mais il ne raconte pas que des conneries.

— Mais peut-on parier sur lui ? demande Nugent. Je préfère jouer sur un gagneur sans le sou que sur un perdant plein aux as.

— Ce type n'est qu'un crétin, lâche Packinhouse.

— C'est sûr, dit Whitman, parlant pour la première fois, mais c'est notre crétin à nous.

12

Enfoncé dans son siège dans la voiture de Marchuk, Oberfest fixe d'un regard abattu la radio sur le tableau de bord de noyer. Il est persuadé qu'elle contient un magnétophone et que tout ce qu'il vient de rapporter de la réunion du *Bedlington* est maintenant sur cassette.

— Terminez votre histoire, dit le Russe avec impatience. Je suis sûr qu'elle ne s'arrête pas là.

— Eh bien, quand nous sommes remontés, ils ont donné leur réponse à Trent. Un ni-oui ni-non. Ils lui ont dit de faire comme il le sentait. Mais ils ont quand même été clairs. Ils préfèrent réserver leur soutien jusqu'aux élections législatives. Alors, si le parti a pris la dégelée prédite et que Trent a démissionné et annoncé sa candidature aux présidentielles, que la réaction du public est favorable, les quatre ont assuré Trent qu'il pourrait compter sur leur coopération.

— Je vois, dit le commandant. En d'autres mots, ils abandonneront le président Hawkins et soutiendront ce sale vice-président.

— Vous avez tout compris.

— C'est décourageant.

— Trent a été assez bon, et ça leur fait mal au cœur de voir le président à genoux devant ce prêcheur. C'est pourquoi ils sont prêts à parier sur Trent.

— Je n'aime pas ça, marmonne Marchuk. Trent saura mobiliser tous les casseurs de Rouges de ce pays. J'avais espéré que ces jours-là étaient révolus.

— Eh bien, ils ne le sont pas, dit Oberfest avec quelque satisfaction. Et après que le projet de distribuer les surplus si cher à Hawkins aura été rejeté, Trent aura en plus la faveur de toute l'Amérique agricole.

— Vous pensez qu'il orientera délibérément le parti à droite ?

— Ça, vous pouvez en être sûr.

Le Russe prend une profonde respiration.

— Je vais rendre compte de tout ça et laisser les grands esprits de Moscou réfléchir à ma place. A eux de décider de l'attitude que nous devrons adopter. En attendant, gardez-moi informé de ce que trafique Trent. Vous avez toujours des contacts avec John Tollinger à la Maison-Blanche ?

— Oui, je compte passer le voir demain à son bureau, pour l'informer.

— Très bien. Il faut que les hommes du président sachent que Trent est un traître.

— Croyez-moi, ils le savent déjà.

13

Un vent de fin octobre arrive en gémissant du nord-ouest, et l'après-midi luit doucement sous un soleil pâle frangé de traînées cotonneuses. Pas beaucoup de circulation sur la route, et Marvin Lindberg pousse sa vieille Buick avec un souverain dédain pour les pneus lisses et le coffre arrière qui bâille, mal attaché par un bout de ficelle.

— Il serait peut-être temps de jeter ce clou à la ferraille, dit John Tollinger. C'est un danger pour tout le monde.

— Et acheter une Mercedes ou une BMW ? dit Lindberg. J'aimerais bien. Frère Kristos peut s'offrir une Scorpio ; pas moi.

Tollinger, qui mesure tout le sordide de cette entreprise qu'il a approuvée et qu'il aide à financer, est tenté de tout laisser à l'ex-agent du FBI. Mais il décide que ce serait de la lâcheté et, par ailleurs, il a envie d'assister à la chute de Kristos.

Assises à l'arrière de la voiture, Mme Tessie Lapchick et sa fille, Judy. La mère, femme replète au visage rougi surmonté d'un casque de cheveux teints au henné, a assuré John lors des présentations que ça ne la gênerait pas du tout s'il l'appelait Babe.

On a peine à croire que sa fille Judy a seulement quinze ans, même si Mme Lapchick a un certificat de naissance pour le prouver. Elle doit faire un mètre soixante-dix, suppose Tollinger, et peser un peu moins de soixante kilos, la plus grande partie en poitrine et en fesses. Elle a de longs cheveux blonds qui lui tombent jusqu'aux reins, et ses traits fins sont un mélange étrange et excitant de candeur enfantine et de sournoiserie adulte.

John ne doute pas que la gamine puisse passer pour une jeune femme de vingt ans. La robe qu'elle porte ajoute à cette impression de maturité. Les manches sont longues, le col montant, mais le vêtement colle à sa peau et s'arrête à trois centimètres des genoux ronds et lisses.

Pas de bas ni de collants à ses jambes, galbées et épilées.

La tenue de Mme Lapchick pour son rôle de mère outragée et vengeresse se compose d'un ample tailleur noir, que n'égaye pas la broche de bronze terni — représentant un dauphin bondissant — qu'elle porte au revers de la veste. Elle a enfilé par-dessus un léger manteau de popeline beige sale, mais Judy n'a rien d'autre sur elle que sa robe moulante et, Tollinger le devine, rien dessous non plus. Elle porte en bandoulière un fourre-tout en chamois.

Ils arrivent au séchoir en même temps que d'autres véhicules remplis de fidèles. Le terrain tout autour a été goudronné, et un tracé peint délimite les places de stationnement.

— Regardez-moi ça, dit Marvin, presque admiratif. Il a installé un parking payant. Ce type n'en manque pas une.

Il se gare, baisse sa vitre et glisse un demi-dollar en pièces dans le parcmètre. Puis il se tourne et soulève le sac de Judy pour le poser à côté de lui. Il prend ensuite deux petits appareils électroniques dans la boîte à gants et les montre à Tollinger.

— Celui-ci enregistre et transmet. Portée d'environ trois cents mètres. Marche avec des piles. Glissière d'arrêt/marche. Bouton de volume. Celui-là, c'est le récepteur-enregistreur. Marche également sur piles. Capacité d'enregistrement quatre-vingt-dix minutes. Je les ai essayés des dizaines de fois, et ils marchent. Bonne réception et pas trop de parasites. Made in Japan, natürlich.

Il pose le récepteur sur le large cendrier du tableau de bord et glisse le transmetteur dans le sac de Judy.

— Ne touche pas au volume, mon chou, lui dit-il. Quand le sermon sera fini, mets-le discrètement en marche. Après, tu essaies de te faire recevoir en privé par Frère Kristos.

— Oui, dit Judy avec ennui, je sais ce que je dois faire.

— Bien sûr que tu le sais. Nous resterons ici, à écouter, et s'il en vient aux mains, on arrive comme la cavalerie, alors tu n'as pas à avoir peur.

— Mais j'ai pas peur de ce type, dit-elle avec un haussement d'épaules.

— Je le sais bien, dit Lindberg. Bon, vas-y, maintenant. Souviens-toi, ne branche pas le micro avant qu'il ait terminé son sermon. Les piles sont neuves mais inutile de les user pour rien.

La fille sort de la voiture, tire sur sa jupe et balance le sac par-dessus son épaule.

— M'man, dit-elle, tu crois qu'on sera rentrées à temps à la maison pour voir *Le Magicien d'Oz* ?

— J'ai programmé le magnétoscope pour l'enregistrer, la rassure Mme Lapchick. Comme ça, tu pourras le voir, quelle que soit l'heure de notre retour.

Ils regardent Judy s'éloigner d'une démarche chaloupée. Elle rejoint les fidèles entrant dans l'église et disparaît à l'intérieur.

— Ses sermons durent en général une vingtaine de minutes, dit Lindberg. Une demi-heure au plus. On a un peu de temps à tuer.

— Je vais me dégourdir les jambes et fumer une pipe, dit Tollinger.

— Prenez votre temps, dit le détective. Babe et moi allons rester ici et nous raconter nos histoires d'amour.

— Oh, vous ! pouffe-t-elle.

John s'éloigne du parking. Il y a un champ vide, à l'herbe rase et sèche. Il n'a pas de manteau, et ce vent du nord-ouest sent l'hiver. Il fait les cent pas, la pipe serrée entre les dents, le col de sa veste relevé, et les mains dans les poches de son pantalon.

Il s'émerveille de nouveau de l'absurdité de la vie. Jamais il n'aurait pu imaginer qu'il puisse se retrouver un soir à attendre dans un trou perdu qu'une adolescente mûrie à point piège de ses appas un dangereux illuminé. Il a le sentiment d'être une espèce de proxénète et n'en tire pas fierté.

Mais il a choisi de faire carrière dans le service public, et personne n'a jamais prétendu que la profession était hautement morale. Il a appris depuis longtemps que débattre si la fin justifie ou non les moyens est un exercice aussi vain que de se demander combien d'anges peuvent danser la rumba sur une tête d'épingle.

Le service public est presque un paradoxe. Trop souvent le bien de tous passe après le profit de quelques-uns. Non pas parce que les serviteurs de l'Etat et les politiciens sont vénaux ; ils ne le sont pas plus que d'autres. Ils sont seulement humains.

Tout à ses mélancoliques réflexions, il s'aperçoit à peine du temps qui passe. Mais sa pipe gargouille soudain quand il tire dessus, et il la vide en la tapant contre sa main et se hâte de regagner la Buick.

Ils attendent près de cinq minutes dans la voiture puis la porte du séchoir s'ouvre, et les paroissiens de Frère Kristos commencent à sortir.

— Nous y voilà, murmure Lindberg.

Il enclenche le récepteur-enregistreur. La bande sous la protection de plastique commence à tourner lentement.

Silence pendant un moment puis le minuscule haut-parleur lâche une bordée de parasites.

— Elle a branché le micro, dit Lindberg. C'est bien, ma fille.

Ils perçoivent un brouhaha de voix, le grincement des

bancs sur le sol, puis, étonnamment claire et nette, la voix de Judy, qui demande :

« Excusez-moi, mais pourrais-je parler à Frère Kristos quelques minutes ? En privé. Il faut vraiment que je lui parle. »

Un silence. Une voix de femme qui répond :

« Attendez ici. Je vais voir s'il est disponible. »

Ils attendent, silencieux, dans la voiture, essayant de visualiser ce qui se déroule à l'intérieur de la grange.

Judy attend patiemment, le dos bien droit, la tête haute. Elle porte des talons hauts, et elle commence à avoir mal aux pieds. Pearl Gibbs revient enfin.

— Frère Kristos veut bien vous recevoir maintenant, dit-elle. Essayez d'être brève. Il a un rendez-vous important.

— Ça ne prendra pas longtemps, promet Judy.

Dans la pièce du fond, le prêcheur attend debout, appuyé d'une main à la table en bois. Il porte encore sa robe de bure. Le chien pâle est couché à ses pieds.

— Frère Kristos, dit la jeune fille d'une voix émue, je voulais vous dire que votre sermon, ce soir, est la chose la plus importante qui me soit jamais arrivée dans ma vie.

Il hoche la tête, la considérant avec attention, puis il se caresse doucement la barbe.

— J'ai un problème personnel, poursuit Judy, et j'ai pensé qu'un homme comme vous, qui êtes tellement sympathique et compréhensif et tout, pourrait me dire ce que je dois faire.

Il opine de nouveau du bonnet et lui désigne l'une des chaises. Elle pose son sac à terre, s'assoit et croise ses jambes nues. Sa jupe courte remonte sur ses cuisses. Frère Kristos tire une autre chaise et prend place face à elle.

— Quel est votre problème, ma fille ? demande-t-il.

Elle regarde ses mains, triture ses doigts.

— Ça me gêne d'en parler, dit-elle en gloussant nerveusement. Vous allez vous moquer de moi.

— Je ne me moquerai pas.

— Voilà, j'ai vingt ans, enfin, je les aurai le mois prochain, et... euh... je ne suis jamais allée avec un garçon, vous comprenez ?

— Vous êtes vierge ?

— Oui. Je sors beaucoup avec des garçons mais ils veulent toujours aller au lit avec moi. Vous savez, je ne suis pas arriérée ou réac au sujet du sexe, mais ça me fait peur. C'est un grand pas à faire pour moi. Toutes mes amies l'ont fait et elles me trouvent idiote de ne pas oser. Je leur dis que je préfère attendre d'être mariée pour ça mais la vraie raison, c'est que j'ai la trouille. Je sais que ce n'est pas normal d'être comme je suis, et j'ai pensé que peut-être vous pourriez faire quelque chose pour moi. Comme vous avez dit ce soir, ce qui se passe entre un homme et une femme plaît à Dieu.

Dehors, dans la voiture, ils ont écouté ce dialogue en retenant leur souffle. Lindberg monte légèrement le volume.

— Elle fait un joli travail, la gosse, dit tout bas Tollinger.

— Exactement comme à la répétition, dit Lindberg.

— Ma fille est une vraie championne, dit fièrement Mme Lapchick.

Puis ils se taisent de nouveau, tendant l'oreille aux voix venant de la petite boîte noire.

Kristos : « Vous vous trompez, ma fille, quand vous dites que la peur que vous éprouvez n'est pas normale. Tout le monde, hommes et femmes, a la même peur. Et, bien qu'elle devienne moins forte avec l'expérience, elle ne disparaît jamais totalement. »

Judy : « Je ne suis pas sûre de comprendre ce que vous dites. »

— Maintenant, il va lui faire son petit discours, dit Lindberg.

Kristos : « L'intimité physique entre un homme et une femme est une expérience religieuse. Elle est donc en partie un mystère. Il est naturel que nous ayons peur de l'inconnu. Mais nos craintes ne doivent pas nous empêcher de chercher notre chemin vers la grâce spirituelle. »

— Une grâce spirituelle, la baise ? dit Lindberg, incrédule. Mais de quoi parle-t-il ? Comment se fait-il qu'il ne l'ait pas encore troussée ?

Judy : « Alors vous pensez que je devrais le faire ? »

Kristos : « Si l'envie est dans votre cœur, ma fille. »

Judy : « Rien que l'idée me donne des frissons dans le dos. Peut-être que si j'étais sûre que l'homme soit doux et aimant et qu'il ne me fasse pas mal... »

— Superbe, commente Tollinger. Si après une pareille invite, il ne lui saute pas dessus...

Kristos : « Vous êtes une belle jeune femme. C'est un

don de Dieu, et vous devez le chérir. Ne cherchez la grâce dont je vous ai parlé que si vous êtes certaine que l'homme est bien celui qui vous convient. Votre corps est un temple. C'est un lieu sacré, et la joie n'y résonnera que dans l'amour de Dieu. »

— C'est foutu, grogne Tollinger, incapable de dominer sa colère.

Kristos : « Allez, ma fille, et cherchez un homme avec qui vous pourrez partager la gloire de Dieu. Et apprenez à dompter vos peurs et à découvrir cette communion avec le Tout-Puissant que seul l'amour charnel peut apporter. »

— Merde ! dit Lindberg, furieux. Il a flairé le piège, le salaud ! Vous avez remarqué comment il l'appelait *ma fille* ? Comment il a pu deviner ?

Kristos : « Et maintenant, vous devez me laisser, car j'ai la parole de Dieu à propager. Allez avec ma bénédiction et trouvez le bonheur que vous méritez. »

Judy (d'une voix faible) : « Merci, Frère Kristos. »

Il y a un raclement de chaise, le bruit des talons de Judy sur le plancher de la grange. Le détective éteint le récepteur, et ils attendent, broyant du noir en silence.

Quand la jeune fille revient, elle porte un petit livre à la main. Elle s'empresse de le montrer dès qu'elle est montée dans la voiture.

— Regardez ce qu'il m'a donné, dit-elle. *Les Sermons de Frère Kristos*. C'est pas gentil ? Il est vraiment chou.

— Ouais, dit Marvin Lindberg. L'enfoiré !

14

La nuit des élections, trois postes de télévision ont été installés dans le Bureau Ovale, et branchés sur trois chaînes différentes. Des boissons non alcoolisées et des amuse-gueules sont placés sur une desserte, et des bloc-notes sont à la disposition de ceux qui veulent noter au fur et à mesure les résultats.

La pièce se remplit peu à peu des principaux collaborateurs du président. Il n'y a pas assez de sièges pour tous mais personne ne se plaint parce que personne ne compte rester passé minuit. Comme dit le directeur du cabinet : « Après tout, combien de temps peut durer une exécution ? »

Le président est assis derrière son grand bureau, écoutant les conversations avec un sourire contraint mais parlant très peu. De temps à autre, il a un regard vers le fond de la pièce où Frère Kristos, tout vêtu de noir, se tient debout adossé au mur. Le prêcheur observe les uns et les autres, mais ne fait aucun effort pour parler avec les hommes du président.

A mesure que la soirée avance, il devient évident que les sondages ne se sont pas trompés : le parti va subir une défaite cuisante.

A vingt-deux heures, le Sénat et trois postes de gouverneurs sont perdus, et la majorité du parti à la Chambre des Représentants réduite de douze sièges, auxquels devraient s'ajouter cinq autres après que seront donnés les résultats dans l'Ouest. Le parti perd en outre plusieurs mairies de grandes villes, et un grand nombre de postes clés dans la hiérarchie judiciaire. Ce n'est pas une déroute mais certainement une défaite.

Les voix se sont muées depuis longtemps en murmures consternés, et comme il n'y a rien d'autre pour se remettre que du soda et ses cousins, la pièce se vide lentement.

Le dernier à partir est Henry Folsom.

— Les beaux jours reviendront, Monsieur le président !

Les serveurs emportent les postes de télé et les rafraîchissements à peine touchés de la desserte. Hawkins et Kristos restent seuls. Le président fait signe au prêcheur, et celui-ci prend le fauteuil devant le bureau.

— Le Seigneur a donné, dit Hawkins avec un sourire forcé, et le Seigneur a repris.

— Oui, père, dit Kristos. Mais le verset se termine par : « Béni soit le Seigneur. »

Le président se frotte le front d'un air las.

— Je m'attendais à une défaite, mais pas aussi lourde.

Il se lève et se déplace dans le bureau, éteignant les lampes. Puis il revient se laisser choir dans son fauteuil pivotant.

— Je crains que la perte du Sénat ne signifie la mort pour notre projet. Je sais que vous avez dit à ma femme qu'il passerait, mais à présent je ne pense pas qu'il ait une seule chance.

— Il passera, dit Frère Kristos. En temps voulu.

— J'aimerais avoir votre optimisme.

Ils restent un instant silencieux. Le président contemple le vide en triturant nerveusement un crayon à la mine cassée entre ses doigts.

— Père, dit Kristos, ce n'est qu'une déception temporaire, rien de plus. Vous êtes un homme de foi, de courage et de résolution. Ne vous laissez pas atteindre par une mauvaise nouvelle. Il y a encore tellement à faire. Je crois en vous, comme le font tous vos enfants dans ce pays. Vous n'êtes pas homme à nous décevoir. Vous avez la force des justes.

Le président se redresse sur son siège et regarde Kristos.

— Merci. Et vous avez raison, comme d'habitude. Je ne dois pas me laisser abattre par ce recul. Mes ennemis au Congrès et les médias diront que j'ai perdu tout pouvoir, que je suis désormais incapable de diriger. Eh bien, non, je me battrai. Ce bureau est encore le poste de commandement de ce pays.

Frère Kristos se penche en avant. Une flamme danse dans son regard.

— Poursuivez le projet des surplus, conseille-t-il. Voyagez à travers le pays. Parlez aux nécessiteux comme votre femme l'a fait. Montrez aux Américains dans quelles conditions vivent ces pauvres gens. En même temps, annoncez dans un nouveau discours télévisé votre intention de promouvoir la construction de milliers de logements sociaux. Et enfin, nommez une commission afin d'étudier la meilleure façon de réparer et de restaurer les ponts, les routes et les barrages du pays et tous les éléments qui font fonctionner notre système.

— L'infrastructure.

— Oui. J'ai beaucoup voyagé, et je peux vous dire que le pays a besoin de nouvelles sources d'eau potable, de nouveaux procédés pour traiter les déchets et les ordures s'accumulant partout. Les gens répondront à un appel pour une terre plus propre, plus sûre, plus saine.

— Frère Kristos, je suis d'accord avec tout ce que vous dites, mais je peux vous démontrer que pour un tas de raisons ce que vous demandez est politiquement impossible. Vous pouvez peut-être croire que la foi déplace les montagnes. Pas au gouvernement. La première réaction de chaque politicien sera : d'où vient l'argent ? Et comment je répondrai à ça ? Par une augmentation des impôts ? Ce serait un suicide politique.

— Père, si votre foi est assez grande, et que vous pouvez communiquer cette foi à la nation, alors vous trouverez l'argent.

— Vous êtes un idéaliste.

— Non ! dit sèchement Frère Kristos. Je suis un réaliste car je sais que ces choses peuvent être accomplies. Ce sont la cupidité, l'indifférence, le manque de foi qui ont empêché qu'on les entreprenne. Oh, père, quel homme fortuné vous êtes ! Car vous avez le pouvoir de déclencher une renaissance.

Le président reste silencieux. Kristos se lève et se dirige lentement vers la porte.

— Vous exigez beaucoup, lui dit le président.

Le prêcheur se retourne et le regarde sévèrement.

— Je n'exige rien. Seul Dieu commande.

15

Samuel Trent s'entretient longuement avec Oberfest de la conférence de presse au cours de laquelle il entend annoncer sa démission.

— A mon avis, vous ne devriez pas le faire à l'auditorium ou dans tout autre lieu appartenant à l'Etat, dit Michael. On pourrait trouver singulier que vous utilisiez des bâtiments officiels pour déclarer que vous quittez l'administration.

— Une salle de réunion dans un hôtel ? suggère le vice-président.

— Je ne pense pas. Le décor risque de donner une mauvaise impression. Il vous faut un lieu tout simple, humble : un environnement qui vous fasse apparaître comme un homme du peuple.

Finalement, Oberfest trouve une idée que Trent approuve : la conférence de presse se tiendra dehors, au bas du perron de l'ancienne et noble demeure de Trent, près de Chevy Chase Circle.

— S'il pleut, dit le secrétaire, nous pourrons toujours nous réfugier à l'intérieur. Et s'il fait froid, cela abrégera les questions ; les journalistes ne s'attarderont pas une fois qu'ils auront eu connaissance de l'essentiel.

— Bien vu, dit Trent. Pensez-vous que ce serait mieux si ma femme se tenait à mes côtés pendant ma déclaration ?

— Non, monsieur, je ne le recommande pas. Elle ferait distraction. Il faut que vous soyez l'unique centre d'intérêt.

— Naturellement. Comme... vêtements, que suggérez-vous ?

— Un costume trois-pièces bleu marine, chemise bleu clair — ça sort mieux à l'écran — et une cravate à rayures dans les gris. Je pense aussi que ce serait bien que vous lisiez votre déclaration. Vous devez apparaître comme un homme de principes.

— Oui, un homme de principes, répète pensivement Trent. Oui, c'est cela.

On est en novembre. C'est un matin froid, couvert. Mais à midi, les nuages se sont dissipés et un soleil orange réchauffe l'atmosphère. Trent y voit un bon présage.

Oberfest a fait de son mieux pour mobiliser les médias, assurant la presse que le vice-président s'apprête à faire une déclaration fracassante.

— Il attend un enfant ? demande un éditorialiste.

Une vingtaine de journalistes et deux équipes de caméramen se pressent au bas des marches du perron, et à midi trente pile, Samuel Trent apparaît. Vingt micros et perches sont immédiatement pointés sur lui. On dira plus tard qu'il avait l'air « sévère » ou « courroucé ».

— J'ai d'abord une brève déclaration à vous lire, dit-il. Puis je répondrai à vos questions aussi sincèrement que je le peux. Des exemplaires de la déclaration vous seront distribués plus tard.

Il se met à lire :

« Ce matin, j'ai remis en mains propres, au président Abner Hawkins, ma démission du poste de vice-président des Etats-Unis. »

Il y a quelques exclamations de stupeur, et la horde se resserre.

« Ne pouvant plus approuver et défendre la politique de ce gouvernement, il m'est apparu que la seule attitude honorable était que je démissionne sans tarder. Ce que j'ai fait, je l'ai fait avec de la peine mais en même temps avec le soulagement de savoir que je pourrai désormais soumettre librement à mes concitoyens mes opinions personnelles sur toutes les grandes questions auxquelles nous sommes confrontés. »

La clameur est telle que Trent lève les mains et réclame le silence.

— Je vous en prie, messieurs, dit-il, le sujet est trop important pour que ce soit la foire d'empoigne. Une question à la fois, s'il vous plaît.

— Quand avez-vous remis votre lettre de démission ?

— Ce matin, vers neuf heures trente.

— L'avez-vous remise en mains propres au président ?

— Oui.

— Où ça ?

— Dans son bureau.

— Qui d'autre était présent ?

— Le chef de cabinet, Henry Folsom.

— Quelle a été la réaction du président ?

— Il a lu ma lettre et m'a demandé si j'étais bien sûr de vouloir démissionner. Je lui ai répondu que oui.

— A-t-il essayé de vous dissuader ?

— Non.

— Comment vous a-t-il paru ? En colère ? Déçu ? Triste ?

— C'est à lui qu'il vous faut le demander.

— Vous avez déclaré que vous démissionnez parce que vous ne pouvez plus approuver et défendre la politique du gouvernement. Est-ce que le président connaît votre sentiment ?

— Certainement.

— Y avait-il des désaccords entre vous ?

— Oui, de nombreux désaccords.

— Lesquels ?

— Le partage des surplus, par exemple.

— Quoi d'autre ?

— Les effets pervers qu'a sur le parti ce projet de loi visant nos réserves alimentaires à défaut de prendre des mesures de fond. Je suis convaincu que le président entraîne le parti vers la gauche. Et je crois, moi, que l'avenir appartient au centre, à tous les gens de bon sens dans ce pays, qui ne sont pas des extrémistes, de droite ou de gauche.

— Et au sujet de Frère Kristos ?

— Précisez votre question.

— On dit qu'il influence la politique de la Maison-Blanche. Trouvez-vous à redire à cela ?

— Naturellement. Ce serait une tragédie pour cette grande

nation si la religion et la politique s'entremêlaient. Relisez votre Constitution, mon ami. Les premiers mots de la Charte, les tout premiers mots, sont : « Le Congrès ne légitimera aucune religion en particulier... » Nos Pères fondateurs, qui étaient sages et voyaient loin, connaissaient bien les dangers du mariage de la religion et de l'Etat. Oui, je proteste énergiquement contre l'influence qu'on prête à Frère Kristos comme je protesterais contre tout autre religieux essayant de s'immiscer dans les affaires du gouvernement.

— Monsieur, votre démission signifie-t-elle que vous vous retirez de la politique ?

— Pas du tout. En vérité, je la considère comme le départ d'une nouvelle carrière dans le service public.

— Il est probable que l'on vous reverra en lice ?

— Très probable, en effet.

— Aux élections présidentielles ?

— Il est trop tôt pour en parler.

— Mais vous n'excluez pas de vous présenter comme candidat à la présidence ?

— Je n'exclus jamais rien ni personne. Maintenant, mesdames et messieurs, il me semble que nous avons couvert toutes les questions importantes. Je vous remercie de votre attention.

Trent remonte les marches d'un pas noble et disparaît dans la maison. Oberfest reste en arrière pour distribuer des photocopies de la courte lettre de démission.

— Je crois que j'ai été très bon, annonce Trent à sa femme avec une évidente satisfaction.

— Je regrette de ne pas t'avoir entendu.

— Tu verras tout ça à la télé. Matilda, je vais entreprendre ma campagne sur-le-champ. Il faut battre le fer quand il est chaud. Je vais devoir beaucoup voyager. La seule chose qui m'ennuie c'est de te laisser toute seule ici. J'espère que tu ne t'ennuieras pas trop.

— Non, mon chéri, j'essaierai de me distraire en t'attendant, dit-elle avec un doux sourire.

16

C'est la première chute de neige de la saison, mais la couche est très mince et elle ne tiendra probablement pas longtemps. En attendant, elle recouvre les arbres et la terre noire d'un voile blanc.

L'hélicoptère présidentiel arrive à Camp David dans la soirée du vendredi, déversant la famille présidentielle, quelques collaborateurs du président, Jennifer Raye, qui a été promue porte-parole de la Première dame, et Frère Kristos. En apprenant l'arrivée du prêcheur, le chef des cuisines entreprend de préparer un chaudron de matelote de poisson, très relevée.

Kristos se rend directement à son bungalow. On a accroché une grande croix en bois à l'un des murs de la salle de séjour et il y a un joli prie-Dieu dans la chambre. Il défait sa valise neuve en porc, qui contient du linge de rechange pour le week-end et trois bouteilles de vodka soigneusement emballées.

Jennifer et lui dînent avec les Hawkins et le repas est égayé par George qui semble disposer d'une réserve inépuisable de devinettes. Avant que le dessert soit servi, le président prie qu'on l'excuse ; du travail l'attend. Après que le sorbet au citron et les pralinés sont finis, George est confié au sergent McShane, qui l'emmène se coucher.

Helen, Jennifer et Kristos se déplacent dans le salon, où les dames se font servir une deuxième tasse de café.

Kristos attend que le serveur se soit retiré pour se tourner vers Helen.

— Vous me paraissez tendue, inquiète. Est-ce le président ?

— Oui, dit-elle avec un faible sourire. Il est déprimé depuis que Trent a démissionné. Il dit que c'est la politique, mais je sais que ça lui a fait un coup.

— Trent est un crétin, dit rudement Jennifer. Il est aveuglé par l'ambition. Il rêve de devenir président. Il peut toujours courir !

Kristos la regarde.

— Les crétins peuvent être parfois dangereux, dit-il. Il passe aujourd'hui pour un homme de principes parce qu'il a préféré démissionner plutôt que de continuer à servir une administration qu'il n'approuve plus.

— Cette image flatteuse ne tiendra pas longtemps, prédit Jennifer. Ce type n'est qu'un gros plein de vent. Madame Hawkins, je pense sincèrement que le président se trouve mieux sans lui.

— Je ne sais pas, dit pensivement la Première dame. Ab redoute que Trent ne fasse beaucoup de mal en attisant l'hostilité entre les pour et les contre. Mon mari a toujours cru au dialogue et au consensus, même s'il y a certaines convictions fondamentales qu'il ne reniera jamais.

— Votre mari est un saint homme, lui dit Frère Kristos. Il s'efforce de persuader les autres en faisant appel à ce qu'il y a de meilleur en eux. Trent exploite ce qu'ils ont de pire, la peur, les préjugés, le profit, la cruauté. Le président a raison de craindre un tel homme, car il dresse le frère contre le frère et refuse l'harmonie que Dieu réclame.

— La démission de Trent permettra au moins au président de nommer quelqu'un qui soit en accord avec ses idées.

— Je sais qu'Ab a une liste d'une vingtaine de candidats possibles, dit Helen. Frère Kristos, auriez-vous une suggestion ? Y a-t-il quelqu'un en particulier que vous aimeriez voir comme prochain vice-président ?

Si cette question le prend de court, il n'en montre rien. Son visage reste impassible ; son seul geste est de passer lentement ses doigts dans sa barbe.

— Oui, dit-il, j'aimerais proposer quelqu'un à la considération de père, quelqu'un que vous connaissez, mesdames. Lu-Anne Schlossel, député de la Georgie.

Elles le considèrent avec stupeur.

— J'ai beaucoup réfléchi à cela, poursuit Kristos, et j'ai prié Dieu de m'éclairer. Avant que vous donniez vos opinions, laissez-moi vous dire mon point de vue :

« D'abord, je pense que le Congrès confirmerait sa nomination. C'est une Noire, et elle vient juste d'être réélue avec une écrasante majorité. Non seulement le Congrès a tendance à soutenir ses membres les plus populaires mais de nombreux sénateurs et députés des Etats du Sud doivent leurs mandats à l'électorat noir de ces Etats. Ils ne mettront pas en péril leur avenir politique en s'opposant à leurs propres électeurs. Enfin, elle a le soutien de toutes les organisations noires et féministes.

« Quant à ses capacités, elle les a depuis longtemps prouvées en exerçant tous ses mandats avec succès. Elle connaît tous les rouages du gouvernement et elle serait d'une aide inestimable pour le président.

« Lu-Anne est une croyante, une femme charitable qui n'a jamais oublié son passé. Elle ne fait qu'un avec les pauvres, les affamés et les sans-foyer. Elle a consacré toutes ses activités politiques à l'aide des plus défavorisés. »

Il y a un moment de silence. Puis Jennifer s'écrie avec enthousiasme :

— Lu-Anne Schlossel ! C'est l'idée la plus géniale que j'aie jamais entendue de ma vie ! Bien sûr ! J'aurais dû moi-même y penser ! Madame, vous ne pensez pas qu'elle ferait une merveilleuse vice-présidente ?

— Je ne sais pas, dit Helen, hésitante. Elle a certainement beaucoup de talent et de capacités mais est-ce que le pays est prêt pour avoir une femme, et qui plus est une Noire, pour vice-présidente ?

— S'il ne l'est pas maintenant, dit Kristos, il ne le sera jamais.

— C'est certainement une idée intéressante, dit la Première dame, mais ne risque-t-elle pas de diviser davantage le parti ?

— Je pense qu'en cette circonstance votre mari aura seulement à cœur le bien du pays, et non celui du parti.

— En tout cas, Ab doit être informé de votre suggestion. Le lui direz-vous, Frère Kristos ?

Il répond de cette façon sentencieuse qu'il a depuis peu.

— En toute conscience, déclare-t-il, je ne pense pas que je devrais. Après tout, je ne suis pas un employé du service public ni un membre de son administration, et je ne sais pas grand-chose de la politique. Il serait mieux que la suggestion vienne de vous. Je sais combien votre mari respecte vos sages et affectueux conseils. Voudriez-vous lui parler de Lu-Anne comme si c'était votre propre idée ? Je suis certain que votre recommandation aurait plus de poids que la mienne.

Mme Hawkins réfléchit pendant un instant.

— Très bien, dit-elle finalement, si vous pensez que cela est mieux ainsi. Et j'essaierai d'être aussi éloquente au sujet de Lu-Anne que vous l'êtes, Jennifer et vous. Mais vous comprendrez que la décision finale appartient à Ab.

— Naturellement, dit gravement Kristos. Loin de moi l'idée de vouloir influencer le président.

Quelques instants plus tard, il prend congé des deux femmes et regagne son bungalow. Il débouche l'une des bouteilles de vodka et en remplit un gobelet. Le sirote tout en se déshabillant. Il va pendre soigneusement dans l'armoire sa nouvelle veste en cachemire et compte l'argent dans son portefeuille avant d'enlever son pantalon en velours noir. Il glisse le portefeuille sous son matelas.

Il enlève sa cravate et sa chemise grise en flanelle. Il ne porte pas de tricot de peau, seulement de longs caleçons de soie. Il reste ainsi et s'assoit au bord du lit, son verre de vodka par terre à ses pieds. Il sort une chemise contenant de la correspondance d'une des poches de sa mallette.

Suite à la visite de Lamar B. Tumulty, et après la construction du parking et la publication de son petit livre de sermons, Frère Kristos a contacté une petite station de radio diffusant sur une grande partie de la Virginie, et une partie des Etats de Caroline du Sud et du Nord, du Tennessee, du Kentucky. Il a signé un contrat pour six demi-heures d'émission radio (cinq cents dollars par demi-heure) commençant le dimanche matin à huit heures et demie.

L'émission s'appelle *La Prière de Frère Kristos,* et elle consiste en un sermon, une prière et un appel aux dons pour maintenir l'émission sur les ondes. Le prêcheur enregistre d'avance chaque *Prière,* et de cette façon n'est pas obligé d'être présent au studio de la radio le dimanche matin.

Quand l'ingénieur du son de la station a entendu pour la première fois la voix du prêcheur, il a dit : « On dirait un canard constipé. » Mais les merveilles de l'électronique ont permis d'étoffer cette voix plate, monocorde et de lui donner une résonance et un timbre de voix céleste. Les fidèles qui fréquentent l'ancien séchoir à tabac n'ont aucune chance de reconnaître leur prêcheur en l'entendant à la radio.

Mais que ce soit dû au miracle de la technique ou à son contenu inattendu, *La Prière de Frère Kristos* est un succès. Les contributions (envoyées à une boîte postale) atteignent un montant d'environ huit cents dollars par semaine, et la station reçoit un volumineux courrier d'auditeurs enthousiastes.

Le directeur a écrit à Frère Kristos, lui proposant l'achat

d'une heure chaque dimanche matin (mille dollars l'heure) et d'élargir l'émission. Elle pourrait s'intituler, suggère le directeur, *En Compagnie de Frère Kristos*, et comprendre, en plus du sermon, quelques chants religieux, et une partie où le prêcheur prodiguerait ses conseils à ceux des auditeurs qui lui auraient soumis des problèmes personnels.

Assis en caleçons de soie au bord de sa couche, à siroter de la vodka, Frère Kristos relit la lettre du directeur de la station de radio et trouve sa proposition décidément intéressante. Mais avant qu'il ne produise une émission de radio d'une heure, il songe qu'il serait plus sage d'appliquer d'abord quelques-unes des idées de Tumulty : donner un nom à son église, la déclarer et la faire enregistrer comme association à but non lucratif, déposer le copyright de ses sermons, voir quelles sont les possibilités de promouvoir *En Compagnie de Frère Kristos* dans les stations nationales.

Tout cela exige une infrastructure — un bureau, du personnel —, et dans ce domaine Kristos n'a aucune expérience. Il a toujours travaillé en solo, et il comprend maintenant qu'il lui faudra une assistance légale et financière s'il veut tirer profit de sa présente bonne fortune. Il se demande s'il a bien fait d'éconduire Lamar B. Tumulty.

Il est là, à ruminer ses plans, quand on frappe doucement à la porte. Il va jusqu'à l'entrée et demande :

— Qui est là ?

— Jennifer, dit-elle à voix basse.

Il ouvre juste assez la porte pour qu'elle se glisse à l'intérieur et il ferme au verrou derrière elle.

— Vous dormiez ? demande-t-elle.

— Non.

— J'ai apporté des glaçons, dit-elle en soulevant une poche en plastique. Que diriez-vous d'offrir un verre à une fille assoiffée ?

Ils vont dans la chambre. Il lui prépare un verre de vodka avec de la glace mais continue de boire la sienne nature et tiède.

Ils s'assoient sur le lit, et elle remarque la chemise de correspondance.

— Vous étiez occupé ? dit-elle. Je suis désolée de vous avoir interrompu.

— Ce n'est rien d'important. La station de radio en Virginie voudrait faire passer ma prière du dimanche matin à une heure pleine.

— Mais c'est formidable ! Comment pouvez-vous dire que ce n'est rien d'important ? Je trouve que vous devriez être heureux.

Il hausse les épaules.

— Je sais depuis longtemps ce qui est important. Du pain sur la table et un toit sur la tête. Ça, c'est essentiel. L'argent, les possessions, la gloire, le pouvoir, ce n'est rien. « Ne cherchez pas la richesse sur la terre, car elle vous corrompra en même temps qu'elle éveillera la convoitise des voleurs, mais cherchez-la plutôt dans le Ciel. »

— Je crois que votre grand bonheur est d'aider les autres, dit-elle. Comme vous l'avez fait ce soir pour Lu-Anne Schlossel.

Il la regarde, pensant à autre chose.

— Avez-vous un avocat ? demande-t-il.

— Seulement celui qui s'est occupé de mon divorce.

— Est-ce qu'il s'occupe également de contrats d'affaires, de problèmes fiscaux ?

— Je suppose, mais sa spécialité est le divorce.

— Je ne pense pas qu'il me convienne. Je trouverai quelqu'un d'autre.

— Pourquoi ne pas poser la question au président ? Je suis sûre qu'il pourra vous donner quelques noms.

— Une femme, dit Frère Kristos. Je préférerais avoir une femme pour avocat.

Jennifer fait la moue.

— Vous n'avez pas beaucoup d'amis parmi les hommes, n'est-ce pas ? A chaque fois que je vous vois, vous êtes entouré par des femmes. Vous n'aimez donc pas les hommes ?

— Je les aime. Quelques-uns. Mais j'ai rarement rencontré un homme en qui je pouvais avoir confiance.

— Vous faites davantage confiance aux femmes ?

— Oui.

— Et en moi ? Vous avez confiance en moi ?

Il la regarde, lui prend la main et pose celle-ci sur ses parties génitales. Elle caresse la soie douce.

— Vous montez la tente, dit-elle.

— Venez dans ma tente.

— Voulez-vous que je vous lave ?

— Oui, répond Frère Kristos, purifiez-moi.

17

Ils ne se rencontrent plus dans la galerie marchande du Maryland.

— Dans ce métier, dit le commandant Marchuk, on ne prend pas d'habitudes. Les habitudes, c'est la mort.

Aussi prennent-ils séparément la route d'Annapolis, sortent de l'autoroute et se retrouvent sur une route non goudronnée que le Russe sait suffisamment sombre et déserte pour un rendez-vous nocturne.

Il fait étonnamment chaud pour une mi-décembre, et ils peuvent sortir de leurs voitures et faire quelques pas sur le chemin, tandis que Michael rapporte à l'homme du KGB les dernières activités de Samuel Trent.

— Il a loué une suite au *Madison,* dit-il, afin de recruter une véritable équipe de campagne électorale. Il cherche par exemple un conseiller médiatique et un attaché de presse.

— Mais il continuera de vous employer ?

— Oui, bien sûr. J'ai même obtenu une augmentation pour compenser les avantages que j'ai perdus en quittant l'administration.

— Dites-moi, Arnold, Trent a les moyens de payer tous ces frais, tous ces salaires ?

Michael rit.

— Il a tellement d'argent qu'il n'en connaît pas le compte exact. La dernière estimation de sa fortune faisait état de cinquante millions. Et elle a dû encore augmenter entre-temps. Personne ne l'a jamais accusé d'avoir des besoins dispendieux. Figurez-vous qu'il utilise deux ou trois fois ses sachets de thé avant de les jeter ! Vous parlez d'une pingrerie !

— Je fais la même chose, dit le Russe.

— Oh, fait Oberfest.

Ils ne disent mot pendant un moment, allant et venant sur le chemin sans jamais trop s'éloigner des voitures.

— Vous avez voyagé avec lui ? demande finalement Marchuk.

— Ça, oui. Detroit, Chicago, Denver, San Francisco, et j'en passe.

— Dites-moi, quel accueil il a reçu ?

— Je regrette de vous décevoir, mais jusqu'ici ç'a été un succès. Le type qui lui écrit maintenant ses discours est un champion, un ancien professeur d'anglais de Bowdoin. Il a convaincu Trent de laisser tomber ses discours ampoulés et son éloquence de banquet pour ne plus utiliser que des mots de une ou deux syllabes et de ne plus prononcer « grande nation » comme si c'était un seul mot. Bref, ce qu'il dit est bien reçu, où qu'il parle. J'ai même vu des badges et des autocollants sur les voitures avec « Trent pour président ».

— Je n'aime pas ça, dit le Russe.

— Je m'en doutais un peu, dit un Oberfest réjoui.

— Mais que dit-il donc pour que les gens lui témoignent de la sympathie ?

— Au début, c'était la vieille rengaine, vous savez, « Le pays a besoin de faire un grand pas en avant » ou « Cette nation a un rendez-vous avec le destin » ou encore « Notre plus grand danger est le manque de courage ». A présent, il fait moins dans le pathos. L'Union soviétique reste bien sûr sa cible de choix. Il dit que votre pays est un asile de fous dirigé par les malades et il parle du chef du Kremlin comme du Napoléon Rouge.

— Nous nous attendions à ça, dit sombrement le commandant. Cet homme a une haine obsessionnelle de tout ce qui est russe.

— Si ça peut vous consoler, ce n'est pas sa tirade antisoviétique qui recueille le plus d'applaudissements, mais ses attaques contre le président Hawkins qu'il accuse d'avoir pris Frère Kristos pour conseiller.

— Oui, nous savons tout ce qu'il raconte au sujet de ce prêcheur. Et le public répond à ça ?

— Ils adorent ! Trent se sert de Kristos pour cogner sur Hawkins avec un talent de marionnettiste.

— Oui, mes supérieurs s'inquiètent de cette étrange amitié que le président a pour ce prétendu saint homme. Ils pensent que pour donner à Hawkins des chances d'être réélu, il faut éliminer Frère Kristos.

— L'éliminer ? Et comment ?

— En l'achetant, dit le Russe. Tout homme a son prix, et je pense que ce prêcheur itinérant sera tenté par une grosse somme d'argent.

— Et pour faire quoi ? Disparaître ?

— Exactement ! Quitter Washington, dire adieu au président.

— Combien pensez-vous lui donner ?

— Je ne suis pas autorisé à dépasser la somme de cent mille dollars.

— C'est une coquette somme, dit lentement Oberfest. Ça pourrait peut-être marcher. Qui va lui transmettre l'offre ?

Marchuk s'arrête de marcher, attend que Michael s'arrête à son tour et se tourne vers lui.

— Je pensais que vous l'aviez deviné, Arnold, dit-il doucement. C'est vous qui présenterez l'offre à Frère Kristos.

— Moi ? Mais je ne connais même pas ce type-là !

Le Russe pose une main lourde sur l'épaule de Michael.

— Faites ce que vous pouvez, dit-il.

Puis, souriant, il sort une enveloppe blanche de la poche intérieure de son veston et la tend à son informateur.

— Ce n'est pas l'argent pour Kristos ; c'est le vôtre, avec un petit supplément pour Noël.

— Merci, dit Oberfest. Mais au sujet de Kristos, je ne pense pas...

— J'ai confiance en vous, l'interrompt l'agent du KGB. Cela me ferait de la peine que vous me déceviez.

— Vous ne comprenez pas, dit désespérément Michael. Pourquoi m'écouterait-il ? Il ne me connaît pas.

Le commandant resserre ses doigts épais sur l'épaule d'Oberfest.

— Nous avons un proverbe : « L'ours danse, mais l'ours a des griffes. » Ne me forcez pas à montrer les griffes, Arnold.

— C'est une menace ? demande, d'une voix faible, Michael.

— Oui, répond le commandant Marchuk. Maintenant faites le travail pour lequel on vous paie. Nous n'acceptons pas d'échec.

Sur le chemin du retour, Oberfest, seul dans sa voiture, allume un cigare d'une main tremblante. Mais il lui trouve un goût de paille, abaisse sa vitre et le jette.

Dans sa tête défilent les scénarios : tout abandonner, femme et voiture, et filer à Hong Kong ; aller tout avouer au FBI ; dire à Marchuk qu'il a transmis l'offre et essuyé un refus catégorique. Ce dernier subterfuge lui semble le plus séduisant jusqu'à ce qu'il se rappelle l'avertissement sibérien du Russe : « Nous n'acceptons pas d'échec. » Il part alors d'un rire hystérique.

Mais moins d'une heure après être rentré chez lui et que Ruth ronfle déjà, il sait comment il va transmettre l'offre des Russes : ce n'est pas lui qui le fera ; c'est John Tollinger.

En ce moment, raisonne Michael, les hommes du président doivent désespérer de trouver le moyen de se débarrasser de Frère Kristos. Il est sûr que John sera heureux d'avoir une occasion de rencontrer le prêcheur. Cela décidé, Michael cherche alors ce qu'il va dire pour expliquer la provenance de l'argent.

Il appelle la Maison-Blanche le lendemain matin, mais Tollinger est en réunion. Il rappelle vers midi mais la réunion n'est toujours pas terminée. Finalement, il réussit à joindre Tollinger à deux heures et demie. Celui-ci n'a pas l'air trop heureux de l'entendre.

— Que faites-vous en ville ? demande-t-il. Je vous croyais à Oshkosh, votre patron et vous, à répandre vos ordures.

— Ces ordures ne sont pas les miennes, proteste Michael. Ce sont les siennes. Ecoutez, il faut que je vous parle.

— Qu'est-ce que vous faites en ce moment ?

— Je veux dire en privé.

— A quel sujet ?

— Au sujet des ordures que répand Trent. Je sais comment l'arrêter.

— Ah, oui ? Et comment ?

— Où nous voyons-nous ?

— D'accord, dit John, lassé. Chez moi, ce soir, à neuf heures.

— J'y serai, dit joyeusement Oberfest, s'imaginant qu'il a ferré Tollinger.

Mais le soir, assis dans le bureau de Tollinger, Michael découvre que ce ne sera pas facile de manœuvrer cet homme froid et réservé. En tout cas, il a eu la courtoisie de pourvoir son visiteur d'un verre d'excellent whisky.

Oberfest commence par conter à John que Trent est en train de roder l'équipe avec laquelle il entend mener sa campagne. Ces révélations devraient prouver sa bonne foi, pense-t-il, mais Tollinger l'écoute sans grand intérêt manifeste.

— Venez-en à l'objet de votre visite, dit-il à Michael. J'ai emporté du travail, et je voudrais m'y mettre le plus tôt possible.

— Ecoutez, dit Oberfest d'une voix qu'il espère énergique, je sais ce que vous pensez de moi. Je travaille pour un type qui s'en prend publiquement chaque jour à votre patron. Mais c'est uniquement pour toucher un salaire ; ça n'implique pas que j'approuve ce que fait Trent.

— Mais vous prenez son argent.

— Evidemment. Vous travaillez avec le chef de cabinet. Est-ce pour autant que vous approuvez tout ce qu'il dit ?

— Non, admet à contrecœur Tollinger. Nous avons de légers désaccords de temps à autre. Mais ils portent sur des problèmes de forme, pas de fond. A vous entendre, vous désapprouvez Trent sur toute la ligne.

Oberfest boit une gorgée de whisky.

— Oui, dit-il d'un ton ferme. Et si vous saviez combien de fois j'ai émoussé les pointes que Trent réservait à Hawkins, vous seriez un peu moins sévère à mon égard. De fait, je suis en contact avec un groupe de gens qui sympathisent avec le président Hawkins.

Tollinger hausse les épaules.

— Beaucoup de gens sympathisent avec Hawkins. C'est même pour ça qu'il a été élu.

— Mais ceux dont je parle sont à part. Ce sont des libéraux et ils veulent que Hawkins penche un peu plus vers la gauche. Par exemple, ils sont partisans du projet de distribution des surplus, et ils font de leur mieux pour le soutenir, pas en un front organisé mais en coulisse. John, ce sont de grands industriels, des patrons de presse, de hauts dignitaires des Eglises. Ils ne veulent pas de publicité sur leurs activités. Ils pensent être plus efficaces en travaillant discrètement.

Tollinger est intéressé. Il ressert du whisky pour Michael et lui.

— Ces hommes sont-ils membres du parti ? demande-t-il.

— Certains le sont, d'autres pas. Mais ils sont tous inquiets de la publicité que récolte Frère Kristos. Ils pensent que le prêcheur risque d'empêcher Hawkins de faire passer la moindre loi sociale.

— Ils ont raison, et la campagne de Trent n'arrange rien.

— Alors ils cherchent un moyen de nous débarrasser de ce charlatan. Ils pensent que Kristos acceptera de s'évanouir dans la nature contre une grosse somme d'argent. Qu'en dites-vous ?

Tollinger, le visage impassible, boit une gorgée de son Glenfiddich.

— Et pourquoi me dites-vous tout ça ?

— Parce que ces hommes sont convaincus que vous êtes le seul à pouvoir négocier avec Kristos. Vous le connaissez et, plus important encore, vous savez exactement tout le tort qu'il porte au président.

— Je vois, dit John. Et combien pensent-ils offrir au prêcheur ?

— Ils iront jusqu'à cent mille dollars.

Tollinger ne peut se retenir plus longtemps. Il rejette la tête en arrière et éclate de rire.

Oberfest le regarde avec de grands yeux.

— Qu'est-ce qu'il y a de drôle ? demande-t-il.

— Vous êtes en retard d'un bus, lui dit John. Frère Kristos a déjà reçu une proposition de ce genre, sauf qu'elle était d'un million. Il a refusé. Désolé.

Il se figure bien qu'Oberfest sera déçu mais la réaction de ce dernier le cloue de stupeur à son fauteuil : le petit homme rondouillard fond brusquement en larmes.

— Hé, dit Tollinger, ne vous mettez pas dans cet état-là. Ce n'est pas votre faute. L'idée était bonne. Mais l'argent n'intéresse pas le prêcheur.

Mais Oberfest n'écoute pas, il a le visage dans ses mains, les épaules secouées de sanglots.

Tollinger se lève, tapote gentiment le dos de Michael.

— Calmez-vous, mon vieux, dit-il doucement. Tenez, buvez un coup.

Peu à peu, Oberfest retrouve sa respiration, se mouche, s'essuie les yeux. John lui tend son verre et l'observe boire avidement.

— Pourquoi vous en faire, Mike ? demande-t-il. Les gens que vous représentez comprendront que vous n'y êtes pour rien.

— Il n'y a pas de gens, gémit Oberfest. J'ai menti.

— Oh ? fait John. Alors d'où viennent les cent mille dollars ?

Michael respire un grand coup et se met à parler, de plus en plus vite, lâchant un flot de paroles. Il raconte à Tollinger tout ce qu'il sait du commandant Marchuk, comment il s'est retrouvé informateur du KGB, et pourquoi les Russes s'inquiètent de la montée de Samuel Trent.

Tollinger l'écoute avec incrédulité et dégoût. Quand Oberfest a terminé, il s'écrie :

— Espèce d'abruti !

— Je sais, pleurniche Michael, mais au départ ça m'a semblé comme un jeu.

— Un *jeu* ? s'exclame Tollinger. Bon Dieu, mais ce type

vous a eu jusqu'à la moelle. Mike, c'était pour le fric ?
— Oui, c'était surtout pour ça. J'avais fait de mauvais placements à l'époque. Mais je le jure, John, je ne pensais pas que cela deviendrait aussi dangereux.
— Ça l'est drôlement aujourd'hui. Vous feriez mieux de courir raconter tout ça au FBI. Ils veilleront à ce qu'on vide Marchuk du pays et peut-être vous laisseront-ils tranquille. Après tout, c'est plus une connerie qu'une vraie trahison.
Oberfest secoue la tête.
— Je ne peux pas aller au FBI. Même si je ne suis pas poursuivi, ce sera la fin de ma carrière. Vous savez comment est cette ville. Et j'ai besoin de gagner ma vie.
— Vous pouvez toujours écrire un livre.
— Ecrire quoi ? Si j'avais vendu les plans de nos derniers missiles intercontinentaux, ça intéresserait peut-être le public. Mais je n'ai fait que rapporter des ragots mondains. On fait pas un bouquin avec ça.
— Admettons, dit Tollinger. Alors vous n'avez qu'à dire à ce commandant Marchuk que vous avez transmis son offre au prêcheur, mais que celui-ci ne veut rien entendre. Qu'est-ce qu'il va vous faire ? Il ne va tout de même pas vous tuer.
— Justement si ! s'écrie Michael. C'est exactement ce qu'il fera. Il me tuera.
— Vous plaisantez.
— Je vous dis qu'il le fera ou le fera faire. Mon échec serait son échec, et il ne peut l'accepter. A moi de payer, donc.
Ils restent silencieux pendant un moment, sirotant lentement leurs verres.
— Eh bien, dit finalement Tollinger, je vais y réfléchir. Je ne sais pas pourquoi je devrais m'en occuper — vous avez été tellement nul — mais ça ne me plaît pas que les Russes s'occupent de nos affaires intérieures. Merde, est-ce qu'on essaie d'influencer le choix de leur Secrétaire général ?
— Mais moi, qu'est-ce que je dois faire ?
— Pour le moment, gagner du temps. Dites à Marchuk que vous préférez aborder Kristos au cours d'une réunion mondaine, une réception diplomatique ou un cocktail, et que l'occasion ne s'est pas encore présentée. Dites-lui n'importe quoi, mais faites-le patienter. Donnez-moi le temps de voir s'il n'y a pas une solution.

— John, vous croyez que vous allez pouvoir me tirer de là ?

— Peut-être, dit Tollinger en le regardant d'un air songeur.

18

Quatre jours avant la Noël, Henry Folsom tient porte ouverte pour ses collaborateurs. La fête se tient dans le grand appartement qu'occupe le chef de cabinet à Watergate. Commencée à cinq heures de l'après-midi, elle se poursuivra tard dans la nuit. Il y a à boire à profusion, et le buffet (jambon fumé, poulet à la Cajun) est assez solide pour vous empêcher de trop tituber.

Plus de cent personnes se montrent, pas toutes en même temps, car des fêtes il y en a un peu partout à Washington pendant la semaine de Noël. Mais il ne manque pas de monde, et il faut crier pour se faire entendre dans le brouhaha.

John Tollinger arrive tôt et avec l'intention de partir tôt, mais pas avant d'avoir pris quelques tranches de rosbif et assez de verres pour se détendre. Il n'est pas très bon dans les fêtes, et il le sait. Les bavardages l'ennuient, et il ne voit pas de raison de rire à des plaisanteries lourdes. Ce n'est pas qu'il soit asocial, mais à chaque fois qu'il se retrouve dans ce genre de réunion, il se dit qu'il serait bien mieux chez lui, dans son fauteuil, avec un bouquin, sa pipe et son whisky.

Mais il joue le jeu, reste près d'une heure, bavarde avec l'un l'autre, a son rosbif et sa salade, et il s'apprête à mettre les bouts quand son hôte surgit de la foule et le rattrape par le bras.

— Partez pas encore, John, dit Folsom. J'ai quelque chose à vous dire.

— Ici ? dit Tollinger en jetant un coup d'œil autour de lui. Pourquoi pas au Centre Kennedy ?

— Je connais mon appartement. Suivez-moi.

Il replonge parmi les invités, se fraye un passage, Tollinger dans son sillage. Ils se dirigent vers le fond, traversent une chambre avec des lits jumeaux disparaissant sous les piles de manteaux et de chapeaux, et entrent dans une salle de bains au carrelage blanc. Folsom ferme au verrou et s'assoit sur la cuvette des WC. John reste debout, appuyé contre le lavabo.

— Très bien, votre fête, monsieur, dit-il.

— Oui, hein ? dit Folsom. J'aimerais bien en profiter mais je n'y arrive pas. Le patron m'a démoralisé cet après-midi. Il m'a dit qui il voulait pour vice-président. Vous savez qui ? Ah, inutile de vous poser la question, vous ne devineriez jamais. Cramponnez-vous : Lu-Anne Schlossel !

— La Noire ?

— Exact. Deux minorités pour le prix d'une.

Tollinger s'assied sur le rebord de la baignoire.

— Qui lui a conseillé Schlossel ?

— Vous vous demandez qui ? Mais sûrement Frère Kristos. Personne ne proposerait à Hawkins un pareil casse-gueule. Bon Dieu, c'est un coup à achever le parti.

— Je n'en suis pas certain, dit John. Je pense qu'elle sera confirmée. Le Congrès jugera qu'ils n'ont pas d'autre choix, moralement parlant.

— Merde, John, la morale, ça va, ça vient, mais la politique, elle, ne bouge pas d'un poil. Vous croyez que ça va leur plaire, au Capitole, d'avoir un choix moral à faire ? C'est précisément le genre d'épreuve que tout politicien évite comme la peste. Bien sûr que le Congrès confirmera la nomination de Schlossel, parce que la repousser serait comme de voter contre la Déclaration d'Indépendance, la Constitution et cracher sur l'Oncle Sam. Mais le Congrès ne pardonnera jamais ce coup-là à Hawkins. Il les force à faire une chose que dans le fin fond de leurs cœurs ils excluent : confirmer une femme, et une Noire de surcroît, à un poste qui n'est qu'à un pas de la présidence.

— Je ne vois pas les choses comme ça, dit Tollinger. Ils seront nombreux au Congrès à approuver ce choix et à voter pour elle parce qu'elle a des capacités et de l'expérience, et parce qu'ils pensent également qu'il serait temps d'avoir une vice-présidente.

— Foutaises !

On tape doucement à la porte de la salle de bains ; quelqu'un actionne la poignée.

— Occupé ! crie Folsom. Allez pisser ailleurs ! Ecoutez,

John, vous prévoyez que Schlossel sera confirmée, et moi aussi. Mais laissez-moi vous poser une question : imaginez que ce soit un vote secret, juste un « oui » ou un « non » sur un petit bout de papier sans nom ni rien, diriez-vous toujours qu'elle serait élue ?

Tollinger envisage longuement la question.

— Non, dit-il, finalement.

— Vous pourriez parier votre tête que non ! dit avec force Folsom. Voilà pour votre choix moral. John, notre électorat se situe au centre, et Hawkins le perdra dès l'instant où il soumettra le nom de Schlossel au Congrès. Naturellement, on entendra partout qu'on ne doit pas avoir de préjugés, et que tout le monde, hommes, femmes, Blancs, Noirs, juifs, que sais-je, doit avoir une chance de devenir président. Mais dans le secret des isoloirs, croyez-vous qu'ils votent comme ils parlent ? Que non ! Ils votent comme ils le sentent, c'est-à-dire : une femme, un Noir, un juif à la présidence ? Oui, pourquoi pas ? Mais pas tout de suite, un jour, peut-être. C'est pourquoi je vous dis que c'est un coup à achever le parti. Hawkins ne sera jamais réélu dans ces conditions. Il offre sa place à Trent sur un plateau d'argent. Et tout ça parce qu'il écoute ce gourou de mes deux, Frère Kristos.

Tollinger va pour parler mais il se ravise et ne dit rien.

— John, vous qui avez une cervelle, dites-moi quelque chose... Je sais que le patron vénère Kristos parce qu'il est persuadé que le type a sauvé la vie de son fils. Et aussi parce que le prêcheur est censé être un homme de Dieu, et vous savez combien Hawkins est croyant. Mais est-il possible qu'on soit trop croyant, qu'on ait trop foi en Dieu ?

— Bien sûr, dit Tollinger. On devient un zélote et on entreprend une nouvelle version de l'Inquisition. Mais je ne pense pas que le président soit un fanatique. Il est seulement un homme pieux qui accorde sa confiance à son directeur de conscience.

— Ouais, dit sombrement Folsom, même si ça doit entraîner la chute de son parti et la ruine de sa carrière. Dites-moi, qui était cet ancien roi qui voulait se débarrasser de je ne sais plus quel curé ?

John réfléchit un instant.

— Vous parlez peut-être de Henry II. Il était entré en conflit avec Thomas Becket, l'archevêque de Canterbury, et il aurait dit à ses chevaliers : « Qui me libérera de cet encombrant prélat ? » Les chevaliers assassinèrent l'archevêque.

— C'est ça, dit Folsom. Dommage que je n'aie pas de chevaliers sous la main. Vous savez, John, j'ai pensé qu'il serait peut-être temps pour moi de faire comme Trent. Me retirer.

— Oh, non, dit Tollinger, vous ne pouvez pas faire ça. Le patron a besoin de vous.

— Et pour faire quoi ? dit, amer, le chef de cabinet. Il a Frère Kristos, maintenant.

Quand ils sortent de la salle de bains, toute une file se retient d'uriner dans le couloir. Il faut une vingtaine de minutes à Tollinger pour retrouver son chapeau et son manteau, retraverser la foule et s'en aller au moment où débarque un joyeux groupe de fêtards.

C'est presque un plaisir physique de se retrouver au volant de la Jaguar sur la route de Spring Valley. Sa solitude lui donne l'occasion de repenser à cette conversation avec son supérieur. Il se demande ce qu'il fera si jamais Folsom démissionne.

Enfin, il a sa pipe allumée, son verre de Glenfiddich, et quelques bouquins dont il s'est promis la lecture. Mais le contentement attendu n'est pas au rendez-vous. Il a l'esprit préoccupé, et ses pensées se bousculent au point qu'il se découvre incapable de parvenir à la moindre conclusion.

Par un gros effort de volonté, veillant à se tenir bien droit et à respirer librement, il parvient à se calmer, à rationaliser sa pensée et à démêler de l'écheveau de ses sentiments ce qu'il ressent à l'égard de Frère Kristos des points de vue suivants :

Sexuel : Il en veut au prêcheur parce que celui-ci lui a ravi Jennifer Raye et détruit tout espoir de réconciliation que pouvait encore nourrir Tollinger.

Religieux : Comme l'en accuse violemment Lindberg, Kristos exploite la foi en Dieu dans le but d'assouvir son goût du lucre et du stupre.

Politique : Bien que les idées du prêcheur en matière de politique sociale ne soient pas plus radicales que celles de certains libéraux, son ingérence dans les affaires publiques a divisé le parti et certainement enlevé au président toute chance d'un deuxième mandat.

Philosophique : Là, Frère Kristos a beaucoup péché. En ignorant l'indispensable séparation de l'Eglise et de l'Etat.

En abusant ses fidèles sur la véritable dimension de la foi, la réalité du péché, et l'espoir d'une rédemption.

Et, plus grave encore, cet homme étrange a, par de troublants actes de divination, jeté le doute sur la pensée dite rationnelle et ébranlé tous les principes de la raison et de la logique auxquels John a toujours cru et sur lesquels il fonctionne.

Tollinger passe et repasse ce réquisitoire dans son esprit, et, à chaque fois, les crimes dont Frère Kristos est coupable lui paraissent un peu plus monstrueux. Il se lève et s'approche d'un rayon de sa bibliothèque où, si sa mémoire est bonne, se trouve un certain ouvrage.

Il le trouve et l'emporte sous la lampe. Il le feuillette lentement, essayant de retrouver une citation dont il se souvient vaguement.

Il tombe enfin dessus, la lit, la relit, et la dit à voix haute :

— « L'assassinat est la forme la plus sincère de la flatterie. »

QUATRIEME PARTIE

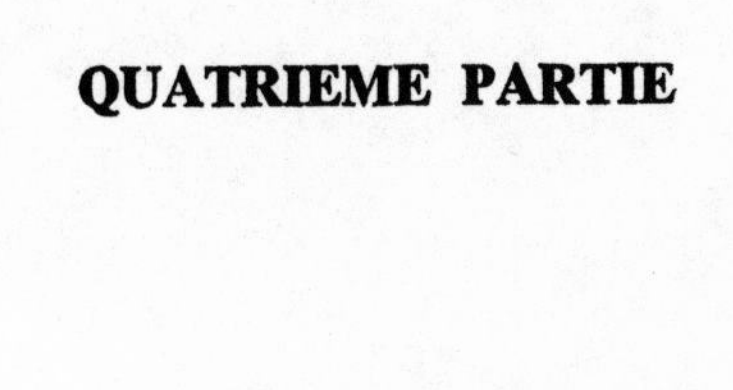

1

— Je suppose que je devrais m'en ficher, dit Matilda Trent, mais non. Et ce qui m'ennuie le plus à trahir mon mari de cette façon, c'est que justement ça ne m'ennuie pas le moins du monde. J'ai vu des femmes dans mon entourage ruer dans les brancards, plaquer leurs maris et filer au Brésil avec un musicien ou quelque artiste, et je me suis toujours demandé ce qui leur passait par la tête. Mais me voilà, moi, qui non seulement trompe mais encore espionne mon propre mari.

— L'espionne de Dieu, dit Frère Kristos. Ma sœur, ce que vous faites est juste et bien.

— N'oubliez pas de me le répéter, dit Mme Trent avec un sourire triste. Je ne peux m'empêcher de penser que ma conduite est ce que Sam appellerait « au-dessous de tout ».

Ils sont assis l'un près de l'autre à la grande table dans le salon de Kristos, et il lui tient la main. Il porte à son poignet un lourd bracelet de platine auquel pend une médaille sur laquelle est gravé, *Amor vincit omnia.*

— Continuez ce que vous me disiez, l'encourage-t-il d'une voix douce. Votre mari a engagé un conseiller médiatique ?

— Oui, un homme d'expérience qui a déjà travaillé dans plusieurs campagnes présidentielles. Il a convaincu Samuel qu'il était moins efficace et « porteur », comme il dit, de vous attaquer personnellement que d'insister sur la sainte séparation de l'Eglise et de l'Etat. En effet, les Américains n'ont jamais aimé que leur gouvernement fricote avec la religion.

Frère Kristos lui lâche la main. Il se met à lisser lentement de ses doigts sa barbe cosmétiquée et parfumée.

— J'ai vu votre mari à la télé, dit-il. Il semble attirer de grandes foules.

— L'homme qui lui rédige ses discours a accompli des miracles, dit Matilda. Finis les discours ronflants et les lieux communs. Sam s'est laissé pousser un peu les cheveux et il s'habille plus jeune. Et, bien entendu, il a un message alarmant à délivrer : que vous, un prêtre de nulle part, pratiquement un mystique, dictez sa politique au président des Etats-Unis.

Kristos s'agite nerveusement sur sa chaise.

— Je ne suis plus un prêtre de nulle part, dit-il. J'ai pris un avocat, et j'attends de recevoir un certificat d'ordination d'une petite Eglise de Californie.

— Comment avez-vous pu obtenir ça ?

Il sourit.

— Avec un don substantiel à leurs œuvres. Et puis, durant tous ces derniers mois, j'ai rendu visite à de nombreux dignitaires religieux à Washington. J'ai noué de bons contacts avec eux ; ils ont de la sympathie pour ce que j'essaie de faire.

— Bien sûr. Et le fait que vous rencontrez souvent le président les impressionne beaucoup.

— Je m'efforce de contrer les accusations de votre mari en faisant en sorte que mes suggestions parviennent à Hawkins par d'autres voix que la mienne.

— Vous faites bien, approuve-t-elle. Décidément, vous pensez toujours à tout.

— Le président est un homme bon et honnête. Quand il me demande mon avis, je le lui donne librement. Mais il est préférable qu'en ce qui concerne les sujets politiques, mon opinion ou mes conseils lui soient prodigués par d'autres.

Elle hoche longuement la tête en le couvrant d'un regard admiratif.

Les rideaux sont écartés, mais c'est la dernière semaine de décembre, et la lumière entrant dans la pièce est pâle et grise comme cet après-midi d'hiver. Comme d'habitude, l'appartement est surchauffé. Frère Kristos a sa chemise déboutonnée ; la croix en or pend sur l'épaisse toison du torse.

— Avez-vous de la vodka ? demande Matilda Trent. Celle au piment ? J'en prendrais volontiers un peu.

Il se lève, va dans la chambre. Mais quand il se retourne, elle est derrière lui. Elle se rapproche, ferme les yeux.

— Aimez-moi, dit-elle.

Il défait sa ceinture, enlève son pantalon.

— « Ne vous cachez jamais de ceux dans le besoin », dit-il. Esaïe.

Il est devenu sa drogue, et il n'y a rien qu'elle puisse lui refuser. Cette femme austère, fière, a en effet, comme promis, refait sa vie. Elle a découvert un monde de joie et de couleur, un monde d'une telle intensité que, dans les bras de cet homme, elle sent son corps se fondre dans une nouvelle musique, une nouvelle harmonie. Ce n'est pas seulement une jouissance physique mais comme un rêve que vivrait son âme. Elle se voit jeune, élancée, souple, avec la chair nacrée de la jeunesse, les atteintes du temps effacées, le rire et l'insouciance revenus.

La pénombre envahit lentement la chambre, tandis qu'elle lui peigne cheveux, moustache et barbe. Il se soumet docilement à ces soins en lui caressant les reins d'une main pressante.

— Je crois que je vais divorcer, lui dit-elle soudain. J'y pense depuis quelque temps déjà, et j'ai décidé que je devais le faire. Qu'en dites-vous ?

— Faites selon votre cœur.

— Vous m'avez ouvert les yeux sur la petitesse et la stérilité de ma vie passée. Il me faut maintenant couper définitivement les derniers ponts.

Il lui immobilise la main.

— Cela nuira à la carrière politique de votre mari, dit-il. Vous le savez ?

— Bien sûr que je le sais ! Mais pour une fois dans ma vie j'ai envie de ne penser qu'à moi. Est-ce tellement horrible ?

— Il est juste de mettre fin à un mariage sans amour. En avez-vous parlé à votre mari ?

— Non, pas encore, dit Matilda. Il se trouve dans l'Ouest en ce moment. Je lui ferai part de ma décision à son retour.

— Attendez un peu, dit Frère Kristos. Le temps est tout, et le moment n'est pas encore venu. Pouvez-vous reculer un peu votre décision ?

— Oui, si vous me le demandez. Mais approuvez-vous mon intention de divorcer ?

— Oui, je l'approuve.

— Me direz-vous quand je pourrai le faire ?

Il hoche la tête et se lève du lit au bord duquel il est assis pour la prendre dans ses bras. Elle se tend vers lui. Sa force l'emprisonne, des mains fortes la pétrissent. Elle colle son visage contre lui et soupire de contentement.

— Il n'y a rien de mieux qu'une étreinte, si ce n'est deux étreintes, dit-elle. L'Evangile selon sainte Matilda.

2

Ils s'assoient sur un banc dans Lafayette Park, les mains dans les poches, les cols relevés contre le vent coupant. De là où ils sont, ils peuvent voir la Maison-Blanche qui luit doucement dans la pellicule de lumière du matin. Elle est aussi parfaite et immobile qu'un décor de théâtre érigé là en arrière-plan des drames se jouant dans la capitale : comédie, tragédie, farce, épopée.

— L'enfant de salaud, dit Lindberg, amer. Il fait exactement ce que j'avais prédit. Ecoutez ça... Il dispose maintenant d'une heure entière de radio, *En Compagnie de Frère Kristos.* Qu'est-ce que vous dites de ça ? Et un producteur s'occupe de lui trouver un créneau sur une chaîne de télé. Et comme si ça ne suffisait pas comme ça, il est allé serrer la pince de tous les curés, pasteurs, rabbins et muftis de la capitale, pour les convaincre qu'il ne cherchait pas à leur faire de l'ombre.

— Comment savez-vous toutes ces choses ? s'étonne Tollinger.

— Allons, vous savez bien que cette ville n'a pas de secrets. En tout cas, Jacob Christiansen a pris un bon départ. Les pigeons vont tomber comme manne. Croyez-moi, il ouvrira un compte en Suisse un de ces quatre. La seule parole de la Bible dans laquelle il croit, c'est : « Cherche, et tu trouveras. » Ah, excusez-moi, mais j'ai les boules à chaque fois que je pense à cet escroc.

— Eh bien, c'est justement pour ça que je vous ai demandé de me rencontrer, dit Tollinger. Pour parler de Frère Kristos.

— Ah ? Je vous écoute.

— Ces hommes qui ont financé votre enquête avaient espéré que vous déterreriez de son passé quelque sale histoire susceptible de mettre en garde le président contre lui. Comme ça n'a pas marché, ils m'ont chargé de lui faire une offre, un million de dollars, pour qu'il quitte la ville. Il a refusé.

— Bien sûr, dit Lindberg avec colère. Ses relations avec Hawkins vont faire de lui un milliardaire.

— Et puis il leur est venu une idée, poursuit John, qu'ils m'ont demandé d'examiner.

— Et c'est quoi ?

— Ces hommes sont désormais convaincus que Kristos représente un danger réel pour le gouvernement constitutionnel.

Il se tait alors, et pendant si longtemps que l'ex-agent du FBI finit par dire :

— Continuez.

— Leur idée est qu'il n'y a pas d'autre solution que de le descendre.

Lindberg tourne son regard vers lui et arrondit les lèvres dans un sifflement muet.

— Ce n'est pas rien.

Tollinger hoche lentement la tête.

— Ce n'est pas rien, comme vous dites, approuve-t-il. Mais ils ne voient pas d'autre moyen. Enfin, j'ai accepté d'examiner la chose. Vous êtes le seul à qui j'en ai parlé. Non seulement j'ai confiance dans votre discrétion mais vous avez l'expérience nécessaire, si, bien entendu, vous voulez nous aider.

— Vous aider comment ? En vous disant comment organiser le crime parfait ?

— Je n'ai jamais pensé que ça pouvait exister.

— Détrompez-vous, il se commet des tas de crimes parfaits. Ce sont ceux dont on n'entend jamais parler.

— Alors ? demande John. Qu'en pensez-vous ? Si vous dites non, je comprendrai parfaitement, et je nierai que nous ayons jamais eu cette conversation. Si vous acceptez, nous discuterons de la manière et des moyens. Vous serez bien payé, naturellement.

— Qu'est-ce que vous racontez là ? dit Lindberg, chagriné. Je ne suis pas un tueur à gages. Si je vous aide, c'est parce que j'en aurai envie, pas pour de l'argent. Sinon je serais pire que Frère Kristos.

Ils observent de nouveau le silence, contemplant la circulation dans Pennsylvania Avenue. Un groupe de manifestants, munis de bannières et de pancartes, est rassemblé devant les grilles de la Maison-Blanche. L'homme qui les mène a un porte-voix mais ils ne peuvent entendre ce qu'il dit à cette distance.

— Toujours abstinent ? demande Tollinger d'un air absent.

— Quoi ? dit Marvin. Oh, oui, je tiens le coup. Ecoutez, laissez-moi réfléchir à ça. Ce n'est pas le genre de truc dans lequel on se précipite, vous comprenez ?

— Evidemment. Quand pourrez-vous me donner une réponse ? Demain ?

— Demain, c'est la veille du jour de l'an... vous vous rappelez ?

— Oh, c'est vrai, dit Tollinger. Croyez-le ou pas, mais j'avais oublié. Trop de choses en tête, je suppose. Vous faites la fête ?

— Oui, avec mes A.A. On aura de la limonade et des biscuits au chocolat. Mais ça ira ; on rigolera quand même. Et vous ?

— Je reste chez moi, dit John. Je boirai peut-être un verre de champagne à minuit.

— C'est pas bête. Restez bien tranquille chez vous et vous verrez la nouvelle année. Je vous passerai un coup de fil le premier de l'an. Ça vous va ?

— Parfait. C'est déjà bien que vous ne m'ayez pas dit non tout de suite.

Les deux hommes se lèvent, se serrent la main. Lindberg s'en va du pas d'un homme beaucoup plus lourd. Tollinger le regarde s'éloigner puis il abaisse son feutre noir sur son front et se met en marche vers la grille Ouest.

En montant l'allée, il s'arrête un instant pour contempler la Maison-Blanche. Elle est si finement proportionnée, et tellement sereine, que vue de l'extérieur il est difficile de s'imaginer que l'intérieur bourdonne d'activité comme une ruche.

Il abat du travail de routine le restant de l'après-midi, et récidive le lendemain 31 décembre jusqu'à midi. Folsom est à Camp David avec la famille présidentielle, et Tollinger imagine la frustration de son supérieur, à prendre part à une fête sans alcool.

Il s'arrête en voiture chez *Duke Zeibert's* pour y déjeuner d'assez de cornichons, de petits oignons, de corned-beef et de frites pour tenir le reste de la journée. Sur la route de Spring Valley, il s'arrête de nouveau pour acheter une bouteille de Dom Pérignon, et se demande avec une ironie amère s'il ne devrait pas aussi acheter une trompette, un chapeau de clown, des serpentins et des confettis pour célébrer en solo le nouvel an.

A huit heures du soir, il a bu la moitié du Dom Pérignon, se servant d'un gobelet parce que Jennifer a emporté, comme convenu, toutes les flûtes à champagne. Il se met à composer son numéro toutes les demi-heures, juste pour lui souhaiter la bonne année — un geste à faire, se dit-il — mais il n'obtient pas de réponse. Il abandonne à onze heures, essayant de ne pas imaginer avec qui elle peut être. Il termine la bouteille et se verse un cognac.

Il est au lit avant minuit. Le sommeil vient vite. Sa dernière pensée est une question : Pourquoi a-t-il dit à Marvin que l'idée d'abattre Frère Kristos provenait d'un groupe de grands patrons ? Pourquoi ne lui a-t-il pas avoué que c'était lui, et personne d'autre, l'auteur de cette idée ? Etait-ce par simple lâcheté ou bien par une prudence dictée par un homme se découvrant un goût et un talent pour la conspiration ?

Il se réveille le premier de l'an sans gueule de bois mais avec une vague impression de désorientation, comme après un accès de fièvre. Il se prépare un solide petit déjeuner, descend le tout et entreprend de parcourir les deux mois de magazines qui s'empilent dans son bureau. A midi, il a retrouvé la tête claire, et il fête ça avec son premier verre de l'année : un scotch léger avec du soda.

Et puis Lindberg appelle, lui souhaite la bonne année et lui annonce qu'il peut venir vers trois heures. John lui dit que ça lui convient très bien, et il s'assure qu'il y a assez de Perrier dans le réfrigérateur. Il ne pense même pas à ce qu'il fera si Lindberg le laisse tomber.

Lindberg est d'une humeur brusque, sérieuse.

— Ecoutez, dit-il, quand vous m'avez parlé de ça, j'espère que vous ne vous attendiez pas à ce que je me propose de buter le gars moi-même ?

— Bien sûr que non, dit Tollinger. Je voulais avoir votre point de vue d'expert, c'est tout.

— Que je vous apprenne le mode d'emploi, c'est ça ?

— En quelque sorte.

— D'accord, dit Lindberg, je veux bien l'admettre. Mais si ce n'est pas moi, alors qui ? Qui fera le sale travail ?

— Moi, dit Tollinger.

Marvin le regarde attentivement.

— Vous vous en sentez le cran ? demande-t-il.

— Je pense. Je ne l'ai jamais fait, alors je ne peux pas en être sûr. Mais oui, je crois que j'en suis capable, à condition que le plan ait une bonne chance de succès. Je n'ai pas envie de passer le restant de ma vie derrière les barreaux.

— Ça ne vous arrivera pas, mais vous ne pouvez pas le faire seul. Il faut être au moins deux. Trois serait l'idéal mais nous pouvons nous débrouiller à deux.

— Vous avez dit « nous », remarque John. Alors, vous en êtes ?

Lindberg ignore la question.

— Laissez-moi vous dire deux ou trois choses sur l'homicide, dit-il. J'ai participé à un tas d'enquêtes, parlé à des agents qui avaient une longue expérience dans ce domaine et j'ai lu des piles de dossiers. Pour qu'un crime ne puisse être élucidé, il faut que le cadavre ne soit jamais retrouvé. Il faut le faire disparaître.

— Comment ? demande Tollinger. En l'incinérant ?

— Non. Ça attire trop l'attention. Quelqu'un pourrait voir le feu, la fumée. Ou sentir. Et les os et les dents ont toutes les chances de rester.

— Jeter le corps à la mer, dans un lac, une rivière ?

— Il finirait par échouer quelque part. Même s'il est lesté. Trop risqué.

— Le découper en morceaux et les disperser ?

— Et où opérez-vous ? Chez vous ? Chez la victime ? Et comment ? Vous êtes boucher, chirurgien ? Et vous vous voyez en train de faire ça ? Moi, je ne pourrais pas. Non, la meilleure solution est de l'enterrer. A deux mètres de profondeur dans un endroit désert, et en veillant à bien dissimuler l'emplacement du trou.

Tollinger hoche pensivement la tête. Il aime ça : un défi intellectuel, un problème à résoudre par la logique.

— Voyez-vous, poursuit Lindberg, après une petite gorgée

de Perrier, un crime réussi doit se préparer en amont. Que faire du corps doit être le premier souci. La découverte d'un cadavre mobilise la police, et tout le reste suit : identification, arme du crime, circonstances, mobile. Pour tous ceux qui représentent la loi, une enquête sur une personne disparue n'est pas aussi importante ni urgente qu'une enquête criminelle.

— D'accord, dit John, en admettant que vous ayez trouvé un moyen de vous débarrasser du corps, qu'est-ce qui vient ensuite ?

— Le transport. Vous allez devoir transporter le corps quelque part, non ? Je veux dire, vous n'allez pas l'enterrer dans votre jardin ? Ça nécessite donc un véhicule, et ça détermine le choix de l'arme. Utilisez un revolver ou un couteau, et le type va saigner, il laissera peut-être des débris de tissu ou d'os en plus du sang. Comment prévenir les taches dans votre bagnole ? En utilisant un sac poubelle ? Je ne conseillerais à personne d'essayer de rentrer un cadavre dans un sac poubelle. Et puis ça pourrait fuir. Enfin, si des balles sont restées dans le corps, les flics peuvent déterminer le calibre de l'arme et peut-être même identifier celle-ci à partir des fiches balistiques. Si c'est une blessure par arme blanche, ils peuvent en déduire le type de lame utilisée pour frapper la victime. Pourquoi me regardez-vous avec ce petit sourire ?

— Je viens juste de me rendre compte que nous parlons de victime, de corps, de cadavre. Pas une seule fois ni vous ni moi n'avons prononcé son nom. Nous parlons de tuer Frère Kristos, vous vous en souvenez ?

— Oui, mais je parle comme un flic. C'est toujours la victime, l'assaillant ou l'assassin, le cadavre ou le corps ou les restes. A la Crime, on prononce rarement les noms, ça humaniserait trop le travail. Il faut garder une distance, rester abstrait. Si on appelle un horrible massacre un homicide multiple, on le dépersonnalise. Ça facilite les choses.

— Oui, je suppose, dit Tollinger. Alors, éliminons l'arme à feu et le couteau. Que reste-t-il ?

— Le poison, s'empresse de répondre Marvin Lindberg. On trouve maintenant du poison qui est incolore, inodore et presque impossible à détecter, surtout si le corps est resté longtemps en terre et que les vers ont fait leur travail. Quelques gouttes font l'affaire. Mais le poison, même le plus foudroyant, soulève une question essentielle : comment l'administrer ?

Tollinger réfléchit un moment.

— Ce ne devrait pas être trop difficile, dit-il. Frère Kristos est déjà venu ici. Il était assis juste là où vous êtes.

— Vous pensez que vous pourriez le faire revenir ?

— Oui, je le pense. Et il aime beaucoup la vodka au poivre.

— Alors il ne reste plus qu'un problème : comment se procurer le poison.

Tollinger est songeur. Il se lève, verse un peu plus de whisky dans son verre, se rassied.

— Je crois pouvoir obtenir le poison, dit-il.

— Ah oui ? dit Lindberg. Où ça ?

C'est un long récit, et Marvin a fini son Perrier et John son whisky quand il se termine.

— Ça pourrait peut-être marcher, acquiesce Lindberg. Et puis ça nous fournirait le troisième. Ecoutez, occupez-vous du poison et moi, pendant ce temps, je vais voir si je peux trouver un bon emplacement pour le trou. Peut-être dans le Maryland ; il y a là-bas, quand on va vers l'ouest, une contrée sauvage. Ça fait une longue route avec un cadavre dans le coffre, mais ça en vaut la peine. Je me souviens d'un endroit près de la frontière avec la Virginie de l'Ouest qui s'appelle la Montagne Noire.

— Nom de circonstance, dit Tollinger.

— Oui, dit Lindberg. Eh bien, puisque nous avons décidé de le faire, faisons-le.

Après le départ de Lindberg, John reste assis pendant une dizaine de minutes, faisant tourner son verre vide dans sa main, réfléchissant à leur conversation. Il a pleinement conscience de devenir un intrigant, un conspirateur, et il se demande s'il se serait élevé plus haut dans le monde byzantin de la politique nationale si ce talent et ce penchant étaient apparus plus tôt.

Puis il décroche le téléphone et appelle Michael Oberfest.

3

Leurs frénétiques contorsions terminées, ils prennent une douche ensemble, riant du contraste de leurs cuisses. Les siennes à elle, fuselées et lisses, les siennes à lui, massives et velues. Puis elle se rhabille, et Frère Kristos enfile un peignoir blanc en cachemire, un présent de Jennifer Raye.

— Ecoutez, prêcheur, dit Anne-Lu Schlossel, c'est la dernière fois que je visite ce petit nid d'amour. Mme Mattingly m'a vue monter, et c'est une pipelette. Ma confirmation va passer au vote, et je dois bien me conduire.

Il hoche la tête.

— Ce serait plus sage, en effet. Nous pouvons nous parler au téléphone, et après votre confirmation à la vice-présidence, nous nous arrangerons pour nous rencontrer ailleurs.

— Vous parlez de ma confirmation comme si c'était une certitude.

— Ça l'est.

— Est-ce encore une de vos prédictions de sorcier ?

Il ne répond pas mais l'invite de la main à le suivre dans son salon. Elle lui prend sa place dans le grand fauteuil en bout de table mais il ne proteste pas.

— Je ne vous ai pas encore vraiment remercié, dit-elle.

— De quoi ?

— D'avoir soufflé mon nom au président Hawkins pour la vice-présidence.

— C'est Mme Hawkins qui l'a fait.

— Et qui le lui a soufflé, à elle ? Quand allez-vous conseiller au président de soumettre un nouveau projet de loi de partage des surplus, celui qui comprend une augmentation des aides aux agriculteurs ?

— Pas moi, c'est vous qui allez le proposer au président si vous êtes élue. L'idée vous vaudra de l'estime, et on parlera moins de mon influence sur la Maison-Blanche.

— Vous pensez à tout, dit-elle, en secouant la tête. Et après que nous aurons aidé ceux qui ont faim, si on faisait quelque chose pour les sans-abri ? Le manque de logements sociaux dans ce pays est une honte.

— J'ai déjà parlé de ça au président. Je lui ai présenté un programme complet de changement social, comprenant une augmentation des logements sociaux et la restauration de tous les ouvrages d'art de ce pays. Cela créerait beaucoup d'emplois.

— Mon Dieu, dit-elle, vous voyez les choses en grand. Et d'où viendrait l'argent pour entreprendre tout ça ?

Il hausse les épaules.

— Un impôt spécial, un emprunt. Si la volonté est là, le reste est possible. Mais je reconnais que ces choses-là prennent du temps. C'est pour ça que je tiens à cacher mon influence sur le président. Je ne veux pas mettre en danger ses chances d'une réélection.

— Je ne pense pas que Sam Trent laissera les gens oublier que vous avez dormi dans la chambre de Lincoln.

— Une seule fois, dit-il avec son sourire félin. Et j'ai pris des dispositions pour saper la carrière politique de Trent. Cet homme est mon ennemi, et je suis le sien. Le nouveau projet de loi l'affaiblira, et d'autres choses contribueront à sa disparition de la scène politique.

Elle feint d'avoir le frisson.

— Je suis contente de ne pas vous avoir pour ennemi, dit-elle. Si on buvait un verre avant que je file ?

Il rapporte la carafe de la chambre et verse à boire. Elle boit une gorgée et le regarde par-dessus son verre.

— J'ai entendu dire que vous aviez rendu visite à tous les curetons du voisinage, dit-elle. Pour vous faire des petits copains ?

— Vous pouvez appeler cela comme ça, admet-il. Je veux persuader la communauté religieuse de soutenir le programme social du président. Je veux que toutes les Eglises de ce pays se mobilisent pour venir en aide aux plus pauvres.

Elle se redresse sur son siège.

— Là, prêcheur, dit-elle, vous invitez les Eglises à se mêler des affaires du gouvernement, et je n'aime pas beaucoup ça.

— Il n'y a rien à craindre, la rassure-t-il. Je veux seulement parler aux gens des valeurs morales et des besoins spirituels.

— Vous n'essayeriez pas de m'embobiner, par hasard ? Si vous voulez qu'on nourrisse ceux qui ont faim et qu'on donne un toit à ceux qui n'en ont pas, jusque-là c'est d'accord. Mais si vous voulez les prières à l'école et l'interdiction de l'avortement, alors, vous et moi, c'est fini.

— Non, non, ma sœur, dit-il. Je désire seulement un changement social, qu'il y ait plus d'équité.

— Hum ! j'aimerais bien vous croire sur parole, mais je

ne peux pas. Des fois, vous me faites peur. Il y a des jours où je pense que vous êtes comme un Messie venu réconforter les malheureux et il y en a d'autres où je me dis que vous êtes fou d'ambition.

— Je suis ce que vous voyez : un homme simple qui s'efforce de faire ce que Dieu veut.

— Soit, dit-elle, mais qui me dit que vous n'êtes pas le roi des hypocrites ? Je vous aurai à l'œil, marabout. Quand vous prêchez, vous êtes trop bon pour être honnête. Vous avez fait beaucoup pour moi, et je vous en suis de tout mon cœur reconnaissante. Mais si je vois que vous dépassez les bornes avec votre croisade religieuse, alors je me dresserai contre vous. Contentez-vous d'aider les pauvres et les sans-abri, et laissez au gouvernement ce qui appartient au gouvernement. D'accord ?

— Je dépends d'une puissance qui n'est pas d'ici-bas, dit-il, le regard ardent.

— C'est bien ce qui m'inquiète, dit-elle. Est-ce de Dieu qui est au Ciel que vous dépendez, ou bien de votre goût pour l'argent et le pouvoir ? Ne jouez pas avec moi, prêcheur ; je n'aimerais pas vous donner le bâton. Mais voilà quelque chose que la Bible ne dit pas : « Ne baise pas les autres, si tu ne veux pas qu'ils te baisent. »

4

John Tollinger commence à voir le complot comme un édifice fait de différents éléments imbriqués. Il a une forme pyramidale. Au sommet, l'assassinat de Frère Kristos. En dessous, les mobiles des conspirateurs, la tactique et les moyens nécessaires à l'entreprise, si l'on veut qu'elle ait des chances de succès.

Il trace même un schéma grossier de cette structure meurtrière, intitule les différents éléments : arme (poison), transport, temps prévu, préparatifs, réactions possibles de la victime, ensevelissement, alibis, etc.

Réduire le complot à une espèce de mécanisme abstrait donne l'occasion à Tollinger de s'adonner à son exercice favori de réflexion et de déductions. Cela masque également tout ce que le projet peut susciter d'émotion et de doute.

Il consacre donc de longues heures à réfléchir à la meilleure manière de convaincre Michael Oberfest, homme qu'il tient pour un caractère faible, à prendre part à un meurtre. Il finit par concevoir un plan qui, bien que parfaitement ignoble, peut se révéler efficace. Il consulte Marvin Lindberg, obtient son accord et la promesse de collaborer.

Il commence par inviter Oberfest à venir dîner à Spring Valley. Comme il le prévoit, Michael accepte volontiers.

— Vous avez trouvé quelque chose ? demande-t-il. Vous savez... au sujet de mon problème ?

— Nous en parlerons pendant le dîner, répond John au téléphone.

Mais quand Oberfest arrive, Tollinger diffère sa réponse d'un « Plus tard, plus tard », et pendant tout le dîner, composé de poulet rôti, de tortellini au fromage, et d'une salade verte, il parle seulement des discours de Trent et de l'avantage qu'il ne cesse de prendre sur Hawkins.

Ce n'est qu'après qu'ils se sont installés dans le bureau pour boire le café et le cognac que John remarque d'un ton détaché :

— Je pense avoir trouvé quelque chose qui pourrait vous débarrasser du KGB.

Le visage rond de Michael s'éclaire d'un sourire de soulagement.

— Dieu merci ! s'écrie-t-il. Et merci. J'ai prié le ciel que vous me sortiez de là. Marchuk s'impatiente. Il est convaincu que je ne cherche qu'à gagner du temps. Quelle est votre idée ?

— Vous allez la trouver assez machiavélique et retorse, dit calmement Tollinger, mais vous devez savoir qu'un agent secret comme le commandant est habitué aux ruses les plus tortueuses. Je pense qu'il marchera.

— Que proposez-vous ? demande Oberfest, impatient.

— Je propose que vous alliez voir votre Russe et que vous lui disiez que vous avez vu Kristos, et qu'il a refusé leur offre.

— Bon sang, John, Marchuk sera furieux. Je ne sais pas ce qu'il fera... il expédiera sûrement les cassettes au FBI.

— Voulez-vous m'écouter jusqu'au bout ? demande patiemment Tollinger. Une fois que vous lui aurez rapporté le refus de Kristos, vous lui suggérerez une autre possibilité. Si les Russes veulent réellement éliminer Kristos pour protéger l'avenir politique de Hawkins, alors qu'ils l'éliminent pour de bon. Qu'ils le fassent descendre.

— Quoi ? Qu'est-ce que vous dites ?

— Vous m'avez très bien entendu. Vous suggérez au commandant Marchuk qu'ils n'ont qu'à faire assassiner Frère Kristos.

— Mais je ne pourrai jamais lui dire une chose pareille !

— Laissez-moi finir. Buvez votre cognac et écoutez-moi.

Tollinger marque une longue pause, sachant qu'il a beaucoup à dire en une seule fois à Oberfest et qu'il doit s'y prendre lentement pour que ce crétin comprenne.

— Maintenant, Mike, attendez de connaître la fin de la question avant de lever le doigt. Bien, vous avez suggéré au commandant d'assassiner Frère Kristos. D'après vous, quelle sera la réaction du Russe ?

— Je ne sais pas, dit Michael en se mordillant nerveusement le pouce. Je suppose qu'il ne me dira rien avant d'avoir consulté ses supérieurs de Moscou.

— Bien sûr, dit Tollinger, c'est ce qu'il dira et qu'il fera. Nous avons tous des supérieurs, même un commandant du KGB. Et quand il vous aura dit ça, vous ajouterez, pour l'adoucir, que vous vous portez volontaire pour exécuter le travail.

— Non, mais c'est dingue, John !

— Voulez-vous m'écouter ? Vous dites à Marchuk que vous voulez bien vous charger de la besogne à condition qu'il vous rende toutes vos bandes.

Oberfest se redresse dans son fauteuil et regarde plus attentivement Tollinger.

— Je commence à comprendre, dit-il. Je dis au Russe que je tuerai Kristos, mais c'est du pipeau, c'est ça ?

— Oui. Mais ce n'est pas tout. Vous dites à Marchuk que vous voulez bien vous occuper de Kristos, mais à la seule condition que les Russes vous fournissent l'arme. Mike, vous vous y connaissez un peu en armes à feu ?

— Pas du tout. Comment m'y connaîtrais-je ?

— Dommage, mais ce n'est pas grave, dit Tollinger. Le poison fera aussi bien l'affaire. Ça ne devrait pas leur poser de problème : ces agents du KGB doivent avoir tout ce qu'il faut. Vous dites donc à Marchuk que s'il vous fournit le poison, vous rendrez visite à Kristos ou vous l'inviterez chez vous et que vous glisserez le poison dans son verre.

— Hé, John, c'est ça, la solution à mon problème ? Si les supérieurs de Marchuk sont d'accord pour qu'on tue Kristos et si le commandant me fournit le poison et si, bien entendu, je ne m'en sers pas comme promis, mais c'est à moi qu'il le fera avaler, le poison !

Tollinger se penche en avant sur son fauteuil et plonge son regard dans celui d'Oberfest.

— Non, il ne fera pas ça, dit-il, parce que nous le tiendrons. Quand vous irez chercher le poison, vous porterez sur vous un micro-transmetteur miniature, et je me trouverai à quelques centaines de mètres de là pour enregistrer votre conversation. Vous ferez en sorte que le commandant vous parle du poison et comment Frère Kristos n'aura même pas le temps de comprendre ce qu'il lui arrive. Je ferai une cassette de l'enregistrement. Vous commencez à comprendre, maintenant ?

— Bon Dieu ! s'exclame Michael. Je comprends ! Ce sera les enregistrements qu'il a de moi contre celui que j'aurai de lui !

— Oui, et il fera tout ce que vous lui demanderez pour récupérer cette bande. Vous imaginez le scandale si vous la communiquiez au FBI ou à la CIA ? Ils vous pardonneraient tous vos péchés de jeunesse si vous leur apportiez la preuve que les Russes complotent d'assassiner un ami intime du président des Etats-Unis. Vous voyez d'ici ce que les médias feraient de cette affaire ? Et je vous garantis que Marchuk pensera la même chose. Il vous donnera tout ce qu'il a sur vous, n'ayez crainte, pour récupérer ce que vous avez sur lui.

Oberfest se remet à mordiller son pouce.

— Mais, après que nous aurons fait l'échange, dit-il, inquiet, il peut très bien me tuer pour l'avoir doublé.

— Non, dit d'un ton léger Tollinger, parce que, bien entendu, vous aurez fait un double de la bande, et vous lui direz que ce double est en sécurité quelque part, et qu'il sera transmis aux autorités si jamais il vous arrivait quoi que ce soit. C'est votre assurance. Croyez-moi, il n'y a rien à redouter.

— Je ne sais pas, dit Oberfest, tendu. Tant de choses peuvent mal tourner. Imaginez que ce fameux micro-transmetteur miniature tombe en panne ?

— Ça n'arrivera pas. L'homme qui l'installera sur vous connaît son métier.

— Et si Marchuk vous voit et qu'il se demande ce que vous faites là ?

— Il ne me verra pas si vous m'avertissez à temps de votre lieu de rendez-vous.

— Il pourrait me fouiller et découvrir l'appareil.

— Il ne vous a jamais fouillé avant ?

— Non, mais s'il gardait des doubles de mes bandes ?

— Et après ? Vous garderez bien vous-même un double de la sienne. Vous le tenez comme il vous tient.

— Et si...

— Ça suffit ! explose Tollinger. Je laisse tomber. Oubliez ce que je vous ai dit. J'ai essayé de vous aider mais tout ce que vous trouvez à faire, c'est de soulever un tas d'objections stupides. Oublions tout ça, voulez-vous ? De toute façon, je ne crois pas que vous ayez le cran nécessaire.

— C'est faux ! Je peux le faire ! proteste Michael. Je veux vraiment le faire. C'est un plan très astucieux, John. Sincèrement, je veux le faire.

— Non, dit Tollinger avec froideur, je me lave les mains de cette affaire. C'est votre problème ; à vous de trouver la solution.

— Je vous en prie, John, laissez-moi tenter le coup. Je sais que ça marchera. Si vous saviez comme j'apprécie tout ce que vous faites pour moi. Je ferai tout ce que vous me dites.

— Vous en êtes sûr ?

— Absolument.

— D'accord, dit Tollinger. Je ne prétends pas que l'opération ne comporte aucun risque, mais je pense qu'elle est faisable. On va revoir ensemble le scénario depuis le début. Puis on répétera le dialogue que vous aurez avec Marchuk, afin de prévoir toutes les réponses aux questions qu'il pourrait vous poser.

— Tout ce que vous voudrez, John, dit humblement Michael Oberfest.

5

Dans l'après-midi du 14 janvier, une manifestation musicale est organisée dans un salon de la Maison-Blanche. Il y a là plus d'une centaine d'invités, parmi lesquels d'éminentes personnalités religieuses de toutes les confessions provenant du district de Columbia et d'honorables prélats venus de tout le pays.

Le programme, composé par Frère Kristos, annonce des chanteurs, des musiciens et des chœurs qui ont auditionné pour son heure de radio et sa future émission de télé. Ce sont des chanteurs de gospels, des gratteurs de guitare folk, des choristes de spirituals, de chants liturgiques.

C'est une joyeuse soirée, on tape du pied avec entrain sous les robes ecclésiastiques, on lance à tout va des « Amen ! » et des « Alléluia ! » pleins d'allégresse. La soirée se termine par une chaîne de mains au son du « Je crois en Toi, mon Dieu ». C'est, comme le proclame Frère Kristos, une « fête divine » !

L'événement, d'une durée de quatre-vingt-dix minutes (sans les spots publicitaires), est télévisé en direct sur toutes les chaînes qui enregistrent un taux d'écoute battant tous les records. La réaction du public est enthousiaste, et coups de fil et lettres affluent à la Maison-Blanche.

Dans les jours qui viendront, les commentaires se feront plus sobres et plus analytiques. La question que l'on se posera fréquemment étant de savoir si la Maison-Blanche est le lieu adéquat pour une manifestation que d'aucuns ont appelée la « Journée du Renouveau ». A ces critiques, le président Abner Hawkins rétorquera que ce fut une soirée qui « célébrait la foi et l'esprit humains ».

Quelques heures après la fin de cette soirée musicale, Frère Kristos se détend dans le salon présidentiel en compagnie du président, de la Première dame et de leur fils.

— On n'aurait pu souhaiter mieux, dit le président. Peut-être devrions-nous en faire une fête annuelle ?

— Oh, les gens adoreraient, approuve son épouse. C'était tellement émouvant.

— Et impressionnant, ajoute le président. Amener des représentants de confessions différentes à partager entre eux leur propre musique. Ça, c'est de l'œcuménisme !

— Il y a des hommes et des femmes de bonne volonté

dans toutes les religions, dit suavement Kristos. Car il n'y a qu'une seule religion... et c'est la foi. Quand on a compris cela, alors les rites, les cérémonies et toutes les diverses croyances perdent leur importance. Ce qui reste et dure éternellement, c'est l'amour envers le Tout-Puissant.

— Amen ! lance George.

Et le président, riant, embrasse son fils.

Peu après, Mme Hawkins emmène George se coucher.

— Pouvez-vous rester un moment ? demande Hawkins au prêcheur. Ça fait longtemps que nous n'avons pas bavardé ensemble, vous et moi.

— Oui, père, répond Kristos, parlons.

Le président ouvre le chemin, et les deux hommes, suivis par des agents de la sécurité et l'homme qui porte la valise codée, se rendent jusqu'au petit salon qui flanque le Bureau Ovale. La pièce est feutrée, retirée, avec quatre fauteuils, un seul téléphone, un poste de télé.

— J'ai deux ou trois choses à vous apprendre, dit Hawkins après avoir fermé la porte. Pour commencer, nous avons fait le compte des voix, et il semble que Lu-Anne Schlossel devrait voir sa nomination à la vice-présidence confirmée par le Congrès.

— Je suis heureux de l'apprendre, dit Kristos. C'est une femme capable, un grand serviteur de l'Etat.

— Je veux la charger des relations avec le Congrès. Elle connaît bien la machine législative, ce qui est exactement ce dont nous avons besoin. Et puis, je voudrais qu'on parle des programmes que vous avez mentionnés la nuit des élections. Vous vous en souvenez ?

— Oui, père, j'ai suggéré un programme de changements sociaux : nourrir ceux qui ont faim, donner un toit à ceux qui n'en ont pas, entreprendre la restauration des routes, des ponts et de tous les ouvrages d'art de ce pays afin de procurer des emplois.

— J'ai réfléchi à tout ça, dit sombrement le président. Les obstacles sont énormes. Mais, comme chacun sait, il n'est pas nécessaire de trop espérer pour entreprendre. Aussi ai-je rassemblé discrètement une commission chargée de dresser un plan susceptible de guérir notre pays de ses maux les plus urgents. Les gens que j'ai approchés, et qui viennent tous de comités d'entreprises, d'universités, d'unions syndicales, d'organisations pour les droits de l'homme, se sont montrés très enthousiastes et se sont même proposé de travailler bénévolement. Ils m'ont promis un rapport complet dans trois mois. Non seulement de tout ce qu'il y a à faire, mais comment le faire.

— Mes prières ont été entendues, dit Frère Kristos. J'aurai juste une suggestion, si je peux me permettre, père.

— Mais je vous écoute, Frère Kristos.

— Nous savons tous deux qu'un programme aussi important et si radical doit d'abord avoir le soutien du peuple américain. Pour cela, il lui faut un nom, un nom qui soit une bannière, et une campagne de publicité visant à faire comprendre aux gens que ce programme est entrepris pour le bien public, le bien de tous. Je ne pense pas qu'il soit trop tôt pour s'assurer la collaboration des meilleurs conseillers médiatiques et publicitaires.

— Excellente idée ! s'écrie le président. Je verrai mon service de presse dès demain.

Ils restent ensuite un moment dans un silence confortable ; le prêcheur lisse sa barbe, et le président tourne et retourne pensivement son alliance.

— J'aimerais me consacrer davantage à la politique intérieure, dit Hawkins, comme s'il se parlait à lui-même, mais ces mois derniers les affaires étrangères m'ont pris tout mon temps. Si vous trouvez qu'il y a de nombreux problèmes intérieurs qui exigent une intervention urgente, je peux vous assurer qu'il y en a le double en ce qui concerne nos relations avec les autres pays.

— Je le crois, père.

— C'est tellement difficile d'arriver à un consensus, dit le président avec un soupir. Chaque nation agit dans son propre intérêt, ce qui, naturellement, est compréhensible, mais il faut savoir faire parfois des sacrifices pour le bien commun.

Frère Kristos regarde devant lui.

— J'ai, depuis longtemps, le sentiment, dit-il, que les gouvernements s'interposent toujours entre les peuples qu'ils représentent. Pourtant, tous les hommes sont semblables. Tous veulent les mêmes choses : de la nourriture en suffisance, un foyer, un travail, une famille. Et, plus important encore, ils ont tous la même foi en un Etre Supérieur, quel que soit le nom ou la représentation qu'ils lui donnent.

— Mais les peuples du monde ont besoin des gouvernements pour établir des relations entre eux.

Le prêcheur tourne son regard vers le président.
— Ils ont besoin du gouvernement de Dieu et de Ses représentants.
Hawkins est perplexe.
— Que voulez-vous dire ? Que nous devrions renforcer nos relations diplomatiques avec les chefs religieux des pays étrangers et prêter moins d'attention à celles que nous entretenons avec leurs dirigeants ?
— Je dis que si vous négligez la religion universelle de la foi, vous n'obtiendrez jamais un soutien durable des peuples de ces pays. Et sans le soutien du peuple, gagner la sympathie de leur gouvernement n'est qu'une victoire sans valeur.
Le président se penche en avant.
— Cela vous déplairait-il de faire part de ces idées devant un auditoire de diplomates de haut niveau au département d'Etat ?
— Pas du tout. Je les exhorterai à resserrer leurs liens avec les chefs religieux des pays dans lesquels ils nous représentent. Si nous voulons avoir une influence bénéfique sur l'avenir du monde, c'est depuis les chaires des prédicateurs qu'il faut le faire.
— Je vous préviens, ce sont des hommes fort capables et très expérimentés. Dans toute négociation, la première règle est de demander plus qu'on ne peut raisonnablement recevoir. Puis vous marchandez jusqu'au minimum que vous pouvez gagner.
Frère Kristos a un sourire triste.
— Dieu fait la même chose, dit-il.

6

Michael Oberfest a toujours pris John Tollinger pour un homme distant et froid, pète-sec et prétentieux. Mais à son grand étonnement, il découvre quelqu'un de chaleureux, ouvert et bienveillant.

Ils passent trois soirées ensemble chez Tollinger à Spring Valley, répétant sans discontinuer la scène que s'apprête à jouer Michael au commandant Leonid Y. Marchuk. John ne perd pas une seule fois patience tandis qu'il dirige Michael dans son rôle, souffle les dialogues, indique comment réagir aux questions impromptues et autres accidents de plateau.

Tollinger joue le commandant Marchuk, interroge durement, puis corrige gentiment Michael quand celui-ci se plante. A la fin de la troisième répétition, la tête tourne à ce dernier, et il ne répond plus que par réflexe. Mais Tollinger paraît satisfait. Il tape sur l'épaule de Michael avant de l'envoyer ouvrir la représentation.

Oberfest a appelé son contact. Un rendez-vous est convenu dans cette galerie marchande de Bowie, dans le Maryland, un lieu de rencontre qu'ils n'ont pas utilisé depuis des semaines. Marchuk apparaît en manteau et toque d'astrakan.

— Alors, demande le Russe une fois qu'ils ont pris place à l'avant de sa Lincoln, qu'avez-vous à me raconter ? Des bonnes nouvelles, j'espère ?

— Niet, dit Oberfest d'une voix aiguë. Frère Kristos est un incorruptible. Je l'ai rencontré quatre fois. Une fois chez lui, deux fois à son église en Virginie, une fois chez moi. On est devenus de vrais compagnons de beuverie, et je lui ai dit franchement : cent mille dollars, et il dégage le terrain.

— Et ?

— Il a ri. Puis il m'a dit, même pas pour un million. On ne peut lui en vouloir. Ça marche bien pour lui : copain du président, un programme d'une heure à la radio, un autre à venir à la télé. C'est pas grand-chose, cent mille dollars, comparé à ce qu'il se fera bientôt. Ecoutez, j'ai vraiment essayé, mais c'est peine perdue.

Marchuk claque la langue.

— J'aime pas ça, dit-il. Et mes supérieurs n'aimeront pas non plus. Ils sont capables de m'envoyer au Mozambique. Finies les belles Californiennes.

C'est l'ouverture que Tollinger a conseillé à Mike de guetter.

— Mais il y a peut-être une solution très simple, dit-il au commandant. Brutale, mais simple.

— Oh ? Et quelle est-elle ?

— Si, comme vous le dites, vous tenez autant à éliminer Kristos de la scène politique, pourquoi ne l'éliminez-vous pas... physiquement ?

L'homme du KGB tourne lentement la tête vers Oberfest.

— Ecoutez, dit ce dernier, c'est une solution parmi d'autres, non ? Et ne me dites pas que dans votre corporation ce sont des choses qui ne se font pas. Quand vous ne pouvez pas persuader, acheter ou faire chanter, vous éliminez... juste ?

— Et qui se chargerait de Frère Kristos ?

Michael hausse les épaules.

— Vous devez sûrement disposer d'une écurie de professionnels entraînés à ce genre d'opération.

Marchuk secoue la tête.

— Trop risqué, dit-il. Si jamais il y avait un pépin et que la CIA réussisse à établir un lien entre le tueur et nous, alors notre problème serait beaucoup plus grave.

Michael hausse de nouveau les épaules.

— Eh bien, n'en parlons plus. C'était juste une suggestion.

— Mais elle n'est pas mauvaise, Arnold, reconnaît le commandant. Elle n'est pas irréalisable. A la condition de veiller à ce qu'on ne puisse absolument pas remonter jusqu'à nous.

— Et où le trouverez-vous, votre tueur à gages solitaire ? Dans la rue ?

C'est ici, a dit Tollinger, le moment de vérité. Soit le Russe mord à l'appât, soit le plan s'effondre.

— Non, dit Marchuk, nous n'employons jamais de personnel indépendant que nous ne pouvons contrôler.

Il pose une main lourde sur la cuisse de Michael.

— Mais il y a un homme qui pourrait faire ce travail pour nous.

— Ah, oui ? Et qui ça pourrait être ?

— Vous, mon ami, dit doucement le commandant.

Je le tiens ! pense Oberfest, et il est étonné d'en éprouver une bouffée de joie.

— Moi ? s'écrie-t-il, indigné. Vous êtes fou ? Je ne suis pas un tueur. J'en ai l'air, peut-être ? Je n'ai jamais tiré un seul coup de feu de ma vie, je ne saurais même pas ce qu'il faut faire, et puis vous me voyez avec un couteau entre les dents ?

L'homme du KGB reste silencieux pendant un moment, et Michael redoute soudain que Marchuk ne leur glisse entre les doigts. Et puis la voix du Russe souffle, douce et persuasive :

— Il y a de nombreux autres moyens, Arnold. Il n'y a

pas que le revolver et le couteau. Il y a des moyens modernes, sophistiqués. Propres et efficaces. Satisfaction garantie, comme vous dites ici. Etes-vous toujours en bons termes avec ce prêcheur ?

— Oui.

— Qu'est-ce qu'il aime boire ?

— Il aime bien la vodka au poivre.

— Excellent ! dit Marchuk en riant. Au moins, nous aurons appris quelque chose aux capitalistes. C'est de la vodka russe ?

— Oui.

— De mieux en mieux ! Ce sera une bonne blague. Est-ce que ce saint homme est saoul quand il boit de la vodka russe ?

— Ce n'est pas le genre à tituber ni à rouler sous la table, mais oui, saoul quand même. Pourquoi me demandez-vous ça ?

— Parce qu'il y a un moyen d'éliminer Frère Kristos, un moyen qui est tout à fait dans vos cordes.

— Hé ! s'écrie Oberfest avec force, je vous ai dit de me laisser en dehors de ça. Je ne suis pas un tueur.

« Protestez, a dit Tollinger. Mais pas trop. »

— Arnold, dit doucement le commandant, nous sommes tous des tueurs quand les circonstances le demandent. Mais laissez-moi vous dire ce à quoi je pensais : il y a des poisons remarquables, sans odeur ni couleur ni goût. Quelques gouttes suffisent. La dose peut être calculée pour paralyser le système nerveux selon le temps désiré, depuis quelques secondes jusqu'à plusieurs heures. Elle frappe alors comme une attaque cardiaque et le poison est presque impossible à déceler. Maintenant, dites-moi, est-ce que cela serait tellement difficile pour vous d'en mettre quelques gouttes dans le verre de vodka de Frère Kristos, quand il est, comme vous dites, « saoul quand même » ?

— Mais pourquoi je ferais un truc pareil ? demande Michael. Qu'est-ce que je gagne, là-dedans ?

— Ah, dit Marchuk, « Qu'est-ce que je gagne ? », vieux refrain américain. Je vais vous dire ce que vous gagnez : ces bandes qui dénoncent votre... collaboration avec nous.

Oberfest observe le silence. « Jouez finement ce passage, a dit Tollinger. Donnez-lui à penser que vous n'aviez pas pensé à ça, et qu'à présent qu'on vous en parle, vous voyez le meurtre de Frère Kristos sous un autre angle. »

— Les bandes originales, poursuit Marchuk d'une voix mielleuse, et toutes les copies. Votre cauchemar serait fini. Tentant, non ?

— Laissez-moi y réfléchir, dit Michael, hésitant. Je ne sais pas. Je ne peux rien vous dire tout de suite.

— Je comprends, dit le commandant, bienveillant. Je vous laisse réfléchir, mais ne soyez pas trop long. Pendant ce temps, je vais en informer Moscou. Si on me répond non, alors on ne fera rien contre Frère Kristos, et nous aurons seulement passé une agréable soirée ensemble. Mais je ne pense pas qu'ils disent non. Ils approuveront cette initiative. Mais seulement si vous acceptez de le faire, Arnold.

Sur le chemin du retour à Washington, il s'arrête dans une station-service, fait le plein, utilise les toilettes et passe un coup de fil.

— Merde ! vous êtes un vrai génie ! crie-t-il, tout excité, à Tollinger.

7

L'hiver attaque tôt. Deux tempêtes de neige ont déjà enseveli le district de Columbia, paralysant la circulation dans la capitale et offrant des vacances inattendues aux fonctionnaires du gouvernement.

Des congères se sont formées à l'ancien séchoir à tabac, en Virginie, mais Frère Kristos a loué un bull et fait dégager le parking et le chemin menant à son église. Froid ou pas, personne ne manque à ses sermons du samedi soir. Les fidèles arrivent emmitouflés dans des fourrures et des parkas, mais Frère Kristos, les jambes et les pieds nus sous sa vieille robe de bure, semble insensible à la froidure. Dans la pièce du fond, le poêle est rouge sombre.

Le prêcheur fait son entrée et, comme d'habitude, il se tient silencieux pendant quelques instants. Il promène lentement sur l'assemblée ce regard incendiaire qu'ils découvrent ou connaissent bien. Puis, sans préambule, il commence :

— Tous, nous naissons un lundi, et nous mourons le

vendredi. La vie ne dure pas plus longtemps qu'une étoile filante. Il doit en être ainsi, car qui voudrait vivre éternellement, et endurer toutes les désillusions d'une vie sans fin ?

« Mes frères, mes sœurs, songez à la précarité de vos jours. Vous avez reçu le don de la vie, et il vous sera repris bientôt. Je vous conjure d'user sagement de vos brèves heures. Les gaspiller est un outrage au Créateur. »

Frère Kristos développe alors son thème, et bien qu'il ne cesse à aucun moment de rappeler à ses fidèles leur disparition prochaine, son message exacerbe le besoin de joie et d'amour partagé qui est en eux.

— Créez ! leur crie-t-il. Faites des jours qui vous sont comptés une gloire qui vous apporte le bonheur et fasse plaisir à Dieu. Ne faites pas de votre vie quelque chose de mesquin, de petit, d'aigri. Faites quelque chose de grand, d'ouvert, rempli d'amour, de rires et de plaisirs. Aimez votre famille, riez avec vos enfants, faites plaisir à vos amis. Nous sommes des papillons, et comme tels ne durons pas longtemps. Je vous encourage à prendre votre essor, à voler, à faire de votre bref passage sur terre un seul et long moment de grâce et de félicité.

Le sermon va droit au cœur de chacun, car il leur est dit qu'aucun des plaisirs qu'ils peuvent chercher n'offense Dieu pour autant qu'il n'est fait violence à personne dans son corps ou son âme. C'est réchauffés par ses paroles qu'ils retrouvent le froid au-dehors.

Une fois qu'ils sont seuls, Frère Kristos passe à table avec Pearl et Agnes. Ils mangent des poivrons grillés, des oignons crus, des filets de hareng en sauce aigre, et boivent de la vodka.

— D'où sors-tu le sermon de ce soir ? demande Pearl. Je ne l'avais jamais entendu.

Kristos ne répond pas. Il reste penché en avant, mordant dans le hareng qu'il tient entre ses doigts. Des gouttes de sauce perlent sur sa moustache et sa barbe ; le sol commence à être jonché de pelures d'oignons, de queues et de pépins de poivrons.

— J'ai trouvé ça sinistre, dit Agnes. Toutes ces histoires sur la mort... qui a envie d'entendre ça ?

— Tu crois peut-être que tu ne vas pas mourir ? demande le prêcheur sans lever les yeux de son hareng. Toi, moi, tous, nous sommes tous des morts vivants.

— Je préfère ne pas y penser, Jake, dit-elle.

Il lève alors les yeux sur elle tout en mordant dans un oignon.

— Tu ne penses jamais à rien d'autre que de te remplir la gueule et la chatte. A vous deux, vous ne pesez même pas une cervelle entière. Est-ce que l'une d'entre vous s'est jamais demandée pourquoi il y avait quelque chose ? Pourquoi la terre, le soleil, la lune, les étoiles, et les fins fonds de l'univers ? Pourquoi tout cela existe-t-il ? Pourquoi n'y aurait-il pas qu'un grand vide à la place, un grand rien sans forme ni mesure ? Vous êtes-vous jamais posé cette question ?

— Je ne sais pas de quoi tu parles, dit Pearl. Qu'est-ce que tu es de mauvaise humeur, ce soir ! Tiens, bois donc un coup.

Il boit à la bouteille, la tête renversée, sa pomme d'Adam saillant.

— Hé, doucement, Jake, dit Agnes. Ne t'évanouis pas déjà.

Il jette la bouteille vide dans un coin de la pièce. Le chien tressaille au fracas, lève la tête puis se détend et se recouche.

— Passe-m'en une autre, demande Kristos. Ces harengs m'ont donné soif.

Pearl va chercher une bouteille pleine dans le buffet. Elle la débouche et se penche par-dessus la table pour la poser devant le prêcheur. Il plonge sa main dans le corsage dégrafé et se saisit d'un sein.

— Oh, le joli téton, dit-il.

— Ah, je préfère ça, dit Agnes en hochant la tête, à toutes ces conneries sur la mort et sur l'univers.

Elle se dresse, soulève sa robe et enlève ses collants.

— Tiens, sors ta lorgnette, dit-elle en riant à Kristos, je vais commencer par te montrer la lune.

Elle exhibe un postérieur fessu.

Ils boivent. Du charbon est ajouté dans le poêle. L'air s'enflamme. Ils se mettent nus, balaient la table des plats en fer-blanc et des reliefs de leur repas. Le chien bat en retraite dans un coin.

Frère Kristos pousse Pearl à plat ventre sur la table de la cuisine. Il cueille un exemplaire des *Sermons de Frère Kristos* de la pile posée par terre. Il ouvre le livre sur ses fesses nues. Agnes se glisse en gloussant entre les jambes du prêcheur.

— Il est écrit, lit Frère Kristos, en humectant son doigt qui tourne les pages à la vulve de Pearl, découvrez la vérité, et la vérité vous libérera. Quiconque croira en moi ne mourra jamais. J'apporte la vie éternelle. Heureux sont ceux qui ont entendu la parole de Frère Kristos et qui ont cru en lui, car alors toutes choses leur sont permises. Venez à moi, et je vous déchargerai de vos peines et de vos soucis. Je mourrai pour racheter vos péchés. Frère Kristos vous redonne la foi, et la foi est la seule réponse, mes frères et mes sœurs. La foi bannit le péché, et plus personne n'a besoin de se racheter dans un monde sans péché. Les bras de Frère Kristos s'ouvrent à vous, et il rendra blancs comme neige vos péchés les plus noirs. Car la foi qu'appelle Frère Kristos est comme une lumière purificatrice.

Il continue sa litanie, scande ses paroles en claquant du petit livre le pupitre charnu devant lui, tandis que les deux femmes gloussent et couinent. Jusqu'à ce que tous trois roulent sur le sol dans la plus folle excitation. Le chien dresse de nouveau la tête et observe les yeux mi-clos la bête à trois dos haletant à quelques mètres de sa truffe.

8

L'ancien vice-président Samuel Trent enregistre un succès croissant dans la campagne qu'il vient d'entreprendre, tel est le constat fait par tous les instituts de sondage. Les Américains sont de plus en plus nombreux à prendre conscience de l'intrusion de la religion dans la politique conduite par la Maison-Blanche. Et, manifestement, ils sont légion ceux qu'inquiète la « pernicieuse influence », comme l'appelle Trent, de Frère Kristos sur le gouvernement. L'homme qu'un chroniqueur parlementaire a qualifié une fois de Cicéron des basses-cours est en train de se faire une réputation de « tribun » !

Le 17 janvier, Samuel Trent, accompagné de son équipe, est à Manhattan, où il doit prendre la parole devant un parterre de présidents et de directeurs de chaînes de télévision à l'hôtel *Hilton.* Trent et son entourage s'arrêtent devant l'entrée de l'hôtel dans la 6e Avenue peu avant midi.

Comme il sort de voiture, un jeune barbu surgit de la foule des badauds, pointe un revolver à canon court sur l'ancien vice-président et actionne plusieurs fois la détente.

La première balle fracasse le pare-brise de la Cadillac, la deuxième arrache un bout d'oreille gauche au chauffeur, et le silence qui suit s'égrène de plusieurs déclics, tandis que l'arme s'enraye obstinément.

L'auteur de la tentative d'assassinat est un certain Simon Czreck, membre d'une secte obscure qui pratique une abstinence sexuelle absolue, et attend la deuxième venue de Jésus sur la terre. « C'est Dieu qui a conduit mon bras ! » hurle Czreck, que les gardes du corps de Trent finissent par maîtriser.

Heureusement pour Samuel, il y a là deux reporters et un photographe de presse. La photo qui paraît dès le jour même dans la presse du soir montre Trent qui se tient debout et apparemment sans peur sous les coups de feu. Comme l'un des deux envoyés l'écrira par la suite : « Si le courage est l'impassibilité face au danger, alors Samuel Trent est l'homme le plus courageux que j'aie jamais rencontré. »

Le temps qu'il apparaisse à la tribune pour faire son discours, la nouvelle de l'attentat s'est répandue parmi le public. Les premières paroles de Trent (paroles soufflées par son homme de plume), « Comme j'allais vous le dire avant d'être brutalement interrompu... », cassent la baraque, et l'auditoire se lève et l'acclame longuement.

— Personne n'a plus de respect que moi pour la religion établie, déclare Trent en appuyant lourdement sur le mot « établie ». Je suis né anglican, j'ai vécu en anglican, et j'ai l'intention de mourir en anglican... mais pas aujourd'hui !

(Rires et applaudissements.)

— Les chefs religieux de toutes confessions ont grandement contribué à la croissance et au bien de notre pays. Mais il faut dire également que, de temps à autre, dans de rares occasions, nos chefs spirituels ont cherché à jouer un rôle dans les affaires temporelles de notre gouvernement. C'est un rôle auquel rien ne les a préparés, ni l'apprentissage ni l'expérience.

« Or, nous sommes aujourd'hui confrontés à une situation au plus haut niveau du gouvernement que je n'hésite pas à qualifier de crise. L'Exécutif est devenu l'otage des ambitions insatiables d'un étrange prêcheur qui n'appartient à aucune religion ou secte reconnue et qui prétend avoir le pouvoir de guérir, de lire dans le passé d'autrui, et de prédire l'avenir. »

Trent précise clairement ensuite que les dirigeants politiques sont libres de prendre le confesseur ou le conseiller spirituel de leur choix. Mais, ajoute-t-il avec toute la fermeté voulue, ils doivent prendre garde à ce que le spirituel ne déborde pas sur le politique.

— Rendons à César ce qui appartient à César, tonne-t-il, et à Dieu ce qui est à Dieu !

Il dresse alors un portrait sombre de l'avenir du pays si ses responsables devaient s'asservir à quelque religion ou secte. Une lutte tragique s'ensuivrait entre les Eglises, toujours acharnées à imposer leurs dogmes respectifs.

— Les guerres sont terribles, dit-il avec tristesse, mais les guerres de religion le sont encore plus.

Ses dernières remarques, adressées avec une sincérité manifeste, dépeignent les effets dévastateurs qu'aurait sur la société américaine l'abandon de la direction du gouvernement à quelque faction religieuse qui ferait passer son dogme avant la Constitution.

— Voulons-nous que Chicago devienne Belfast ? demande-t-il. Ou que Los Angeles soit un nouveau Beyrouth ? Nous ne continuerons de mener une existence paisible au sein de notre république que si nous veillons à bannir de la Maison-Blanche, du Capitole et de toutes nos institutions le sectarisme et le fanatisme religieux, qui ne fera jamais que dresser les frères contre les frères et tourner en tragique dérision nos traditions démocratiques.

« Vous qui êtes ici présents, vous avez le pouvoir de toucher l'opinion publique. Je vous encourage aussi fortement que je le peux à alerter vos différents publics du danger qui existe et qui ne cessera de s'étendre telle une tumeur maligne tant que ce fanatique venu d'on ne sait où se verra autorisé, pire... encouragé, à dicter les lois de notre patrie bien-aimée.

« Je vous remercie. »

Trent fait l'objet d'une deuxième ovation debout. Plus tard, par petits groupes, les dirigeants des télévisions débattent de ce qu'ils ont entendu. La plupart sont d'accord pour reconnaître que Samuel Trent, surnommé autrefois « Fond de la Classe », vient de passer au tableau avec succès, et qu'ils ont devant eux un candidat sérieux aux prochaines présidentielles.

Dans l'avion qui les ramène à Washington, Trent et son équipe sont gonflés d'importance par les événements de la journée. L'attentat manqué et l'accueil que leur ont réservé tous ces gros bonnets de chaînes télévisées portent tout le monde à l'euphorie.

Cette nuit-là, chez lui avec son épouse, Samuel se livre à un compte rendu détaillé des heures glorieuses qu'il vient de vivre. Allant et venant devant Matilda qui tricote, impassible, il se rengorge d'avance de la publicité qu'il va gagner.

— Je te le dis, je suis en route, exulte-t-il. Si tu savais combien je les ai impressionnés ! Plus rien ne peut m'arrêter, maintenant. Abner Hawkins est fini, quant à Frère Kristos, il appartient à l'histoire, une toute petite histoire. Je serai le prochain président des Etats-Unis, et tu seras la Première dame. Qu'est-ce que tu dis de ça, Matilda ?

— Samuel, dit-elle avec douceur, assieds-toi un instant. J'ai quelque chose d'important à t'annoncer.

9

— J'ai de bonnes et mauvaises nouvelles, dit Marvin Lindberg en débouchant sa bouteille de Perrier. Je vous annonce d'abord la bonne. J'ai passé les deux derniers jours dans le Maryland, et j'ai fini par trouver le coin idéal pour enterrer le corps. Près d'un chemin de terre désaffecté aux abords de la Montagne Noire.

— Pas de circulation ? demande Tollinger.

— Non, pas dans ce coin-là. C'est vraiment sauvage par là-bas. Le chemin en question est une ancienne piste forestière. Elle est accidentée mais ma Buick est passée. Il n'y a pas une maison à des kilomètres à la ronde. On ne pouvait pas rêver d'un endroit plus désert.

— Vous pensez pouvoir le retrouver de nuit ?

— Diable, oui. C'est loin de l'autoroute 50, mais j'ai fait le trajet trois fois, et maintenant je crois que je le retrouverais les yeux bandés. Je vous l'ai dit, c'est très sauvage. La végétation est dense. Il nous faudra éclaircir un espace, mais on a besoin de combien ? Un mètre quatre-vingts sur soixante, c'est ça, non ? Moins si on arrive à le plier.

— Vous dites qu'il n'y a pas de circulation, pas de voisins, personne ?

— John, si on creuse un trou suffisant et qu'on recouvre la terre de feuillage et de branches mortes, personne ne trouvera ces os dans mille ans.

Tollinger coche une notation dans le calepin qu'il tient sur ses genoux.

— Ça m'a l'air bien, dit-il.

Et il avale une gorgée de son pur malt.

— Alors, cette mauvaise nouvelle ?

— Sur la route du retour, ma vieille Buick a commencé à déconner. Ça m'a paru venir de la transmission. Je me suis arrêté dans un garage, et le type a confirmé le diagnostic : fuite dans la transmission. Il a mis dedans assez de liquide pour tenir jusqu'à chez moi mais m'a dit que je n'avais pas d'autre solution que de faire remplacer le bidule. Je ne veux plus dépenser un sou pour ce tas de ferraille, alors plus la peine de compter sur la Buick pour le transport. Et votre Jaguar ne pourra nous contenir tous.

— Pas de problème, dit Tollinger. Nous prendrons la voiture d'Oberfest. Il a une grande Cadillac.

— Ecoutez, John, dit Lindberg, de la façon dont vous en parlez, ce type me semble plutôt minable. Vous êtes sûr qu'on peut compter sur lui ?

— Ne vous inquiétez pas ; je sais comment le manœuvrer. Il s'est bien débrouillé avec le Russe, non ? Maintenant, voilà le scénario : dès qu'il aura repris contact avec le commandant Marchuk, il m'appellera et moi je vous appellerai. Nous nous retrouvons ici pour équiper Oberfest. Puis nous irons avec une bonne avance à leur lieu de rendez-vous, pour tout mettre en place avant l'arrivée du Russe. J'ai fait répéter Michael une douzaine de fois, et si tout se passe bien, nous devrions obtenir un bon enregistrement de leur conversation, plus le poison... si le commandant l'a.

— C'est la grande interrogation. Etrange qu'il ait eu la même idée que nous pour éliminer Frère Kristos. J'espère que ce Rouge n'est pas trop futé.

Tollinger le regarde.

— Vous ne vous découragez pas, Marvin, n'est-ce pas ?

— Qui, moi ? Ça risque pas. Je tiens seulement à ne pas me ramasser pour avoir tiré la mauvaise paille.

— Notre plan est bon, dit patiemment John. Bien entendu, il comporte une part de chance, une inconnue, mais c'est ainsi que va le monde.

— Ça, vous pouvez le dire. Et ce salopard mérite ce qui lui pend au nez. Vous avez vu cette soirée musicale qu'il a organisée à la Maison-Blanche ? Ce type est un danger public. S'il avait le pouvoir, il foutrait sûrement tous les athées dans des camps de concentration.

— Je suis tout à fait d'accord, dit chaudement Tollinger. J'ai vu ça à la télé, et j'ai été choqué que ça se passe dans la salle Est. Vous savez combien je déteste Trent, mais je dois reconnaître qu'il sait faire passer son message en ce moment. C'est une raison de plus pour éliminer Frère Kristos, ça mettra une sourdine aux ambitions présidentielles de Trent. Et comble de l'ironie, c'est exactement ce que cherche le commandant Marchuk du KGB.

— John, comment allez-vous expliquer ma présence à Oberfest ?

— Je lui ai déjà dit que vous étiez un spécialiste en électronique et que vous serez là le jour de la rencontre avec Marchuk pour vous assurer que le matériel fonctionne.

— Vous pensez à tout.

Le 19 janvier, un peu avant midi, Oberfest appelle John Tollinger à son bureau à la Maison-Blanche. La voix de Michael est particulièrement aiguë.

— Ça y est, dit-il. Ce soir, à minuit.

— Parfait, dit Tollinger sans la moindre émotion apparente. Il vous a dit où ?

— Oui, c'est à...

— Pas au téléphone, s'empresse de l'interrompre Tollinger. Soyez chez moi à huit heures, ce soir.

— D'accord, j'y serai. John, vous êtes sûr que ça va marcher ?

— Chez moi, ce soir, huit heures.

Tollinger raccroche et appelle Lindberg.

Oberfest arrive le premier. L'homme est dans un état pitoyable. Blême, les mains qui tremblent. Tollinger le fait asseoir dans l'un des fauteuils club de son bureau et lui prépare un double martini-gin.

— Tout va bien se passer, Mike, lui dit-il, rassurant. Ça

va marcher comme sur des roulettes, vous verrez. Est-ce que le Russe a dit s'il avait le poison ?

— Non, il m'a simplement donné le lieu et l'heure de notre rendez-vous.

— Détendez-vous et buvez votre verre. Gardez votre histoire jusqu'à l'arrivée du technicien. Nous verrons à ce moment-là quelle sera notre tactique.

— J'ai faim, dit Oberfest, agité. Vous avez quelque chose à manger ? Et puis, non, ne vous dérangez pas. Je suis trop tendu pour prendre quoi que ce soit. Je serais capable de tout vomir.

— J'ai de quoi manger, dit Tollinger. Nous casserons la croûte avant de partir.

Lindberg arrive avec l'équipement. John présente les deux hommes puis les trois complices rapprochent leurs sièges et se penchent en avant.

— Nous nous sommes déjà rencontrés là-bas, dit Oberfest. C'est un chemin, après une sortie sur la route d'Annapolis. Un bout de chemin sombre, désert.

— Combien de temps faut-il pour y aller depuis ici ? demande Tollinger. Une heure ?

— Une heure est largement suffisant, même avec de la circulation.

— On prendra deux heures, dit John d'un ton décidé. Ce sera plus sûr. On partira d'ici à dix heures. Michael, vous roulerez devant, et nous suivrons dans ma Jag. Marvin, montrez l'équipement à Mike.

Lindberg exhibe les petits appareils électroniques.

— C'est celui-ci que vous porterez, dit-il à Oberfest. Il s'agit d'un microphone transmetteur. Tout ce que vous aurez à faire, c'est de pousser le bouton que vous voyez là. L'alimentation se fait par une pile, alors attendez que votre type soit arrivé pour le mettre en marche. Et n'oubliez pas de le faire, surtout, sinon tout est fichu.

— Je n'oublierai pas, dit Michael, frissonnant.

— Celui-là, c'est le récepteur-enregistreur. John et moi, nous en prendrons bien soin, ne vous inquiétez pas. Rappelez-vous seulement de brancher votre micro quand vous verrez le Russe arriver. La dernière fois que vous vous êtes vus à cet endroit, vous étiez assis dans sa voiture ou dans la vôtre ?

— Ni l'une ni l'autre. Nous avons fait les cent pas sur le chemin.

— Encore mieux. Essayez de refaire la même chose ce soir. Ça améliorera la perception à cent pour cent. On va vous attacher le micro juste au-dessus du cou-de-pied. Si jamais il vous fouille, il y a des chances qu'il ne vous palpe pas les chevilles. J'ai apporté un adhésif pour fixer le micro sur votre jambe. Des questions ?

— J'ai faim, dit Oberfest avec un petit rire nerveux.

Ils se rendent tous les trois à la cuisine, et Tollinger sort du pain de seigle, du jambon cuit, du fromage suisse, de la moutarde, un bocal de cornichons. Michael mange deux sandwiches et boit un autre martini-gin. Lindberg se contente de jambon, de pain, et d'une bouteille de Perrier. John se sert un deuxième scotch mais ne prend rien.

Ils répètent de nouveau leur plan. Puis Oberfest relève la jambe de son pantalon et Marvin fixe le petit appareil sur la peau glabre et blanche de Michael. Ils sortent dans le patio et font un essai. Micro et récepteur fonctionnent à souhait.

Quelques minutes après dix heures, Michael monte dans son Eldorado verte et démarre. Lindberg et Tollinger suivent dans le coupé noir Jaguar XJ-S.

— Je crois qu'il tiendra le choc, dit John.

— Prions, dit Lindberg. J'aurais parié que sa bagnole avait la couleur des dollars.

Ils sont sur les lieux moins d'une heure plus tard. Quand La Jaguar s'engage sur le chemin derrière la Cadillac, Lindberg jure.

— Merde, c'est du gravier, dit-il. S'ils marchent là-dessus, ça va drôlement crachoter.

— Inutile de lui dire de marcher sur la pointe des pieds, dit Tollinger. Il est assez paniqué comme ça.

Oberfest s'arrête sur le côté, coupe le moteur et les feux. Ils s'arrêtent à sa hauteur.

— Nous allons cacher la voiture plus loin, lui dit Lindberg. Ne bougez pas. Nous allons revenir et faire un dernier essai.

Tollinger parcourt quelques centaines de mètres puis, passé un tournant, range la Jaguar hors du chemin. Il verrouille les portières, et les deux hommes s'en vont à pied.

C'est une nuit claire, la lune recouvre le gravier d'une patine d'argent. Le temps s'est radouci ; ils marchent leurs manteaux déboutonnés.

Ils arrivent à la Cadillac, et Marvin s'en va reconnaître le terrain pendant que John fait du baby-sitting.

— Quand vous aurez fini avec le Russe, dit-il à Michael, ne nous attendez pas. Filez directement chez moi à Spring Valley. Nous nous retrouverons là-bas.

— Bon Dieu, qu'est-ce que j'ai la trouille, gémit Oberfest. S'il découvre le micro, il est capable de me tuer.

— Il ne vous tuera pas, dit Tollinger. Vous lui êtes bien trop utile.

Lindberg revient de sa reconnaissance.

— Ce putain de terrain est plat comme une crêpe, rapporte-t-il avec une rudesse de para-commando. Et la lune est comme un projecteur. Le Russe risque de nous repérer. Je vais voir de l'autre côté du chemin si je trouve pas quelque chose.

Sa silhouette se fond lentement dans la pénombre.

— Le micro ne vous gêne pas ? demande Tollinger. Ça ne vous empêche pas de marcher ?

— Non, ça va. Bon Dieu ! pourquoi je me suis foutu dans cette merde ?

— Vous allez en sortir avec une précieuse cassette sur laquelle on entendra la voix du commandant Marchuk de l'Union soviétique.

— Je le souhaite. Ça fait des semaines que je n'arrive plus à bander. Ce salaud de coco est en train de bousiller ma vie sexuelle.

Lindberg revient.

— J'ai trouvé quelque chose, dit-il. Ce n'est pas ce qu'il y a de mieux, mais je pense que ça ira : un fossé peu profond, pas trop humide, avec une haie de joncs. Oberfest, branchez votre micro, et tous les deux faites quelques pas sur le gravier en bavardant. Je vais vérifier la réception.

Il disparaît de nouveau. Michael se baisse pour mettre en marche le micro, puis les deux hommes se mettent à marcher.

— Vous suivez toujours Trent ? demande Tollinger.

— Bien sûr, dit Oberfest. Il a regagné ses quartiers à Washington. Vous savez, John, je commence à croire qu'il a des chances de décrocher le Bureau Ovale.

— Je ne le pense pas, dit Tollinger. Les élections ont lieu seulement dans deux ans. Il peut s'en passer, des choses, d'ici là.

Lindberg s'en retourne vers eux.

— Débranchez votre micro, dit-il à Oberfest. Inutile d'user

la pile. John, la réception est bonne. Beaucoup plus claire que je m'y attendais avec ce gravier. Quelle heure est-il ?

Tollinger porte son poignet à ses yeux.

— Minuit moins vingt.

— Alors on ferait bien de se mettre en place. Oberfest, votre micro est débranché ?

— Oui.

— Bien. Souvenez-vous de le rebrancher dès que vous verrez votre type arriver.

— Je m'en souviendrai.

Quelques minutes après minuit, Tollinger et Lindberg voient les phares d'une voiture quitter la route 301 et approcher lentement dans le chemin gravillonné. Ils sautent dans le fossé puis, se redressant, épient à travers la haie de joncs. Ils voient la voiture s'arrêter, tous feux éteints.

— Vous avez une arme ? demande Tollinger.

— Oui.

— Il se pourrait qu'on en ait besoin, dit John, stupéfait de la rapidité avec laquelle il s'est adapté à cet univers d'armes, de danger, d'espions et de violence potentielle.

Ils attendent anxieusement.

— Branche, branche ton micro, nom de Dieu ! grommelle Lindberg entre ses dents.

— Silence.

— Merde, cette lopette a paniqué.

Et puis le petit haut-parleur du récepteur rote un déclic. Suivent un chuintement de parasites et le claquement d'une portière de voiture.

— Merci, mon Dieu, dit tout bas Tollinger.

Sur la route, Marchuk sort pesamment de sa Lincoln, ferme la portière et rejoint Oberfest, appuyé sur l'aile de sa Cadillac.

— Eh bien, dit, bonhomme, le commandant, ça fait longtemps qu'on n'était pas venus ici.

— Oui, répond Michael. Belle nuit, vous ne trouvez pas ?

— Toutes les nuits sont belles, dit le Russe, quand on est sûr de se réveiller le lendemain. Nous marchons un peu ?

— Il n'a presque pas d'accent, chuchote John à Lindberg. Je me demande où il a fait ses études. Pouvez-vous hausser le volume un tout petit peu ?

Marvin manipule l'appareil. Les voix et le bruit des pas

se font plus clairs. La bande d'enregistrement tourne, lente et régulière.

— Alors, vous avez réfléchi à ma proposition ? demande le commandant.

— Sa proposition ! dit tout bas Tollinger. Celle qu'on lui a soufflée, oui !

— Oui, j'ai bien réfléchi, dit Oberfest, mais il y a une chose que je dois d'abord savoir.

— Oui, que voulez-vous savoir, Arnold ?

— Si je fais ce que vous me proposez, me promettez-vous de me rendre mes bandes, commandant Marchuk ?

— Commandant Marchuk ? s'exclame le Russe. Comme vous êtes solennel, Arnold ! Vous pouvez m'appeler Leon, vous savez. Une de mes Californiennes m'appelle L*ion*. C'est gentil, n'est-ce pas ? Mais, pour répondre à votre question, je vous donne ma parole d'honneur d'officier soviétique que je vous rendrai les bandes dès que Frère Kristos aura été éliminé.

— On le tient, dit Tollinger avec satisfaction.

— Ouais, il vient juste de se passer la corde au cou, approuve Lindberg. Et je retire le mot « lopette » concernant Oberfest. Jusqu'ici, il a tout juste.

Les deux hommes rapprochent leurs têtes du haut-parleur. Le crissement des graviers est audible, mais les voix restent claires.

Marchuk : « Arnold, nous sommes tous les deux dans la même position : vous, vous êtes obligé de me faire confiance, et moi, je suis obligé de compter sur vous pour faire ce travail le plus proprement possible. »

Oberfest : « Vous avez eu le feu vert de Moscou ? »

— Mon quartier général ne se trouve pas exactement à Moscou, mais pas loin. Oui, mes supérieurs ont approuvé cette initiative, et j'ai reçu l'ordre de poursuivre le plus rapidement possible.

— Et le poison ?

— Je l'ai avec moi.

— Vous étiez donc bien sûr de moi.

— Je sais que vous êtes un homme intelligent. J'étais sûr que votre décision serait sage et pratique.

— C'est quoi, comme poison ?

— Un petit peu de ceci, un petit peu de cela. Peut-être du cyanure de potassium. Peut-être de la pilocarpine. Que sais-je ? C'est une formule secrète, et je suis sûr que ça ne vous intéresse pas de savoir la composition exacte.

— C'est incolore ?

— Inodore et sans saveur. L'équivalent d'une cuiller à café sera suffisant.

— Combien de temps met le poison pour faire effet ?

— Cinq minutes, dix au plus.

Les deux hommes restent silencieux pendant un moment.

— Michael n'a pas oublié son texte, dit Tollinger. Et sa voix est ferme. C'est un bon point.

— Ce qui m'agace le plus, dit Lindberg, c'est que ce salopard de Rouge en tirera une promotion.

— Vous êtes sûr que ça fera effet ? demande Oberfest au Russe.

— Arnold, Arnold, dit Marchuk, offusqué, il ne faut pas douter de notre savoir-faire. Tenez, prenez. Le flacon est en plastique mais, quand même, manipulez-le avec précaution.

— Cinq minutes ? dit Michael.

— Peut-être dix. Ça vous donnera le temps de dire adieu.

— Oui.

— Et quand entendrai-je parler de la mort de Frère Kristos ?

— Je ne sais pas. Dans deux ou trois semaines. Je ne veux pas paraître trop impatient de le revoir. Il ne faut pas qu'il ait le moindre soupçon.

— Faites comme bon vous semble, dit le commandant. Deux ou trois semaines, hein ?

— Oui, et vous me rendrez mes bandes ?

— Bien sûr, mon garçon, dit Marchuk avec chaleur. Je vous ai donné ma parole, non ? Et maintenant, je dois vous quitter. Je vous souhaite bonne chance dans votre mission.

— Oui, merci, dit Oberfest.

La conversation s'arrête. Les deux hommes dans le fossé entendent un bruit de pas, de portières qu'on claque, de moteurs qui démarrent. Des phares s'allument. La Lincoln fait une manœuvre pour repartir dans l'autre sens. Puis, à son tour, la Cadillac s'en va.

— Voilà, dit Lindberg en arrêtant le récepteur. Pesé, empaqueté, vendu.

— On ne pouvait souhaiter mieux, dit Tollinger, en s'époussetant.

— Le plus dur reste à faire, dit l'ancien agent du FBI.

Ça ne va pas être facile de convaincre Oberfest. Le type peut nous poser des problèmes.

— Non, il est obligé de marcher, dit John. Vous n'auriez pas un canif sur vous, par hasard ?

— J'en ai un petit. Pourquoi ?

— J'aimerais couper quelques joncs. Ils sont vraiment jolis. Regardez la taille de ces bourgeons !

Le temps qu'ils soient de retour à Spring Valley, l'Eldorado verte est garée dans l'allée de chez Tollinger. Oberfest est dehors, dansant d'impatience.

— Alors, vous l'avez ? Vous l'avez ? demande-t-il. J'ai été bon, non ? Je lui ai fait dire son nom et tout, comme on voulait. Vous avez la cassette ?

— Rentrons, dit John. Ne restons pas dehors.

Il les installe dans son bureau, mais il ne répond aux questions de Michael qu'une fois qu'il a mis les joncs dans un vase et qu'il a servi à boire à ses hôtes.

— Mike, dit-il, pour commencer, je tiens à vous féliciter. Vous avez fait du bon travail.

— Comme un pro, ajoute Lindberg.

— Vous avez le poison ? demande Tollinger.

— Oui, ici, répond Oberfest.

Il le sort de la pochette de sa veste. C'est un tout petit flacon de plastique transparent rempli d'un liquide incolore et bouché par une capsule de caoutchouc. Il tend la fiole à Tollinger.

— Débarrassez-vous-en, dit-il. Jetez ça aux chiottes ou dans votre évier. Je ne veux pas voir ce truc-là traîner. C'est de la mort en concentré.

— Je m'en occuperai, dit Tollinger en glissant le flacon dans sa poche.

— Et la cassette ? demande Oberfest. Vous l'avez, n'est-ce pas ?

— Marvin ? demande John.

— On ne l'a pas encore écoutée, dit Lindberg, mais l'enregistrement devrait être bon. La réception était excellente, et la bande tournait. Nous tenons sûrement un petit chef-d'œuvre.

— Formidable, dit Oberfest avec un sourire où s'exprime un immense soulagement. Eh bien, si vous me la donniez maintenant, je pourrais y aller. Je l'écouterai chez moi. Il me tarde tellement d'annoncer à ce salaud de Marchuk ce que je lui réserve. Il va en faire dans son froc. Et je voudrais vous remercier tous les deux. Vous m'avez sauvé la vie. Sans vous, je serais probablement mort aujourd'hui. Alors, s'il y a quelque chose que je puisse faire pour vous, dites-le-moi, d'accord ?

— Eh bien, dit Tollinger avec un sourire glacé, il y a justement quelque chose que vous pourriez faire.

10

L'adoucissement de janvier recule devant l'avance d'une zone de basse pression qui couvre toute la côte Est. Et poussant derrière cette masse nuageuse, avertissent toutes les météos, il y a une masse d'air polaire se déplaçant lentement vers le sud depuis le Canada. Surnommée L'Express de Sibérie, cette masse devrait faire chuter la température bien en dessous de zéro et s'accompagner de vents soufflant jusqu'à quatre-vingts et cent kilomètres/heure.

La capitale est déjà assombrie par d'épais stratus gris éléphant. Le haut du Monument de Washington est entouré d'une brume matinale, le drapeau claque au vent au-dessus de la Maison-Blanche.

Le 23 janvier, John Tollinger appelle Jennifer Raye à son bureau. Il apprend par la secrétaire que Jennifer est à Philadelphie avec la Première dame et ne rentrera pas avant la fin de l'après-midi.

— Voulez-vous que je lui laisse un message ? demande-t-elle.

— Dites-lui, je vous prie, que John Tollinger a appelé. J'essaierai de la joindre plus tard.

Le nouveau Congrès s'organise à peine, et le chef du cabinet présidentiel s'efforce de répondre à toutes les demandes et les doléances des commissions parlementaires. Personne ne sort pour déjeuner, et Tollinger suit Henry Folsom de réunion en réunion, notant en abrégé les décisions prises ou, le plus souvent, reportées.

Il essaie de joindre Jennifer deux fois dans l'après-midi et une fois en début de soirée, mais elle n'est toujours pas revenue. Il abandonne et reporte toute son attention sur sa paperasse, essayant d'extraire un semblant d'ordre de l'écheveau d'événements sans importance de la journée.

Finalement, à dix heures du soir, il décide qu'il a mérité son salaire et il range ses papiers, enfermant les plus confidentiels dans son coffre. Juste avant d'éteindre sa lampe de bureau, il appelle une dernière fois Jennifer à son appartement dans Georgetown. Surprise, elle est là.

— Ellie m'a dit que tu m'avais appelée, dit-elle, mais j'étais tellement crevée quand je suis rentrée, que je n'avais qu'une envie, enlever mes chaussures et me faire un martini-gin.

— Dure journée ? demande-t-il.

— Horrible. Il faisait un temps épouvantable à Philly, et notre vol a eu une heure de retard. Et Madame était à bout de nerfs parce que George a la grippe, et elle devait le laisser pour inaugurer ce nouveau foyer d'accueil à la cité de Brotherly Love. Et toi, ta journée ?

— Le cirque habituel. Je suis encore à mon bureau, j'allais partir. Est-ce que je pourrais m'arrêter chez toi deux minutes ? J'ai quelque chose pour toi.

— Oh ? C'est joli ?

— Oui, je pense.

— Ecoute, je ne veux pas que tu voies le désordre qu'il y a chez moi. Arrête-toi en bas, klaxonne trois fois, et je descends.

— D'accord, si tu préfères comme ça. Je devrais être là-bas dans une demi-heure environ.

Mais la circulation est dense, et il lui faut un peu plus longtemps que ça. Quand il se range le long du trottoir devant la porte de l'immeuble, Jennifer attend dans le hall, son manteau de castor passé par-dessus ses épaules. Elle court à la voiture, se glisse à l'intérieur, et il est surpris qu'elle l'embrasse sur la joue.

— Laisse le chauffage, dit-elle. Ça gèle.

Elle l'examine, attentive.

— Mon Dieu, comme tu as maigri. Ils te font travailler comme un esclave.

— C'est à peu près ça.

— Tu dors bien ?

— Comme un bébé.

— Je la connais, celle-là. Je suis sûre que tu te réveilles en pleurant toutes les deux heures. Qu'est-ce que tu m'as apporté ?

Il passe son bras derrière les sièges pour soulever l'épais bouquet de joncs enveloppé dans une grande feuille de papier blanc que noue un ruban bleu. Il dépose le bouquet sur les genoux de Jennifer.

— Des joncs ?

Elle rit. Elle est ravie.

— Ça fait si longtemps que je n'en avais pas vu. Où les as-tu achetés ?

— Je ne les ai pas achetés. Je suis tombé dessus l'autre jour en voiture à la campagne. Je les ai coupés pour toi, j'ai pensé que tu aimerais.

— J'adore ! Et je suis vraiment touchée que tu aies pensé à moi. Tu peux être un amour, quand tu veux.

— Je n'ai pas dû vouloir assez ou assez souvent.

Elle ne répond pas et il se tourne de côté pour mieux la voir. Elle est telle qu'il s'en souvient : peut-être pas vraiment belle mais un charme incomparable. Elle est toujours la seule femme au monde avec laquelle il accepterait de partager sa vie.

— C'est mon moment de mea culpa, dit-il. Mais j'essaierai d'être bref. Je voudrais que tu saches que j'ai fini par comprendre que c'est ma faute si nous nous sommes séparés. Tu avais raison ; je suis un tiède. Trop installé dans la routine, l'ordre, mes habitudes. Mais, à ma façon tordue, je t'ai vraiment aimée et t'aime encore.

Elle a les yeux brillants de larmes.

— Merci, John, dit-elle d'une voix basse. Je sais combien ça t'est difficile de dire ces choses-là. Mais tout n'est pas entièrement ta faute. Ç'a été une erreur dès le départ.

— Peut-être, dit-il. Ça ne fait pas longtemps que j'ai reconnu que l'émotion et l'instinct étaient beaucoup plus forts que la logique et la raison. J'ai toujours pensé que la tête devait gouverner au cœur, mais cela ne m'a apporté qu'une espèce de bonheur sans âme ni chaleur.

— Tu peux changer... si tu le désires vraiment.

— Tu crois ? Peut-être. Mais j'ai le terrible sentiment que ma pauvre âme desséchée restera éternellement comme elle est... sans passion.

— Tu ne devrais pas dire ça de toi-même. Ce n'est pas vrai !

Il a un sourire triste.

— Je me connais mieux que toi. Enfin, quoi qu'il arrive, je voulais que tu saches que je t'aime.

Elle le regarde d'un air inquiet.
— Quoi qu'il arrive ? répète-t-elle. Tu n'aurais pas l'intention de faire une bêtise, hein, John ?
— M'as-tu jamais vu faire une bêtise ?
— Non, reconnaît-elle, jamais.
— A part celle de t'avoir perdue. Si j'avais pu élargir, élever ma perception de ce que la vie pouvait avoir de passionnant, tu aurais pu être mon salut. Mais il est trop tard pour ça, aujourd'hui. Bon, assez de lamento. Je te remercie d'avoir su m'écouter.
— J'aimerais te revoir, dit-elle soudain. C'est possible ?
— Bien sûr.
— Quand ?
— Bientôt. Je t'appellerai.
— Bientôt, sinon c'est moi qui appelle.
Elle se penche vers lui, prend son visage entre ses mains et l'embrasse sur la bouche. Un long baiser. Puis elle se recule.
— Tu as toujours été fameux pour embrasser, dit-elle, le souffle court. Il faut que je remonte, maintenant. Tu m'appelles ? Promis ?
— Promis.
Elle ouvre la portière, puis se ravise. Elle détache d'un coup sec un bourgeon du bouquet et le pose dans la main de John.
— Pour toi, dit-elle d'un ton grave.
Resté seul, il contemple le bourgeon dans sa main, le touche du bout du doigt. C'est doux, velouté. Il le fait rouler doucement un instant dans sa paume. Puis il abaisse sa vitre et le jette dans la rue.

11

Les femmes arrivant chez Mme Mattingly sortent hâtivement des taxis ou des voitures de maître, tête baissée contre le vent glacial. Seul Frère Kristos pouvait les faire sortir de chez elles par un temps pareil.
Rassemblées dans le salon du prêcheur, toutes ces dames,

vêtues de noir par respect pour un homme de Dieu, ressemblent à des pleureuses dans la chambre d'un mort. Comme d'habitude, la pièce est surchauffée. Dehors, le vent gémit, siffle et hurle, et une giboulée parfois crépite sur les fenêtres.

Frère Kristos sort d'un pas vif de sa chambre. Il porte une espèce de surplis de soie miroitant de blancheur. Il n'a pas de bijoux, pas même sa croix en or, juste un crucifix d'ébène qu'il tient à la main. Il s'assied dans le grand fauteuil au bout de la table.

Elles sont venues l'écouter parler de la vie sans péché et du plaisir sans culpabilité. Il ne les déçoit pas.

— Le bonheur est contagieux, dit-il, mais la misère est mère de la solitude.

Il développe son thème, leur dit qu'il est dans leur pouvoir de refaire leur propre vie et de changer celles de leurs proches.

— Soyez des évangélistes, leur dit-il. Découvrez que votre amour de Dieu peut transformer le monde.

Il commence à parler du pouvoir de l'amour divin. Soudain, il s'arrête au milieu d'une phrase. Ses traits se figent, il semble fixer quelque point dans l'espace. Ses yeux étincellent, et il y a dans ce regard une fièvre et une violence qui effraient son auditoire.

Il se lève lentement de son siège en continuant de regarder droit devant lui. Il est debout, ses larges épaules dégagées, le dos bien droit. Il serre la croix d'ébène avec une telle force que ses mains en tremblent. Il commence à parler, et sa voix est si basse que les têtes se tendent pour capter ses paroles.

— Qui peut comprendre pleinement sa propre mort ? demande-t-il. Qui ose imaginer qu'il n'y aura plus rien ? Pour se protéger, l'esprit esquive ces pensées-là. Plus rien. Où allons-nous trouver le courage d'affronter une telle horreur ? Le goût de la vie, les joies, les émerveillements... plus rien de tout cela. Que faire ? Comment supporter l'idée qu'il n'y aura plus rien ?

Les femmes, troublées par le ton interrogatif, incertain de ses mots, échangent des regards inquiets.

— Par le jour le plus ensoleillé, continue-t-il, comme pour lui-même, l'ombre est là. Elle plane au-dessus du berceau comme au-dessus de la couche nuptiale, de la table à manger comme de l'établi. Elle nous arrache à nos projets, se moque de nos rêves. Nous naissons tous vaincus et pris en défaut dès notre premier souffle. La mort est le poison qui...

Il se tait aussi abruptement qu'il avait commencé. Son regard, lentement, s'abaisse, le feu se couche dans ses yeux. Il semble reprendre conscience du lieu et de la circonstance. Il se rassied tranquillement, pose le crucifix de côté et, passant ses doigts dans sa barbe, reprend son sermon du début sur le pouvoir de prosélytisme de l'amour divin.

Sitôt qu'il a terminé, il se retire dans sa chambre et ferme la porte. Ces dames s'en vont, passablement troublées par un aussi étrange comportement.

Emily Mattingly frappe timidement à la porte de la chambre. N'obtenant pas de réponse, elle appelle :

— Frère Kristos, vous allez bien ?

— Oui, répond-il. Entrez.

Il est debout à côté du lit, un verre de vodka à la main.

— Vous allez bien ? demande-t-elle de nouveau.

Il hoche posément la tête.

— Je me suis inquiétée, dit-elle confusément. Vous sembliez si... si troublé.

— Vraiment ? dit-il avec un haussement d'épaules. « Ne crains pas ceux qui peuvent tuer ton corps mais ne sont pas capables d'atteindre ton âme. » Vous voulez un verre ?

— Peut-être un petit.

— Je vous en prie, servez-vous, dit-il en s'asseyant lourdement sur le lit.

Il attend qu'elle ait versé dans un verre un peu de vodka avec de l'eau qu'elle prend dans la salle de bains. Elle s'assoit sur le lit à côté de lui.

— Ma sœur, dit-il, je vais prendre rendez-vous avec mon avocat pour faire mon testament. J'aurais dû le faire plus tôt, mais je ne pense pas qu'il soit trop tard. Je ne laisse pas grand-chose mais je veux faire quelques dons individuels. Je veux également m'assurer que je serai incinéré. Si c'est possible, je voudrais que mes cendres soient dispersées sur les terres du Nebraska. Vous comprenez ?

Elle hoche humblement la tête.

— Bien, dit-il. Je voulais avoir un témoin de mes derniers souhaits au cas où je n'aurais pas le temps de faire mon testament.

— Arrêtez ! crie-t-elle. Vous me faites peur quand vous parlez comme ça. Vous n'allez pas mourir.

Il sourit, glisse doucement sa main dans l'échancrure de sa robe.

— Quand on a la foi, dit-il, la mort peut être une gloire.

Nous sommes le 25 janvier.

12

Persuader Oberfest de se joindre à leur projet d'assassinat se révèle plus ardu que prévu. Tollinger doit s'y consacrer durant de longues heures, et ce n'est pas une sinécure, surtout quand Michael se met à pleurer.

— Je ne suis pas un tueur, sanglote-t-il. Je ne suis pas comme ça, vous ne comprenez pas ?

— Mike, dit John, patient. On ne vous demande pas de le tuer vous-même. C'est moi qui me charge de ça.

— Alors, pourquoi avez-vous besoin de moi ?

— D'abord, nous avions besoin de vous pour nous procurer un poison efficace.

— Eh bien, vous l'avez ! Gardez cette saloperie de poison, donnez-moi la bande, et laissez-moi partir.

— Ce n'est pas aussi simple que ça, dit Tollinger. Si on vous donne la bande sans vous compromettre dans le meurtre, vous aurez alors tout pouvoir sur nous. Vous êtes obligé d'être complice. Vous n'avez pas le choix. Vous comprenez ça, n'est-ce pas ?

Oberfest boit une gorgée de son martini-gin.

— Je ne dirai rien, je vous le jure, promet-il. Pas un mot. Je ne connais ni poison ni meurtre. Rien.

Marvin Lindberg secoue la tête.

— Ce n'est pas suffisant, dit-il. Si jamais ça sentait mauvais pour vous, vous parleriez pour sauver votre peau. Je ne vous condamne pas pour ça ; ce serait tout à fait naturel et normal. Nous avons besoin d'une assurance. Si vous nous aidez, alors nous saurons qu'en vous protégeant, vous nous protégerez aussi. Et puis, il nous faut votre voiture.

— Ma voiture ! Et pour quoi faire ?

— Pour transporter le prêcheur sur le lieu de son repos éternel. La voiture de John est trop petite, la mienne n'a plus de transmission, et nous ne pouvons pas nous servir de celle de Kristos. Combien y a-t-il de Ford Scorpio argent à Washington ? Il n'y a pas un seul flic sur la route qui ne s'en souviendrait.

Oberfest berce son verre en silence.

— Ecoutez, dit Tollinger, nous vous avons parlé de nos intérêts, à Marvin et moi. Parlons des vôtres, maintenant. Quels sont vos bénéfices ? Vous allez pouvoir vous libérer du commandant Marchuk. Frère Kristos sera liquidé, tout comme le veut le Russe. Après quoi, il a tout intérêt à vous remettre les enregistrements qui vous incriminent. S'il ne tient pas sa promesse, vous avez contre lui une preuve accablante de sa complicité dans l'assassinat d'un citoyen américain. Il fera tout ce que vous lui demanderez pour avoir cette bande.

— Je suppose, dit lentement Michael, que vous me la donnerez après... le meurtre ?

— Certainement.

Oberfest soupire.

— Et dire que pendant tout ce temps, dit-il tristement, je croyais que vous vouliez seulement m'aider.

— Mais nous vous avons aidé, dit Tollinger, et nous vous aidons encore. En nous aidant nous-mêmes par la même occasion. C'est donnant-donnant. Ce n'est pas si terrible que ça, non ?

— Alors, je n'ai qu'à fournir la voiture ? Rien d'autre ?

— Nous y viendrons plus tard, dit John. Ce n'est pas vous qui empoisonnerez Kristos, je vous en donne ma parole.

Il est presque deux heures du matin. Tollinger l'a prévu ainsi, comptant sur la fatigue physique pour vaincre les dernières réticences de Michael. Et c'est bien joué ; Michael semble de plus en plus abattu à mesure qu'il réalise qu'il est coincé.

— Juste par curiosité, demande-t-il à Tollinger, pourquoi faites-vous ça ? Quels motifs avez-vous de tuer Frère Kristos ?

— N'entrons pas dans une lourde discussion sur les motifs. C'est très simple, je le fais parce que cet homme est une menace pour l'Etat et la Constitution.

— Hum ! Et le fait qu'il couche avec votre ex n'a rien à y voir ?

— Ne dites pas d'absurdités, Oberfest, réplique Tollinger.

Kristos est un danger public. Il menace la paix civile de ce pays. Et il est en train de saper la carrière politique d'Abner Hawkins, qui est un homme que je respecte et admire.

— Merci, professeur, dit Michael. Vous étiez très éloquent.

Il se tourne vers Marvin Lindberg.

— Et vous, sous quel prétexte voulez-vous le tuer ?

— C'est un peu plus qu'un prétexte, dit Lindberg avec colère. Pour moi, ce n'est qu'une canaille qui se sert de Dieu pour tromper toute une foule d'innocents et de croyants et leur prendre leur argent. Si la loi est incapable de se charger de ce salaud, eh bien, moi, je peux.

— Vous avez peut-être vos raisons, dit Oberfest, mais pour vous dire la vérité, moi, je me fiche éperdument qu'il vive ou qu'il meure, le prêcheur. Tout ce que je veux, c'est balayer l'Union soviétique de mon paysage.

— Alors, vous acceptez ? lui demande Tollinger.

— Est-ce que j'ai le choix, seulement ?

— Non, je vous l'accorde, dit Lindberg.

Pendant les quatre jours suivants, les conspirateurs se réunissent chaque soir chez Tollinger pour travailler au scénario. Chaque étape — chaque scène prévue — est discutée, examinée sous tous ses aspects, et quand elle est approuvée, Tollinger marque une croix sur sa liste.

Résoudre le problème des voitures donne lieu à un long débat. Le plan veut que Lindberg et Oberfest arrivent avant Frère Kristos. Mais si chaque homme vient avec sa propre voiture, l'allée de Tollinger ressemblera à un parking.

— Ce n'est pas possible, dit-il. Le voisinage est calme, et les gens, en voyant quatre voitures garées dans l'allée, s'étonneront que je reçoive tant de monde, moi qui ne reçois jamais personne. Je préfère qu'ils ne se posent pas de questions. Ma Jag et la Cadillac de Michael peuvent rentrer dans le garage. Mais il reste la Buick de Marvin. Il vaudrait mieux qu'il n'y ait pas de voiture garée dehors quand Kristos arrivera, si on ne veut pas éveiller sa méfiance.

— Je pourrais laisser ma caisse chez moi, et venir en taxi, suggère Lindberg. Mais le chauffeur de taxi notera sa course sur son registre, et c'est une trace que je préfère ne pas laisser.

— Je pourrais passer vous prendre, propose Oberfest, et puis je vous raccompagnerai quand ce sera terminé.

— Hum ! ça ne me plaît pas trop, dit l'ancien agent du FBI. Je me sens nu sans véhicule. Et il y a une autre question qui se pose : après qu'on aura enterré le prêcheur et qu'on sera revenus, qu'est-ce qu'on fera de la Scorpio ? Il faut l'abandonner quelque part.

Au bout d'une heure de discussion, il est enfin convenu qu'ils procéderont ainsi :

Lindberg conduira sa Buick de Washington à Alexandria, où il la laissera dans un parking surveillé. Oberfest viendra l'y chercher avec sa Cadillac et l'accompagnera à Spring Valley.

Quand ils seront revenus de la Montagne Noire, Lindberg prendra la Scorpio et l'abandonnera sur le parking d'un aéroport. Oberfest l'emmènera ensuite récupérer sa Buick.

— Kristos ne sera pas porté disparu avant un jour ou deux, dit Lindberg. Peut-être plus. Si l'on retrouve sa voiture à l'aéroport, on pensera qu'il a pris un avion. Il leur faudra une semaine pour éplucher toutes les listes de passagers et interroger le personnel. Chaque jour qui passe, la piste sera un peu plus froide.

— L'idée de laisser la Scorpio à l'aéroport est bonne, approuve Tollinger, mais vous ne courez pas le risque de vous faire repérer en conduisant la voiture de Kristos ?

— Non, pas vraiment. Si nous tenons l'horaire prévu, nous devrions être rentrés tôt le matin. Il n'y aura pas beaucoup de circulation à cette heure. Evidemment, je porterai des gants et ne laisserai aucune empreinte sur le volant. Je crois que ça marchera. Il y a toujours un risque, bien sûr, mais on ne peut pas faire autrement.

— D'accord, dit Tollinger en se reportant à sa liste. Nous allons voir maintenant l'empoisonnement lui-même.

Il explique que le prêcheur aime boire à la bouteille. Il serait facile de déverser le poison dans une bouteille légèrement entamée, mais Tollinger craint que soixante-dix à quatre-vingts centilitres de vodka (sur un contenu d'un litre) ne dilue la force du poison.

— Je ne sais pas, dit Oberfest, dubitatif. D'après Marchuk, c'est un truc très puissant.

— Ne pouvez-vous pas le lui mettre dans un verre ? demande Lindberg.

Tollinger réfléchit un instant.

— Voilà comment je vais faire : je lui apporterai ses deux ou trois premiers verres, pour lui donner le temps de se détendre. Puis, quand il ne restera plus qu'une moitié de bouteille, je mettrai dedans le poison et je la lui apporterai en disant que ça m'évitera de faire trente-six allées et venues à la cuisine. Il ne se méfiera pas.

Lindberg hoche la tête.

— Oui, ça devrait coller, dit-il. Qu'est-ce qu'il y a ensuite, sur votre liste ?

Vient la question du matériel dont ils auront besoin. Il y a, entre autres, deux pelles, une pioche, une torche, une lampe-tempête à piles, un sac de couchage à fermeture Eclair pour y mettre le corps, et quelques mètres de corde de nylon.

— Prenons la précaution, dit Lindberg, de ne pas acheter, je répète, de ne pas tout acheter dans le même magasin. Chacun de nous achètera un article ou deux dans différents endroits.

— Bien vu, dit Tollinger. Je ferai une liste d'achats pour chacun de nous. Parlons maintenant de ce que nous mettrons comme vêtements. D'après Marvin, le coin est très sauvage du côté de la Montagne Noire.

Au quatrième jour, les conspirateurs ont dressé le plan définitif de l'assassinat de Frère Kristos. Ils prévoient que les choses se passent ainsi :

1. Tollinger appelle Kristos et l'invite chez lui à Spring Valley pour boire un verre et bavarder. Une fois que sont fixées la date et l'heure (vingt heures de préférence), Tollinger en informe Lindberg et Oberfest.

2. A dix-huit heures, Lindberg se rend à Alexandria au volant de la Buick, et laisse celle-ci dans un parking payant.

3. Oberfest passe prendre Lindberg au parking puis file à Spring Valley. Les deux hommes arrivent vers dix-neuf heures, soit une heure avant la victime.

4. La Cadillac est garée dans le garage à côté de la Jag, et la porte du garage est fermée.

5. Lindberg et Oberfest s'installent à l'étage dans la chambre de Tollinger.

6. Frère Kristos arrive à vingt heures. Tollinger le fait entrer dans son bureau et lui sert son premier verre de vodka (sans poison).

7. A vingt et une heures, Tollinger apporte à son hôte le reste de la bouteille, dans laquelle il a versé cette fois le poison.

8. Kristos meurt vers vingt et une heures quinze.

9. Tollinger appelle Lindberg et Oberfest. Ils prennent les clés de la Scorpio dans la poche du prêcheur, fourrent

le corps dans le sac de couchage sans oublier le manteau et la coiffe du prêcheur (s'il en a une), et le transportent dans le garage par la porte de communication intérieure. Ils chargent le corps sur le plancher entre les deux sièges, et le matériel dans le coffre de l'Eldorado d'Oberfest.

10. Tollinger, Oberfest et Lindberg quittent Spring Valley vers les vingt-deux heures. Ils prennent l'autoroute 270, direction Frederick, puis Hagerstown et Cumberland.

11. Ils arrivent sur les lieux repérés par Lindberg vers deux heures du matin.

12. La tombe est creusée. Frère Kristos est enterré. Ils rebouchent le trou et le dissimulent sous des branchages.

13. Ils s'en retournent à Washington, où ils devraient être rendus au plus tard à sept heures.

14. Le matériel est déchargé de la Cadillac et laissé dans le garage de Tollinger. Lindberg s'en va avec la Scorpio, et Oberfest suit.

15. Tollinger brise le verre et la bouteille portant ses empreintes et celles de Kristos et jette les morceaux à la poubelle.

16. Lindberg abandonne la Scorpio sur le parking d'un aéroport, ferme la voiture à clé, et rejoint Oberfest qui l'attend un peu plus loin avec la Cadillac. Les deux hommes se rendent alors à Alexandria, où Lindberg récupère sa Buick. L'un et l'autre rentrent ensuite chez eux.

Le scénario est achevé dans la soirée du 29 janvier, un dimanche.

— Voilà, dit Tollinger, nous ne pouvons tout prévoir, mais ce plan me paraît complet tel qu'il est. Si nous gardons notre sang-froid, nous devrions triompher de l'imprévu.

— D'accord, d'accord, dit Marvin, impatient. Nous avons assez palabré comme ça. Si on passait à l'acte, maintenant ? Quand appellerez-vous Kristos ?

— Mais tout de suite, répond Tollinger.

Il cherche le numéro du prêcheur dans son calepin et décroche le téléphone. Ça sonne cinq fois avant que le prêcheur réponde.

— Allô ?

— Frère Kristos ?

— Oui.

— John Tollinger.

— Oui, dit Frère Kristos, j'attendais votre appel.

13

Dans la nuit du lundi, la masse d'air polaire attendue commence à envahir la côte atlantique de la Nouvelle-Angleterre au nord de la Floride. Elle est accompagnée par des vents violents, avec de méchantes rafales soufflant jusqu'à cent kilomètres/heure.

Heureusement, il n'y a pas de neige, seulement des bourrasques de flocons, que le vent a tôt fait de disperser. Le thermomètre descend. Dans la journée, la température est de deux à trois degrés mais elle chute à moins cinq et plus, la nuit.

Le froid se poursuit et même s'intensifie pendant toute la semaine. La plupart des habitants de Washington restent calfeutrés chez eux. Le nombre des victimes parmi les sans-abri ne cesse de croître. Un cadavre raidi par le gel est trouvé enveloppé de journaux au pied du Monument de Jefferson.

Dans la capitale, de nombreux services publics sont fermés ou n'ouvrent que de onze heures à quinze heures. Toutes les séances du Congrès sont renvoyées sine die.

John Tollinger quitte l'aile ouest de la Maison-Blanche l'après-midi du 2 février à trois heures et demie. Il veut rentrer tôt, car c'est ce jeudi-là que les conspirateurs appellent le jour J.

— « J » comme justice ? demande, ironique, Oberfest.

Ni Marvin ni John ne relèvent.

Chez lui, il fait réchauffer une boîte de soupe chinoise et se fait un sandwich au salami dans du pain de seigle. Il sait qu'il devrait manger plus car ce sera son dernier repas de la journée, mais il ne peut rien avaler d'autre.

Il monte dans sa chambre, se déchausse, s'allonge sur le lit. Il n'a pas l'intention de dormir, seulement se détendre, mais il s'endort. Il se réveille presque une heure plus tard, à cinq heures vingt. Il se déshabille et prend une douche, bien qu'il en ait pris une avant de partir, le matin.

Il met des sous-vêtements chauds, enfile un pantalon de velours épais, des chaussettes de laine, des bottes fourrées, un pull-over de marin. Il ne pense pas que Frère Kristos s'étonnera de son accoutrement ; le prêcheur arrivera probablement aussi chaudement vêtu.

Il se rend ensuite dans la cuisine et dispose sur le comptoir deux bouteilles de vodka au poivre, une de cognac et une de Glenfiddich. Et quatre verres ordinaires. Pas de cristal.

Il aimerait bien boire un verre. Peut-être un martini-gin, bien corsé. Il lui semble en sentir l'amertume, en humer l'arôme puissant. Mais il ne s'en prépare pas. Ce serait se donner du courage à bon compte. Ce serait, décide-t-il, une erreur d'éthique.

A six heures et demie, il allume la radio pour écouter la météo. Il est soulagé d'apprendre que la couche de neige est insignifiante. Toutes les routes sont dégagées. Mais il continue de geler à pierre fendre sur toute la côte Est.

Ses préparatifs terminés, il n'a plus qu'à attendre. S'étant refusé le secours trompeur de l'alcool, il tourne alors résolument ses pensées vers l'acte qu'il s'apprête à commettre : ôter la vie à un homme. Tuer.

Il prend la fiole de poison dans un tiroir de la cuisine, l'élève à la lumière, ne peut résister de citer : « Est-ce une dague qu'on me tend là, la poignée tournée vers moi ? » Littéraire jusqu'au bout, reconnaît-il, et il se demande quelle épitaphe il aimerait avoir sur sa tombe. Il ne peut se décider.

Alors qu'il considère l'énormité de ce qu'il a entrepris, il se reproche terriblement un manque de ferveur, d'émotion, car s'il y a jamais eu des instants dans sa vie qui exigent de la passion, ce sont bien ceux qu'il est en train de vivre. Mais il parvient seulement à récapituler ses motifs et à conclure que le meurtre de Kristos est justifié. Il est même, en vérité, une solution élégante. Il n'en ressent cependant pas plus d'enthousiasme qu'un mathématicien venant de résoudre un problème complexe. De la satisfaction peut-être, mais pas d'extase.

Il tressaille en s'apercevant qu'il est sept heures passées. Quand ils ont fixé l'emploi du temps du jour J, ils ont prévu large la durée des différents trajets. Oberfest et Lindberg doivent être chez Tollinger une heure avant l'arrivée de Kristos, mais les minutes passent, et les deux hommes ne sont toujours pas là. Troublé, Tollinger va jusqu'à la fenêtre, guette à travers le voile des rideaux.

A sept heures et demie, son inquiétude est telle qu'il se demande s'ils ne vont pas devoir annuler toute l'opération. Il est sept heures trente-huit quand, toujours de guet à la fenêtre, il voit les phares de l'Eldorado tourner dans l'allée. Il court ouvrir la porte intérieure communiquant avec le garage.

Michael surgit, le visage défait.

— Il est saoul ! gémit-il. Saoul comme un cochon !

— Quoi ? s'écrie Tollinger.

Puis, bêtement :

— Qui ça ?

— Qui ça ? Votre ami Lindberg, pardi ! Je l'ai trouvé qui errait dans le parking où il a laissé sa voiture. Il est complètement défoncé.

Marvin Lindberg fait son entrée en titubant.

— J'suis pas saoul, marmonne-t-il avec un sourire idiot. Juste un peu pompette.

John le regarde durement.

— Vous avez vraiment choisi le moment pour retomber dans le caniveau.

— Ne me secouez pas, dit Lindberg. Je peux marcher, non ? D'une manière ou d'une autre, cette ordure ira à la poubelle cette nuit.

Il tire un gros revolver de la poche de sa parka et le brandit autour de lui.

— Rentrez ça ! ordonne brutalement Tollinger. Nous suivrons le plan comme nous l'avons prévu. Maintenant, montez dans la chambre, vous deux, et, pour l'amour du Ciel, ne faites pas de bruit.

— Oui, patron, dit Lindberg.

Il s'empare de la bouteille de cognac posée sur le comptoir de la cuisine.

— J'emporte cette beauté avec moi pour me tenir compagnie.

Il y a du désespoir dans son regard, de la rage dans sa façon de cligner sans cesse les yeux et de montrer les dents. Il est à bout de nerfs, pense John. Tout près de craquer.

— Arrêtez donc de boire ! crie Tollinger.

— Pourquoi pas ? réplique Lindberg. Vous voulez que je me tienne peinard, non ? Eh bien, ça m'aidera. Avec un peu de chance, je m'endormirai.

Ils montent l'escalier, Lindberg serrant la bouteille contre lui. Tollinger se précipite dans le garage, abaisse la large porte à bascule, branche le chauffage. Il retourne dans la maison et tend l'oreille. Pas de bruit depuis sa chambre. Il tend ses mains devant lui. Elles ne tremblent pas.

Frère Kristos arrive quelques minutes après huit heures. Tollinger, de la fenêtre, le regarde sortir de la Scorpio.

Le prêcheur porte un grand manteau de vigogne noir avec un col en vison. Il est tête nue.

John ouvre la porte, souhaite la bienvenue à son hôte. Il aide Kristos à se débarrasser de son manteau. Celui-ci est étonnamment léger.

— Très beau, dit-il. Un cadeau ?

— Oui, répond l'autre homme.

Il est vêtu d'une ample chemise de soie noire et d'un pantalon bouffant dont les jambes sont rentrées dans des bottes noires de cheval. Autour de son cou, la chaîne et la croix en or.

— Je vous remercie d'être venu, dit Tollinger. Il fait tellement froid que j'ai pensé que vous m'appelleriez pour reporter à un autre jour.

Frère Kristos ne répond pas. Il suit John jusqu'au bureau et s'installe dans le grand fauteuil que son hôte lui désigne.

— Mettez-vous à l'aise, dit Tollinger. Je me suis souvenu de votre goût pour la vodka au poivre. Vous en voulez ?

Le prêcheur hoche la tête.

— Sans eau ni glace, dit John. Je n'ai pas oublié.

Il se rend à la cuisine, remplit un verre de vodka et se verse deux doigts de Glenfiddich d'une main qui ne tremble pas. Il retourne dans le bureau.

— Buvons à une vague de chaleur, dit-il, levant son verre.

Frère Kristos sourit et vide son verre à moitié.

— J'ai une question à vous poser, dit Tollinger. Quand je vous ai appelé pour vous inviter, vous m'avez dit que vous attendiez mon appel. Un autre exemple de vos talents divinatoires ?

Le prêcheur passe lentement sa main dans sa barbe en fixant son hôte du regard.

— Non, dit-il, je ne suis pas omniscient. Mais je n'avais plus de nouvelles de vous depuis quelque temps, et je pensais que vous chercheriez à me revoir.

— C'est une explication rationnelle. Vous savez, Frère Kristos, que vous avez une réputation de devin autant que de guérisseur. Est-ce que ces dons particuliers ont aussi une explication rationnelle ?

— On me prête des pouvoirs que je n'ai pas. Mais les gens le croient parce que c'est une nécessité pour eux. Sans la croyance, ils ne peuvent supporter leur propre néant.

— Mais plusieurs amis, des gens dont j'apprécie le bon

sens, m'ont dit que vous étiez réellement capable de faire ces choses extraordinaires. Vous l'expliquez comment ?

— Vous êtes un homme têtu, monsieur Tollinger. Oui, il y a une explication qui me paraît, à moi, rationnelle. Je doute cependant que vous la trouviez logique. Mon verre est vide.

— Bien sûr ! dit Tollinger en se levant.

Il rapporte un deuxième verre de vodka de la cuisine.

— Il y a une autre question que je voudrais vous poser. Elle est assez personnelle, et si vous me jugez trop indiscret, ne me répondez pas. Je ne vous en voudrai pas.

— Quelle est votre question ?

— Je vous ai écouté prêcher, Frère Kristos, et je présume que vous êtes sincère. En même temps, il est notoire à Washington que votre vie privée peut difficilement passer pour vertueuse. Comment parvenez-vous à concilier ce que vous prêchez et votre manière de vivre ?

Kristos fixe de nouveau son regard sur Tollinger. Il n'y a pas d'hostilité dans ses yeux, seulement une curiosité songeuse.

— Vous faites allusion à mon goût pour la boisson, l'argent, le luxe ?

— Votre goût pour les femmes, aussi, dit John. Et ne venez pas me dire que nous ne saurions commettre de péché parce que nous avons été créés à l'image de Dieu. Je veux seulement savoir comment vous pouvez prétendre être le frère de Jésus et vivre comme vous vivez.

Le prêcheur renverse la tête en arrière en ouvrant la bouche, attitude que Tollinger interprète comme étant un rire silencieux. Mais le ton de sa voix n'est pas amusé.

— Monsieur Tollinger, dit Frère Kristos avec force, il est possible de négocier avec Dieu. Je l'ai fait toute ma vie.

— Et vous n'avez pas peur du moment où vous devrez Lui rendre des comptes ?

— Non, je n'ai pas peur.

— Votre verre est vide de nouveau, dit Tollinger avec un feint étonnement. Je vais vous chercher la bouteille. Ça m'évitera des allées et venues.

Kristos ne dit rien. Tollinger disparaît. Il se rend d'abord aux toilettes du rez-de-chaussée qu'il utilise rarement car il n'y a qu'un minuscule lavabo et un robinet d'eau froide. Il se lave les mains, les sèche avec une serviette sale qu'il se reproche de ne pas avoir mise au lavage il y a des semaines. Puis il s'examine dans le miroir mais ne remarque pas de changement dans son apparence.

Il se rend ensuite à la cuisine, débouche la fiole de poison, en verse le contenu dans la bouteille à moitié pleine. Il rebouche la fiole, la range dans le tiroir. Il bouche la bouteille de vodka avec son pouce et la secoue pour mélanger les deux liquides.

— Et voilà ! s'exclame-t-il, enjoué, en réapparaissant dans le bureau.

Frère Kristos se tient devant les rayons de la bibliothèque, inspectant les titres. Il prend la bouteille que lui tend Tollinger mais il ne boit pas.

— Vous avez de beaux livres, dit-il.

— Oui, dit John avec un petit rire, c'est ma drogue, je le reconnais.

Puis le prêcheur porte la bouteille à ses lèvres et boit longuement. Les deux hommes se rassoient.

— Quand j'étais jeune, dit le prêcheur, je lisais beaucoup. Mais aucun des livres que j'ai lus n'a répondu à mes questions.

— Pas même la Bible ?

— La Bible ne donne pas de réponses, mais elle pose les bonnes questions. Je dois vous avouer que je ne lis plus le Livre Saint pour sa signification mais seulement pour sa poésie.

Kristos avale une autre gorgée de vodka, puis lève la bouteille à la lumière et l'examine.

— Divine poésie, dit-il, d'une voix épaissie.

— J'ai appris que vous aviez publié un livre de prières, dit Tollinger. Avez-vous l'intention d'en écrire un autre ?

Il n'obtient pas de réponse. Frère Kristos lève lentement les yeux et regarde John avec une intensité grandissante.

— Le messager, dit-il d'une voix brouillée, la langue sortant de sa bouche.

— Quoi ? demande Tollinger. Que dites-vous ?

Frère Kristos porte la bouteille à sa bouche d'une main tremblante et boit avidement. De la vodka coule sur sa barbe, macule sa chemise. Il tente de jeter la bouteille mais celle-ci lui glisse des doigts.

Il se lève à grand-peine de son fauteuil et se tient debout, vacillant. Il halète, comme si le souffle lui manquait, arrache de son cou l'épaisse chaîne en or et la croix, les jette loin de lui.

Tollinger s'est levé. Il observe, fasciné.

— Si jamais..., crie soudain le prêcheur, le visage grimaçant, si jamais quelqu'un... Mon Dieu, mon Dieu, pourquoi as-tu...

Il bat l'air de ses bras, renverse le lampadaire. Il se met à rugir comme une bête blessée en se balançant sur ses jambes. Du sang se met à sourdre de ses yeux, ruisselle sur ses joues, sa moustache, sa barbe.

Tollinger, qui s'attendait à une mort rapide et propre, recule d'effroi.

Le prêcheur avance maintenant dans la pièce comme un aveugle, empoignant ce qui tombe sous ses mains pour se retenir de tomber. Il butte dans une chaise, arrache une étagère chargée de livres, renverse la table. Le bureau devient un chaos.

— Lindberg ! appelle Tollinger. Michael !

Il tente d'esquiver la charge aveugle de Kristos, se fait durement bousculer. Puis Lindberg déboule dans la pièce, le revolver au poing.

— Crève, salope ! hurle-t-il à Frère Kristos.

Et il tire deux fois sur lui.

Mais l'homme ne tombe pas. Trébuchant, vacillant, il pénètre dans le salon, se dirige vers la porte d'entrée.

— Mais tuez-le ! gémit Oberfest. Tuez-le, pour l'amour du Ciel !

Lindberg fait feu de nouveau mais Frère Kristos n'en franchit pas moins la porte, laissant une traînée de sang derrière lui. Ils se précipitent à sa suite, se heurtent dans leur hâte. Et les voilà dehors, Lindberg en tête.

Kristos est en bas des marches du perron quand Lindberg vide son arme à bout portant, continuant d'actionner la détente sur une chambre vide. Kristos est enfin tombé, la face contre le gravier de l'allée.

Ils agissent alors avec une célérité qui le doit plus au désespoir qu'à la panique. Ils empoignent leur victime, la traînent à l'intérieur de la maison. Ils déposent le corps dans le salon, contemplent, fascinés et horrifiés, les yeux ensanglantés, la chemise poisseuse, la poitrine qui continue de se soulever faiblement.

— Rien ne peut le tuer ! se lamente Oberfest. Comment va-t-on faire ?

— Suivre le plan, répond Tollinger d'une voix blanche. Le plan, et rien d'autre.

Lindberg se tourne vers lui.

— Le plan ? lâche-t-il avec rage. Il n'y a pas de plan. Il n'y a plus de plan.

— Comment ça ? Je ne comprends pas.

— Espèce d'abruti, grogne Lindberg, comment allons-nous l'enterrer ? Hein, comment ? Le sol est gelé depuis deux jours. Il nous faudrait dix bâtons de dynamite pour enterrer un canari. Vous voulez faire trois cents kilomètres pour aller casser nos pelles sur une terre dure comme de la caillasse ?

Tollinger fait la grimace. Il n'avait pas pensé à ça, et il se reproche vivement cet échec de la pensée logique.

— Pourquoi pensez-vous que je me sois bourré la gueule ? demande Marvin. Après tout ce que nous avons fait, on se fait baiser par une vague de froid. Il n'y a pas de quoi rire, non ?

— On peut encore s'en tirer, dit John. Peut-être que les voisins n'ont pas entendu les coups de feu. On pourrait par exemple le jeter dans ce fossé près de la route d'Annapolis.

— On pourrait, on pourrait, ricane Lindberg. Pourquoi qu'on le mettrait pas dans le sac de couchage et qu'on irait pas le balancer sur la pelouse de la Maison-Blanche ? Non, il n'y a qu'une seule solution... le fleuve.

Ils enfilent chapeaux, manteaux, gants. Ils tirent Kristos jusque dans le garage par la porte de communication intérieure, le déposent sur le plancher de la Cadillac à l'arrière. Ils ouvrent le garage. L'Eldorado émerge lentement dans la nuit claire, glacée, au ciel constellé d'étoiles.

John est au volant. Il prend la direction sud, celle de Georgetown. Lindberg est assis à côté de lui ; il chantonne et tète la bouteille de cognac. A l'arrière, Oberfest est tassé, pâle et tremblant, dans un coin de la banquette. « Nous sommes de tristes clowns, pense Tollinger, et seul ce mourant qui perd son sang a de la dignité. »

Il traverse Georgetown, parvient aux berges du Potomac. Autrefois, il y avait là un restaurant donnant sur le fleuve. Un bel établissement, aujourd'hui abandonné et désert, avec une terrasse sur pilotis dominant les eaux. Il y avait des tables où de jeunes couples s'asseyaient au soleil couchant, buvant des cocktails, contemplant les bateaux qui montaient et descendaient le courant.

Ils se garent, sortent Kristos de la voiture, le tirent jusqu'au bord de la plate-forme, le font passer par-dessus la rambarde. Le corps brise la couche de glace, cinq mètres en dessous. Une eau noire bouillonne à la surface. Un bras se lève comme en un adieu puis s'enfonce sous la glace.

Ils reprennent la direction de Spring Valley.

— Il est mort, maintenant, dit Oberfest. N'est-ce pas ?

Les autres ne répondent pas.

Ils tournent dans la rue où habite Tollinger. Celui-ci se penche en avant, scrute la rangée de maisons.

— Il y a de la lumière chez moi, dit-il tout bas. J'ai pourtant éteint en partant.

— Oh, oh, dit Lindberg. Continuez lentement, et ne vous arrêtez pas.

Mais leurs phares éclairent une voiture de police garée en travers de la chaussée au bout de la rue.

— Arrêtez-vous et faites marche arrière, dit Lindberg. Lentement.

John arrête la voiture, jette un regard dans le rétroviseur et voit un autre véhicule de la police sortir d'une rue adjacente pour leur couper la retraite.

— Quelqu'un aura entendu les coups de feu, suppose Tollinger. Les flics doivent nous attendre dans la maison.

Oberfest se met à pleurer. Lindberg finit la bouteille de cognac, la laisse choir à ses pieds.

— Eh bien, moi, je suis content qu'on l'ait fait, déclare-t-il. Je le referais, si c'était à refaire. Pas vous ?

John Tollinger ne répond pas. Il se souvient de s'être demandé plus tôt dans la soirée quelle épitaphe il aimerait sur sa tombe. Maintenant il le sait.

L'auteur est François Rabelais.

La phrase, à peu de chose près : « Tirez le rideau, la farce est terminée. »

EPILOGUE

Au cours des mois qui ont suivi les événements décrits ici, il s'est passé un certain nombre de choses :

Avec le radoucissement de la température et le dégel du Potomac, le corps de Jacob Everard Christiansen, alias Frère Kristos, s'est échoué sur la berge près de Fort McNair. L'autopsie a révélé des blessures par balles et des substances toxiques dans le corps. Mais la cause immédiate du décès a été attribuée à une hypothermie et à une asphyxie par noyade.

Inculpé de crime avec préméditation, John Tollinger a refusé l'assistance d'un défenseur et a plaidé coupable. Il attend aujourd'hui son jugement.

Marvin Lindberg, inculpé des mêmes charges, s'est trouvé provisoirement placé dans une prison-hôpital pour une cure de désintoxication.

Michael Oberfest, placé sous les verrous dans la nuit du crime, s'est pendu dans sa cellule avec la ceinture qu'on lui avait laissée par inadvertance.

Deux jours après le meurtre de Frère Kristos, le commandant Leonid Y. Marchuk a regagné l'Union soviétique. On ignore ce qu'il est devenu depuis.

Le président Abner Hawkins, que ses collaborateurs ont dissuadé de mettre en berne le drapeau de la Maison-Blanche, a fait lui-même l'éloge funèbre du prêcheur lors d'une brève cérémonie qui s'est tenue dans la salle Roosevelt. Le président s'est attelé à rassembler sous son nom tous les groupes minoritaires, les pauvres et les sans-abri, les organisations fondamentalistes. Il a été aidé dans cette tache par Lu-Anne Schlossel, qui a été confirmée vice-présidente par le Congrès.

La mort de Frère Kristos a porté un coup aux ambitions présidentielles de Samuel Landon Trent. L'ancien vice-président n'en a pas moins annoncé son intention de se présenter contre Hawkins aux élections présidentielles. Son ex-épouse, Matilda Trent, vit désormais dans le sud de la France.

Pearl Gibbs et Agnes Brittlewaite ont disparu peu de temps après l'assassinat de Frère Kristos. Le bruit court que les deux femmes seraient maintenant employées dans un bordel à Tijuana, au Mexique, mais ces dires n'ont pas été vérifiés.

Jennifer Raye, exécutrice testamentaire de Frère Kristos, a vendu l'ancien séchoir à tabac et les terres avoisinantes afin de payer les frais de succession. Un centre commercial sera bientôt construit sur l'emplacement du séchoir. Mlle Raye écrit présentement un livre : *La Véritable Histoire de Frère Kristos.*

Henry Folsom a démissionné de son poste de chef du cabinet présidentiel après l'inculpation pour assassinat avec préméditation de son principal collaborateur. Folsom occupe actuellement une chaire de sciences politiques à l'université de Georgetown.

A ses propres frais, Emily Mattingly a publié une nouvelle édition des *Sermons de Frère Kristos*. Cette dernière édition comporte des photos du prêcheur. On dit que ça part comme des petits pains.

Selon les vœux exprimés par Frère Kristos, sa dépouille a été incinérée après que l'autopsie et l'enquête ont été terminées. Les cendres ont été placées dans une urne de bronze. La nuit suivant l'incinération, la maison funéraire a été cambriolée, et l'urne volée. A ce jour, les cendres n'ont pas été retrouvées.

L'ouverture du testament de Frère Kristos a révélé qu'il avait légué à John Tollinger sa chaîne et sa croix en or.

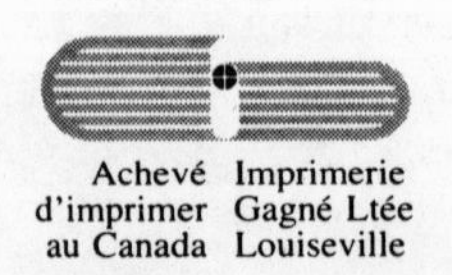

Achevé d'imprimer au Canada
Imprimerie Gagné Ltée Louiseville